D1269709

COLECCION GUADARRAMA
DE CRITICA Y ENSAYO

3

P. 21

NOVELISTAS ESPAÑOLES
DE LOS SIGLOS XIX Y XX

DOMINGO PEREZ MINIK

NOVELISTAS ESPAÑOLES DE LOS SIGLOS XIX Y XX

EDICIONES GUADARRAMA, S. L.
Santa Catalina, 3
MADRID

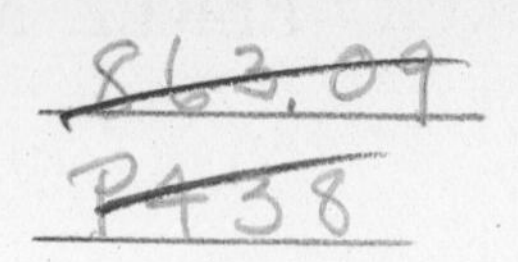

TODAS LAS FOTOGRAFÍAS QUE ILUSTRAN ESTE LIBRO FUERON CEDIDAS GALANTEMENTE POR PRENSA ESPAÑOLA

Impreso en España por

Talleres Gráficos de EDICIONES CASTILLA, S. A. - Alcalá, 126 - MADRID

SENTIDO VIGENTE DE LA NOVELA PICARESCA

En el concierto de las novelas europeas, y a gran distancia, se percibe la picaresca española como una extraña existencia, como un cuerpo insolidario de feroz independencia, que rompe todo sentido de evolución o continuidad y, es más, que sigue viviendo por encima o por debajo de ella, escondiendo misteriosamente su primera y última razón de ser. Al lado de los grandes hechos literarios de Occidente, le ha sido posible realizarse con dignidad y maestría. Y todavía le es fácil esquivar las flechas que críticos, historiadores y moralistas le han lanzado denodadamente. Desde su esencial recinto, ha ejercido influencias imperecederas y justo es reconocer que importantes sectores del continente, bajo su ojo avizor y su opresión descarada se han guarecido. Hoy estamos dotados de tal perspectiva como para observar que todas aquellas novelas que se movieron en su vecindad, sea la caballeresca, el cuento italiano o el relato clásico y, aun las más distantes, la romántica o la naturalista, han pasado, desde hace mucho tiempo, a formar parte de los museos, mientras la picaresca se mantiene seca, erguida y con sus troncos recubiertos de sal, como uno de esos arbustos que a lo largo de los años viven a la orilla del mar, dentro de la arena de la playa, entre rocas y callaos, vistiéndose y desnudándose todos los días y amados por las lunas y por los vientos.

Esta novela aun sigue dando quehacer a los hombres. A la

luz de la nueva crítica estética o histórica, ella se ha sometido con su natural impasibilidad al juicio o a la idea certera o apasionada de todos aquellos que la atacaron desde distintos baluartes. Es siempre interesante conocer lo que los extranjeros piensan sobre nuestra picaresca. No tanto porque su pensamiento sea más veraz o exacto, como por el hecho de que su alejamiento los condiciona de mejor manera para una más desinteresada penetración. Mejor será decir, para una penetración más ofensiva. De todas estas "ofensas" que la novela ha recibido, se llega a entresacar siempre nuevos elementos o posiciones que determinan, al fin y al cabo, una mejor consideración y un mejor punto de vista.

Jules Romains, por ejemplo, el bien conocido novelista francés moderno, hace algún tiempo escribió un prefacio para una nueva edición de Renato Lesage, el autor de *Gil Blas de Santillana*. Nos interesa conocer el criterio de esos escritores independientes y dotados de una buena sensibilidad contemporánea, distantes de la cátedra y del archivo, y que ante la novela picaresca toman sus actitudes espontáneas. Jules Romains ha redactado sus impresiones y, desde el primer momento, nos sorprende por su tono censor, pero descubre al mismo tiempo, y aun en contra de su voluntad, elementos perdurables en nuestra novela. "Los héroes de la picaresca debieron su éxito a la creencia de que las aventuras de estos individuos eran más pintorescas y sobre todo más variadas que las de las personas honradas, cuyo destino parece llevarlos a conducirse como si vivieran sobre una línea más o menos recta, sin ofrecer muchos ni importantes cambios". Aquí se percibe en seguida cómo el novelista francés nos enseña su llave maestra para justificar posibles victorias pasajeras. Esta victoria sobre los lectores parece que se conseguía haciendo de los héroes seres desprovistos de toda moral, lo que daba mayor calidad pintoresca a los hechos y una mayor soltura al relato. Así quiere indicarnos Jules Romains que aquella despreocupación ética de los autores españoles hacía posible una existencia más flúida y más dinámica y, por lo tanto, más veraz y humana. De cierta manera reconoce, aun cuando en sentido peyorativo, que todo contenido moral a priori, trastorna y perjudica el valor estético o interesante de todo libro. Y añade a continuación: "Lo que ha terminado por distinguir a la novela picaresca ha sido su estructura muy libre, muy floja, por no decir, su carencia de estructura. Su desarrollo se basa en una falta de lógica y de necesidad interna". Jules Romains, al no descubrir en esta novela estructura alguna, la acusa de carencia de lógica y de necesidad interna. Y no sabe reconocer, sino de manera esquinada, que el realismo descubierto por la picaresca suponía un mayor desenfado en los movimientos, una libertad superior para captar el mundo en torno y, al mismo tiempo, una exigencia natural para ajustarse más vivamente a la materia humana circunscrita. Aun dentro del campo de la estética, y sin tocar el imperativo histórico o psicológico, la novela picaresca se nos presenta como una obra de arte de la mayor seriedad.

Vemos, hasta qué punto, a nuestra ilustre novela se le ha considerado desde siempre de manera simple e interesada. Unas veces sólo como una descripción más o menos apropiada. Bien es verdad que de la misma forma se han comenzado a estudiar los animales más extraños o las piedras más escondidas. Se han descrito sus personajes, sus acciones, sus lugares, su prosa y hasta sus antecedentes genealógicos. Se ha llegado a establecer su mecánica histórica. Más tarde, hemos asistido a un análisis positivista de sus intenciones sociales. Pero, entre descripciones y filiaciones, la novela picaresca ha permanecido siempre como un ser petrificado en su tiempo y espacio, desposeída de todo posible devenir y desintegrada de toda proyección sentimental contemporánea. Sin duda, en todo esto han faltado elementos importantes de juicio para situar, dentro de una tercera dimensión o cuarta, a esta novela española. Con estos elementos se podría llevar el análisis más hacia el interior de aquélla, en un movimiento de expansión audaz, estableciendo campos de colonización intensiva. Con esta técnica, estaba en nuestras manos llegar a demostrar que la picaresca era un fruto tardío español y que no bastaba a explicarla ni el realismo precedente medieval, ni el empobrecimiento nacional del siglo XVI, ni la formación del parasitismo como resultante de la crisis de la sociedad terrateniente en quiebra y la ascendencia de la burguesía. Efectivamente, su inteligibilidad no nos es accesible sólo porque naciera a la vida en esa coyuntura que supone el tránsito de la época esperanzada y generosa del Emperador hacia la España burocrática y reconcentrada de Felipe II. Todos estos fenómenos, en estos y en otros tiempos, se dan en Europa —las guerras de religión en Alemania, los desequilibrios sociales y psicológicos en Francia o los desórdenes económicos de la Italia postrrenacentista—, y en ninguna parte del continente una novela picaresca como la nuestra aparece.

Siempre hemos de admitir que toda obra de arte, y especialmente si es una novela o un drama o bien una poesía misma, se presenta ante nosotros —y como cualquier hombre dotado de existencia que frente a la vida tiene que atender a su perennidad, haciéndosela o deshaciéndosela— no sólo provista de armas ofensivas, sino también de otras defensivas, tan importantes las primeras como las segundas. Junto a la espada, el escudo, junto al cañón, la trinchera. Hasta hoy se han valorado más y más las armas ofensivas de la picaresca, desconsiderándose sus elementos pasivos de vida, de manutención, de permanencia. Lo pasivo se ha de ver también como una energía potencial indiscutible.

Así, entre los muchos estudios que la novela española ha merecido, todavía no hemos encontrado ninguno que ataña a la valoración y ajuste de aquellos elementos. Ni el análisis estilístico que revela la manera de cómo el autor concibió la realidad. Ni la enumeración y substantividad de su tiempo en función del hombre que fué su héroe y de aquél que fué su creador. Tampoco sabemos nada de la moral que la imantó. Ni se nos presentó una fenomenología de su voluntad, no valorada ésta como un hecho mecánico de conducta, sino como expresión de una intencionalidad espiritual que busca las raíces de su origen y las ramas de su meta. También nos faltó siempre la observación de que habíamos de andar con pies de plomo cada vez que intentáramos encararnos con el fenómeno barroco, ya que entre la voluntad de forma de éste, con su singular disposición anímica, y la picaresca, existía una contradicción visible y audaz. Como último punto, debíamos buscar una metafísica que sustentase nuestra novela y, si no existía a primera vista, cosa muy natural dada la fuerte adherencia que en España se produce entre filosofía y vida, reconocer a aquélla como un estado potencial.

Después de la publicación del libro de Américo Castro, *España en su Historia,* no cabe duda de que grandes elementos pasivos y energéticos de nuestra novela se han esclarecido. Llega así hasta nosotros una parcela de datos de caracter existencial, donde lo histórico y lo psicológico se conciertan dentro de una inusitada realidad explicativa. De allí llegamos a entresacar que la picaresca sólo ha podido ser fruto del genio español, porque es éste el único genio nacional europeo donde lo cristiano, lo judío y lo islámico se producen en extraña simbiosis. Y de excepcional manera sobre el realismo existencial hispánico, que marcha por la vida sin compañía de ningún realismo intelectual. En él, los hombres, creadores de un arte, pueden vivir en sí y fuera de sí, sin una solución de continuidad. En esta tierra agreste de la novela, el pícaro carece de reposo sustancial y se empareja con Trotaconventos y con Don Juan. Todas estas figuras huyen de algo o de alguien, y su pesimismo esencial es el pesimismo exacto que configura al converso. La literatura española anterior jamás tuvo estas tintas negras, despiadadas y rígidas, con que se nos aparece esa otra literatura escrita con posterioridad a la expulsión de los judíos. Esta falta de asiento del mundo converso de nuestra nación, es la razón única y totalitaria que justifica el ataque a la vida, peculiar de la picaresca. No vale la pena considerar sólo a esta novela como un ensayo descriptivo de las costumbres de su tiempo, ni como la representación de unos seres fracasados meramente, ni como el enaltecimiento de una huída ascética del mundo. Ella es de manera singular la forma literaria de una creencia fundamental, la de ese espíritu que nunca ha poseído una objetividad sobre qué apoyarse. Aquél que ha afirmado que "todo parece y nada es".

Ante todas estas poderosas ideas de Américo Castro, cabe siempre plantearse que también otros grupos judíos, de distintas naciones europeas, fueron expulsados y estuvieron sometidos a la clandestinidad y a la expiación. Y en esos países nunca hemos sabido que un arte como la picaresca se produjera. Claro está, y a esto se puede añadir, que a aquellos judíos les faltaba la vecindad del elemento árabe, la de aquel hombre que "valora la realidad sin muros que la separen".

Si se intenta rastrear en las otras novelas europeas algo que se aproxime a la novela picaresca, perderemos el tiempo. No hablemos de la novela clásica, con sus grandes resortes morales y su convencional psicología causativa. Ni de la novela romántica, con su idealismo histórico o personal, y, más cerca de nuestro tiempo, de la novela naturalista o la novela rusa, aun cuando éstas acotan tierras que fueron productivas en la época de la picaresca. Hemos de reconocer que ni sus intenciones éticas ni sus formas narrativas ni sus movimientos analíticos de la sociedad ni sus metafísicas se acercan para establecer una relación de amistad. Más próxima a nuestra circunstancia epocal, nos encontramos con la novela impresionista de postguerra, que escapa a toda susceptible influencia de la picaresca, no sólo por su amor formal y sugestivo de la vida, sino por su estética intuitiva y generosa y también por las disciplinas psicológicas a que se sometió.

Cuando llegamos a la novela existencialista y a su antecesora la novela postexpresionista, necesariamente hemos de andar con tiento. Se ha de ver, con claridad, la importancia considerable que el hombre judío tiene en esta última. También un acondicionamiento espiritual semejante, una como subversión contra un orden dado discursivo e histórico, que ataba conciencias y desataba rencores reprimidos. De ahí nació una literatura de compresas frías, con documental rígido, como una nueva valoración de lo objetivo desde un yo remoto y encarcelado. Kafka conserva el mismo misterio metafísico de nuestra novela, fundido con un realismo incoloro e inodoro, casi atemporal. Se pueden seguir las páginas de Kafka sobre la misma monotonía, sobre el mismo ritmo y discurso que en su tiempo presentó nuestra novela indígena. Hay como un estado de evasión, hacia no se sabe dónde, del héroe, una como huída de sí mismo, que se endereza hacia caminos ajenos a todo sentido dialéctico o racional. Sus maneras frías y la vida entendida como absurdo, con su total deshumanización, establecen cabezas de puente, muy importantes, entre el novelista checo y nuestros maestros del siglo XVII. Hasta este momento es muy difícil tender ninguna relación con la novela europea, por lo menos en sus aspectos filosóficos y morales. Ya hemos anotado sus parecidos sobre el campo físico y espacial.

En la última novela norteamericana es fácil precisar estas coincidencias. Un libro como *El camino del tabaco,* de Erskine Caldwell, está escrito con la misma caligrafía de la picaresca, al menos en todo aquello que afecta al movimiento anímico de sus héroes, a la lisura de su prosa, a la ininteligibilidad de su fatalismo esencial. Bien es verdad que se sorprende en el relato del autor extranjero una emoción muy contenida y una sensibilidad que, aun estando amarrada, quisiera expresarse con una voz más humana. La existencia como condición humana y no como carácter enriquece gran parte de la novelística europea de hoy. Esta existencia es dura, sucia, maloliente, insípida, incolora, notas todas que han sido propiedad exclusiva de nuestra picaresca a lo largo del tiempo. Si en Louis Ferdinand Céline, *Voyage au bout de la nuit,* aquella vida se representa como una narración autobiográfica que salva siempre su caudaloso lirismo y su voluntad panfletaria, en los existencialistas, la caracterización coincidente y reincidente se mantiene por esa transfusión metafísica que apaga todo dramatismo cordial, aun cuando el dramatismo intelectual sea del mayor efecto. Ya sabemos que si la vida no tiene sentido, según los postulados de Sartre y su equipo, al menos este reconocimiento produce angustia. Sobre esta conciencia, el hombre necesita determinarse, decidirse, elegir, ya que la vida tiene que hacérsela en todo momento si no quiere perecer. Frente a esta situación, de contaminación ciertamente optimista, se nos aparece la novela picaresca como la vida crucificada sobre el absurdo puro.

No queremos abandonar esta pasajera historia comparada de nuestra novela vieja, sin aludir a importantes valores de la literatura actual española; a Camilo José Cela, por ejemplo. *La familia de Pascual Duarte,* acaso no muestre ninguna relación esencial con la picaresca. El protagonista de hoy no posee ningún ingrediente consanguíneo con los de ayer. Él no es un pícaro. No tiene humana condición. Él es un carácter que se mueve dentro del marco sórdido, histórico y naturalista de su pueblo extremeño. Su significación moral, dentro de su inmoralidad, importa por los matices existencialistas que conserva. A pesar de todo, queremos adivinar en nuestro novelista contemporáneo una disposición de ánimo, una creencia y hasta una desesperación desenfadada, capaces de traducirse, en un día oportuno, en una obra picaresca de la mayor dignidad. Esta obra no ha sido esas nuevas andanzas que del Lazarillo de Tormes ha lanzado últimamente al mercado, pero sí *La Colmena,* la más importante de las novelas españolas de esta hora.

Otro escritor, Darío Fernández Florez, cuya novela, *Lola, espejo oscuro,* ha aparecido en estos años, acusa, de manera relevante, una influencia de segunda mano, pero bastante acusada, de nuestra picaresca. En este libro, ya debemos decir que en su estructura, orden intencional y hasta su clima, el recuerdo de aquélla es muy vivo. Esta Lola es una mixtura atinada de una recompuesta Justina y esa mujer que anda enredada en cualquier novela existencialista actual. A pesar de todo lo que se ha escrito, creemos difícil encontrar en *Lola, espejo oscuro,* nada que sugiera lo erótico de los relatos franceses importados, ni tampoco relación alguna con aquella novela indígena acrisolada que mantuvo la atención de una época pasada. En este sentido muestra toda la aridez aséptica de la picaresca, su carácter autobiográfico y su perenne desvivirse y deshacerse. Incluso su tono, de un naturalismo estilizado, reforzado por una caligrafía cordial, le es ajeno. En la novela vale siempre mucho más lo que la acerca a la narración moderna que lo que la relaciona con el arte "barroco" del relato. Esta situación aumenta los valores de este libro y lo aleja de todo "pastiche" nauseabundo. Siempre será más fácil escribir y pensar dentro de la propia espontaneidad temporal, que lanzarse por esos mundos de Dios en busca de materiales para redondear un libro de genealogía muy ilustre.

Todo esto no quiere decir otra cosa sino que la novela picaresca aun sigue pesando en la balanza de nuestros escritores, y que su vida, bien que separadas las causas que la motivaron, se mantiene erguida, ejerciendo atracciones insospechadas. Así, la amplitud y extensión de contenidos de aquella literatura, al llegar a nuestros días adquiere una categoría incuestionable. La manera de concebirla, tan varia y contradictoria, nos recuerda la vieja fábula que reproduce Chesterton cuando nos habla del universo del poeta inglés Browning. Cinco ciegos se encontraron una vez en presencia de un elefante. Uno de ellos cogió la trompa y aseguró que el elefante era una especie de serpiente. Otro abrazó una pata y afirmó que el elefante era una especie de árbol. Un tercero se apoyó contra el elefante y dijo que estaba dispuesto a morir si no se creía que aquél era un muro. El que se encontró con el rabo aseveró que era una cuerda y el que tocó sus colmillos que era una lanza peligrosa.

* * *

A estas alturas nos gustaría establecer, como síntesis formal de conducta con relación a nuestra novela picaresca, puntos cordiales de inteligibilidad, bases posibles de operaciones ulteriores. Estos puntos, sean geométricos, políticos o económicos, no son otra cosa que una condensación de mero vapor acuoso, la traspiración de muchas ideas de tipología impresionista y crítica.

En estos puntos se observará, con más o menos precisión, qué clase de valores atesora nuestra novela. Estos valores se nos aparecen hoy con tal naturaleza que muchos coinciden, sobre una tierra de nadie, con importantes descubrimientos de la novela contemporánea.

Primero, puede decirse que este arte picaresco está dotado de un realismo existencial, distinto y contrario al realismo figurativo que en otro tiempo histórico le precedió. Después, que su metafísica casi equivale a esa afirmación muy de nuestros días: "la vida no tiene sentido". Más tarde podemos atrevernos a decir que esta novela está construída sobre un tiempo humano aislado, discontinuo y siempre presente. También salta a la vista su carencia probatoria inmediata, la de ese hombre que no le interesa nada, y que la sitúa imprecisamente sobre un plano de arte amoral. Por último, que su manera barroca es sólo un recurso de deshumanización. Por lo tanto, su barroquismo es la contraposición del otro barroquismo, arte representativo de la Contrarreforma, que hemos de considerar como la encarnación de una realidad trascendente, con su total sentido y con su moral absoluta.

Una de las preocupaciones más poderosas que toda novela lleva en sí encerrada, la constituye el asentamiento de su realidad. Ha de comprenderse esta realidad como la razón primera vital de toda su existencia. Hemos de admitir que esta realidad no se estructura como los cimientos de un cuerpo arquitectónico. En parte, sí, y en parte, no. Siempre se podrá preguntar cuál es la realidad primigenia de todo edificio. Si el plano que concibió el arquitecto, o el vivo debate que sostiene el material con que se va a construir y la tierra y la piedra sobre las que ese material va a mantener una relación de continuidad, de erguimiento y de peso.

Estimamos de buena fe que en la novela picaresca, que no nació de una intención constructiva previa —como es frecuente que nazcan las novelas de hoy, sino como la expresión espontánea de una creencia—, lo fundamental tenía que ser esa fusión primera entre piedra y piedra o entre piedra, arena y cal. A esta fusión genuina y original se le puede llamar, para entendernos mejor y con lenguaje de hoy, una realidad existencial, y a su forma, una realismo existencial. Esta manera de hacer la vemos como uno de los mayores privilegios de nuestra literatura y, hasta su aparición, no fué nunca advertido en Europa.

El único realismo que prevalecía hasta el nacimiento de la novela picaresca era el figurativo. Todos sabemos que quien representa esta realidad es siempre el hombre. Y con él tenemos que entendérnosla. La mente y el corazón del hombre de los siglos XII y XIII sólo la concebimos fijando este modo de realismo, cuyo origen, como se ha demostrado, es naturalmente cristiano. Antes del Cristianismo, como ha afirmado Erich Auerbach, no existía aquella manera de captar el mundo en torno. El realismo, que luego conocemos en Europa, nace con los Evangelios y está asociado al convencimiento que la persona cristiana sentía de la realidad histórica de estos Evangelios. Ni el hombre griego ni ningún otro hombre de su vecindad experimentaron nunca esa necesidad espiritual de confrontar el relato dicho o escrito con el hecho acaecido. Pero, claro está, este realismo, por el sentido trascendental que el cristiano tenía del Universo, no dejaba de ser figurativo. La vida, las cosas, los actos se producían siempre como figuras de algo equivalente que por necesidad había de tener cumplimiento. El mundo estaba tocado por la mano de Dios, todo estaba cargado de significación y era lo suficientemente interesante como para merecer la atención del artista o del hombre. Al fin y al cabo, todo descansaba sobre una especie de "naturaleza" humana, con su alto valor providencial. Sustentado por esta tercera y superior fuerza, al escritor medieval le era posible mantenerse dentro de una objetividad, la compatible con una espiritualidad libre.

En la novela picaresca, la realidad que el héroe o el antihéroe va haciendo o deshaciendo, sólo vale como existencia, es decir, como peculiar emanación de su subjetividad. En nuestra novela, los otros viven, están ahí, pero únicamente como referencia a nuestro propio desenvolvimiento, lucha o adversidad. No se cree sino con media vida en la validez y sustancialidad del mundo, ha escrito con razón Américo Castro. Con la otra media vida, a ese mundo ajeno lo volvemos en humo. Este realismo existencial no tiene sino una realidad presente. Y no es tanto existencial porque se la representa con minucia o con detalle riguroso, porque aquélla sea negra o sucia o pestilente, o porque vaya acompañada de una intención acre o pesimista, sino porque el novelista no sabe separar totalmente lo objetivo de lo subjetivo, la idea de la creencia, lo tuyo de lo mío, y todo deviene pelada y seca existencia humana. Nada de esto tiene que ver con el realismo de Zola o de Galdós. Se ve muy bien la diferencia entre estos dos realismos, si marcamos una relación, siquiera sea superficial, entre *El lazarillo de Tormes* y el resto de la picaresca. Hay una obra que señala inquisitamente el punto redondo de la crisis, su forma de transición: la de Cervantes, con su *Rinconete y Cortadillo*. Nuestro Lazarillo sigue aún viviendo dentro del paisaje medieval figurativo y su sátira no rebasa el sentido de aquel mundo. La manera de estructurar el suelo que pisan sus héroes y el aire que respiran, sigue siendo también figurativo.

Otra de las notas esenciales de esta novela picaresca es que en ella la vida no tiene sentido. A primera vista parece que para esta literatura sólo importa el supuesto hedonístico del entretenimiento. Creemos que éste debió ser la gran preocupación de sus autores. Ahora bien: únicamente con este supuesto la novela no puede vivir, como obra de arte. Tenemos que recordar la naturaleza de una lectura de una novela picaresca. Casi se origina con el nacimiento del héroe. Y desde este momento hasta su final, que nunca termina en verdad y que siempre muestra una posible continuación, una vuelta a empezar para repetir lo que siempre se ha ido repitiendo, el protagonista no hace otra cosa que andar de un lado a otro, escapando de mil incidentes o peripecias, trasladándose de un amo a otro, vaciando dineros de aquí para allá, satisfaciendo su hambre o su gula entre dueños, amigos o mujeres, y sorteando el toro de la realidad con los mejores o peores quiebros. Una vida así verificada es algo que no tiene sentido. Siempre podemos añadir que el subvenir a las necesidades perentorias de lo cotidiano, el pasar el tiempo sin ulterior plan o fin, y el disponerse con habilidad o con travesura a lidiar a un universo hostil, son todas maneras de acreditar hasta qué punto un hombre está dotado de importantes facultades defensivas y hasta ofensivas. Indica hasta ingenio, gracia y superior cinismo. Pero lo curioso de esta picaresca nuestra es que su héroe no levanta nunca, hasta una superior jerarquía del espíritu, esta realidad banal, sino que la sostiene sobre un orbe subjetivo, liso, monorrítmico y aburrido. Esta disposición anímica no la encontramos ni en Gogol ni en Galdós ni en Baroja, cuyas aproximaciones picarescas en algunas novelas han sido suficientemente comentadas.

Al pícaro no le mueve nunca un mayor ideal, una aventura porque sí, ni un amor poderoso. La descripción de todo este vano quehacer se produce siempre sobre una órbita ajena a toda efusión, cordialidad o desinterés. Esta realidad, descrita con toda clase de pelos y señales, indiferente e inhóspita y generada con ausencia de todo interés o preocupación, cae dentro de un enrarecimiento humano, muy singular. Efectivamente, estas vidas de pícaros no tienen sentido. Y aburrirían si no fuese por la mecánica hedonística de entretenimiento, concebida exclusivamente como un mero pasar o hacer, o como un simple cambio de paisaje o situación. Ante este modo de comprender la realidad, con este sin sentido, creemos natural que la angustia brotara. Lo que quiere decir que la salvación, cualquiera que ella fuese, estaría a la vista. Pero en la novela picaresca no sucede así. Al menos, para sus héroes. Sólo el lector recibe este impacto existencial. Si él quisiera establecer una inteligibilidad vital, defraudado tendría que cerrar el libro. Ahora llega el momento duro de la reflexión. Esta reflexión va como desconectada del sentido literal de la novela, pero siempre nos sentimos en la obligación de preguntarnos cuál fué, en resumidas cuentas, el compromiso que contrajo con su lector el creador de la novela picaresca, cuál su mensaje remoto, cuál su intencionalidad astuta y reprimida.

Se ha de advertir que hemos afirmado el sin sentido de esta vida picaresca. Nótese que no señalamos que esta vida fuese absurda ni que fuese gratuita. Tanto lo absurdo como lo gratuito rebasan el espíritu de nuestra novela. Su realismo como su tiempo humano están soldados a una lógica inseparable de una fatalidad también necesaria. La sumisión a una cierta "naturaleza" aleja a la picaresca de aquellas primeras concepciones subjetivas que acotamos. Los héroes de esta novela se comportan muy dentro de un orden natural de cosas. Si no son los hombres que tienen historia, al menos, pueden presentársenos como los hombres que viven al margen de ella. Dentro de esta situación se han desenvuelto los protagonistas de Máximo Gorki, siempre alojados al margen de la historia. Pero su diferencia es bien notoria. Su disposición espiritual los capacitaba para entrar en su día con los mejores honores.

Una de las notas más irreprochables de la contemporaneidad de la novela picaresca, y que la distancia de sus predecesores y de sus vecinas, ha sido la configuración de su tiempo humano. Toda novela, como todo hombre, vive dentro y fuera de un espacio y de un tiempo. Esto es bien sabido. También es sabido que lo mismo el tiempo que el espacio se nos presentan distintos, como en movimiento, y dotados de un devenir irreversible. Georges Poulet, el ilustre escritor francés, ha publicado recientemente un libro, donde estudia la literatura europea en función del tiempo que la nutre, del mayor interés. De estos estudios, que no se refieren a la novela picaresca, claro está, nos gustaría entresacar elementos notables de juicio que nos sirvieran para nuestros limitados propósitos.

Ese tiempo humano lo sentía el hombre medieval como un desbordamiento incesante que desde su cuerpo penetraba en su alma. Cada acto de su ser lo reconocía, y de manera inevitable, impregnado de tiempo, viviendo dentro de ese tiempo continuo y natural. Para él, éste era el tiempo que conducía toda existencia humana hacia su Creador. Este tiempo, produciéndose de tal modo, va pronto, a medida que avanza el tiempo físico e histórico, a ser sustituído por otra clase de tiempo, centrado en un fuerte aislamiento y reducido siempre al instante presente. La vida se considera entonces como un sentimiento en todo momento actual y dependiente de una creación siempre reiterada, lo que hace que cada porción de tiempo esté cargado de su instante de plenitud.

Todas estas caracterizaciones las creemos muy propias de la novela picaresca. Los hechos de estos relatos se muestran siempre en tiempo presente. En ellos se percibe cómo lo fugaz y lo presente se juntan muy sólidamente. Cuanto más presente es el acontecer, tanto más fugitiva es su presencia. Si adrede nos complacemos en trasladar el tiempo hacia el pasado, cada instante de ese pasado, en la perspectiva temporal, se suelda al que le precede y al que le sigue, formando una continuidad, una figura extensiva de nuestra vida, donde de cierta manera nos es susceptible descansar. En cambio, en todo momento presente, reconocido como tal, el tránsito hasta alcanzar el momento que continúa va acompañado de un vacío, de un bache, lo suficientemente poderoso como para olvidar ante la nueva presencia, que es lo que importa, el pasado transcurrido. En este sentido, la novela picaresca, por esa medula que encierra la aventura porque sí, es una de las más ilustres precursoras de la novela de folletín y de la novela policíaca. Novela de tiempo presente y de extraordinaria fugacidad. En todas estas obras, el tiempo pesa como un plomo, de ahí el anhelo poderoso de buscar siempre el hecho insólito, natural manera de establecer un equilibrio psíquico.

El pícaro y su novela están construídos sobre un tiempo aislado. Este aislamiento produce una discontinuidad, por la propia naturaleza de la situación. Cada acto de Guzmán de Alfarache o de Justina vale por sí, tiene su total significación, es toda la vida, de tal manera que la novela pudiera convertirse en sólo este acto mismo. Es más, no estamos lejos de afirmar que con esa única descripción o relato nos basta y nos sobra para el conocimiento total de la obra. Hay que fijarse, como dato extraordinario, que en estas novelas no existen ni evolución psíquica ni moral ni teleológica.

Dentro de esa posición subjetiva de los pícaros, mejor, de sus creadores, fué fácil establecer una distinción radical entre espacio y tiempo, acaso como no se llegan a establecer dentro de los fenómenos puramente físicos. La ciencia moderna reconoce que ni los electrones ni las radiaciones ni los protones son capaces de descomponer este espacio-tiempo. Aquella mente estaba más cerca de la realidad que nadie, evidentemente por conductos distintos a los mecánicos, al mantener aquella distinción, ya que el conocimiento actual de los hechos en la naturaleza y en el laboratorio parece darle la razón. Esta sensación de tiempo y espacio la sustentaba la novela picaresca sobre un tiempo presente aislado y discontinuo, pero contraponiéndole como un claroscuro de alto relieve, un espacio continuo y liso, que era siempre el que sus héroes reconocían horas y horas, días y días, sin saber adónde ir y dejándose arrastrar por un vientecillo inopinado.

Uno de los problemas más serios que se le presenta al crítico que desee penetrar en el orbe de la novela picaresca es el escudriñamiento de su significación moral. Puesto que hay que admitir, sin ningún género de dudas, que el auténtico sentido de su mensaje moral va en ella siempre enmascarado. Existen los escritores honestos, como Quevedo, que no tienen que ocultar nada y sólo se dejan arrastrar por el imperativo irreprimible de la moda o de su conciencia. Sus libros están escritos de manera abierta y distinta. Pero los otros, los más numerosos, añaden a la novela y a la moral que corroe sus huesos, otra moral, que es muchas veces como una moralina, en forma de advertencias, sermones y arrepentimientos, y que en todo momento contradice de hecho la verdadera moral inserta en su cuerpo. Nos recuerda mucho esa conducta a la de esos ermitaños marinos, tan abundantes en las costas de España, que guarecen su blando abdomen, escondiéndolo en esas conchas abandonadas de un caracol que encuentran a la deriva. Allí forman una residencia singular, donde viven tranquilos de las acometidas de sus enemigos. Estos ermitaños, con su mundo de cangrejo diminuto y sus pinzas coloradas, traviesos y astutos, para mantener su independencia no sólo se alojan en esas conchas ajenas, sino que llegan a crear una "entente" cordial con las anémonas, que recubren todavía más su auténtica personalidad con su almibarada vegetación.

No nos vamos a detener aquí. Queremos sólo expresar una caracterización de los héroes picarescos. Su apatía, su trashumancia y su sequedad vital, tan en contradicción con el Alto Barroco. Esta manera espiritual suponía un disgusto con la vida y con la historia. Hecho que nunca pudo ser bien visto en una hora de quehacer transcendental. Al fin y al cabo, esta novela manifiesta como ninguna otra, con sinceridad, y si le quitamos su concha de caracol y su anémona, un estado de alma reprimida, un dolor y un desvivirse.

André Malraux ha podido escribir que nunca es la pasión lo que destruye la obra de arte, sino la voluntad de probar. El valor de la obra de arte vive, no de la pasión o del distanciamiento que la animan, sino del buen acuerdo entre lo que expresa y los medios que ella emplea. Esta amoralidad sustantiva que preconiza el literato francés, parece encuadrar entre sus puntas todo el sentido moral de la novela picaresca. Desde este punto de vista, nuestro relato ocupa una posición ilustre en el decurso del género en Europa. En la novela no hay que probar nada, hay que alejarla de toda prueba por nueve. La impasibilidad de nuestros autores ha sido elemento fundamental de esta conducta. Esta amoralidad se genera por la especial situación de su creador, por su observatorio relativista. Esto no quiere decir que la novela no atesore tal moral buena o mala, bonita o fea, de valor inmanente o transcendental, sino que toda esta moral la ha de sorprender el lector, la ha de recibir como una herencia, después de conocer a aquellos héroes, sus hechos, su conducta, sus decisiones, sus almas y sus movimientos. La novela, la verdadera, es un producto de una concepción liberal del mundo. Ella ha sido cosa de burgueses, de ciudades europeas y de gente tolerante y acomodada. Para vivir con decencia y dignidad, tiene esta novela que mantener un *statu quo* entre su autor, ella misma con su destino independiente y su lector. Estas tres fuerzas actuarán de distinta manera. De una parte, su creador, animado de una intención dada, de un compromiso consigo mismo y con el mundo objetivo, se lanza a describir o narrar figuras y hechos que han de poseer una singular existencia, existencia que se levanta sobre sus propias leyes, con su destino personal. Estas dos fuerzas obligan a otro tercer individuo, también autónomo, el lector, con el que establecen una pugna, aceptación o disentimiento, goce o aversión. Estos mundos libres no pueden comportarse de otra manera. Para reducirlos a nuestra moral, a la que cada una de las fuerzas en lucha poseen, está a nuestro alcance usar la violencia o ejercer un dominio cesáreo indiscutible. Pero en arte, esta técnica no sirve para nada. Termina por destruir de cuajo, o bien al autor, a la novela o al lector, o a los tres al mismo tiempo. Nuestra novela picaresca ha sabido, con ingenio y gracia, coordinar estos espíritus contrapuestos. Esta coordinación sólo ha sido posible por la amoralidad que ha presidido el desfile de valores éticos y físicos de su tiempo.

Valbuena Prat, el conocido profesor español, en sus estudios sobre *La Novela Picaresca,* Madrid, 1946, nos da esta cita, como corolario de una disquisición estética, que la creemos un hallazgo, y que queremos recordar aquí para aviso de despistados. En la introducción de *La pícara Justina* escribe su autor: "Y tan bien hizo Dios la luna con que descubrir la noche oscura, como el sol con que se ve el claro y resplandeciente día. En las plantas hacen labor las espinas; en los tiempos, el verano, y en el orden del universo también hacen su figura los terrestres y ponzoñosos animales. Y, finalmente, todo lo hizo Dios hermoso y feo".

A estas alturas no está de más que reunamos algunos aspectos que atañen al universo ético de la picaresca. Esta novela, quiérase o no, encierra un mensaje oculto, como el de la vida no tiene sentido, y que no se da al lector en forma racional o discursiva, sino creando un estado de ánimo, unas vivencias remotas que, en un momento dado, configurarán al espíritu de aquél. Este amoralismo próximo y su moral presunta lejana no han sido consecuencia de una intención directa, de una manifiesta voluntad inteligible, sino el resultado de una manera de vida, la que les cupo en suerte a sus creadores. De todas maneras, consciente o no, la novela picaresca es la primera en Europa que se comporta amoralmente, con sus caracteres precisos y su extraordinario desinterés. Desde lejos, ella ha anunciado gran parte de la literatura moderna, la comprendida entre las dos guerras, tan gratuita, tan falta de compromisos y tan lúdica. Claro está, que la célula de nacimiento es bien distinta. Una fué hecha por gentes de ocio, y la otra, por hombres que no querían aparecer con ningún compromiso. Ya en el terreno de los compromisos, no se debe afirmar que la picaresca sea una novela comprometida, tal como lo entendemos hoy. Carece de mensaje moral visible y, en esto, se separa de la novela última occidental. Pero sí vuelve a coincidir en otros aspectos, en su cierto naturalismo, en su desesperanza y hasta en su suciedad.

Para terminar este ensayo, hemos de entrar en aquellas consideraciones que afectan principalmente al Barroco y a su estética. Sorprende muy mucho, y a primera vista, la oposición que existe entre el mundo de la picaresca y el espíritu del Barroco, como arte de la Contrarreforma. Esta oposición es radical y ofensiva. El Barroco es cálido. La picaresca fría. Uno está vaciado en una ilusión naturalista. La otra expresa un naturalismo desilusionado. El primero es encarnación que se trasciende. La segunda es arte desencarnado y de segura inmanencia. El ánimo que los mueve es también contradictorio. Uno es activo, salvador, entusiasta. El de la novela es pasivo, reprimido, oscuro. Sólo existe un punto en que parecen coincidir: en su naturalismo esencial. Según Werner Weisbach, el gran teórico del Barroco, con el nacimiento de este arte se produce una síntesis conciliatoria entre la trayectoria estética, que vive dentro de una independencia histórica, y la trayectoria del sentimiento religioso de Europa, también entendida de manera autónoma. Cuando llega el Barroco se ha ido generando una evolución naturalista, de inmanencia estética, desde el Renacimiento.

La Contrarreforma es, a su vez, coronamiento de otra evolución, de tendencia naturalista, del sentimiento personal y de la política religiosa de la Iglesia. Así, llega el momento en que, dentro de un oculto devenir, confluyen ambas formas y parece la una la adecuada expresión de la espiritualidad de la otra. En la novela se produce un análogo fenómeno. Desde el cuento de Boccaccio o desde el relato caballeresco se fué preparando una marcha hacia un realismo naturalista. En éste coinciden arte barroco y novela picaresca. Coinciden en como los dos se alejan: uno, de Rafael, y la otra, de la novela renacentista.

Pero nada más. Queremos afirmar, otra vez, que el alma de la Contrarreforma y de su arte no han tenido otro contacto con nuestra novela, sino sólo en algunos aspectos técnicos y estéticos de elaboración. Sus mensajes son opuestos. Sus alientos morales contrarios. Sus caracterologías se contradicen. Apatía, trashumancia y sequedad vital, notas esenciales de la ética picaresca y que constituyen su figura intelectual, no tienen nada que ver con el apasionado quehacer, su fija y concéntrica realidad y hasta con el cordial trance inspirador que mueve al arte barroco.

Ya hemos dicho que la novela picaresca parece estar cargada de gratuidad, al mismo tiempo que pone de relieve un mundo carente de sentido. Uno y otro valor pueden arrancar de la condición humana de aquel converso español que la escribió. De hecho, este hombre estaba poseído de una fe remota, de una teleología, de una creencia firme más o menos inconsciente. Pero todo esto permanecía oculto bajo siete llaves en el arcano de su personalidad. Al insertarse él en un universo, el español, de cierta manera extraño a esa persona que rezumaba resentimiento, la obra de arte que de sus manos salía, aparecía teñida de indiferencia, de un sin sentido, hasta de una cierta absurdidad. La que corresponde a aquélla en que el sentimiento creador y la circunstancia social viven excéntricamente. Por lo tanto, este sin sentido tiene un origen distinto del que podemos percibir en Albert Camus, resultado de una meditación dramática sobre el mundo. Aquel sin sentido brotaba enmascaradamente a pesar de odo y como consecuencia de una falta de solidaridad existencial. Esto mismo sucede con la gratuidad de nuestra novela. Esta caegoría gratuita que lució la literatura de entre las dos guerras, era a expresión graciosa y desinteresada de una gente de "loisir". Naió como un sentimiento de juego frente a esa fatalidad de la aturaleza, concepto que muchas veces definió André Gide. Tamién en la picaresca este nacimiento es distinto. Puede considearse, de una parte, como un acto de resentimiento ofensivo. Se acía esta literatura de "compresa fría" para debilitar el sentimien- enfático o cálido del Barroco, y, asimismo, para oponerla a un rte de compromiso, a un arte de alta tensión. Bien mirado, su xitud servía en esta época, de equilibrio dialéctico. Todas estas firmaciones acaso no tengan valor si no se les mira desde un lado dubitativo o interrogativo. Es muy difícil establecer seriamente los puntos de arranque moral o intencional de nuestra picaresca. Debemos decir que la extraña y original forma de nuestro realismo, su metafísica y su oculto mensaje, si es que lo posee y aun desconociéndolo, se nos aparece hoy como una gran tronera abierta y disfrazada, bien dispuesta sobre el parapeto de una represiva situación espiritual, desde donde se disparaba con maestría terrible y, a primera vista, de manera tonta.

Existe como una deshumanización dentro de la picaresca. Esta deshumanización la tenemos que oponer a esa encarnación vivísima, que tanta dignidad confiere a la forma barroca. Esta deshumanización no supone ni un idealismo, ni una trayectoria abstracta, ya que bien conocido es el pensamiento realista de los inventores de nuestra novela. En este realismo existe un modo de estar más cerca o más lejos del hombre y de sus inquietudes. Un arte frío y seco siempre se nos aparecerá deshumanizado. Un arte meramente objetivo lo sentiremos también como un arte extraño a toda verificación de valores supremos. Acaso, en verdad, esta pretendida deshumanización de nuestra novela, sea más formal que sustancial. Porque siempre ella se nos presentará como una realización superior de arte y de moral, por donde se deshacían en inventadas y reales formas, el contenido clamor de muchas almas en pena.

EL LAZARILLO DE TORMES Y SU IMPRESIONISMO

Nuestra primera gran novela realista es, sin duda, *El lazarillo de Tormes*. De aquí pudieron surgir las novelas ejemplares cervantinas, las comprendidas entre *Rinconete y Cortadillo* y *El coloquio de los perros* y necesariamente todo el orden picaresco de la novela, desde Mateo Alemán hasta Luis Vélez de Guevara, teniendo en cuenta la escala de sus variaciones, a veces muy distantes. Nuestra sorpresa es encontrarnos —por ese año de 1553, cuando todavía en Europa sólo se hablaba de la "novella", entendida a la manera griega o renacentista— con un relato realista que se empareja, y sólo de cierta manera, con aquellas formas medievales de Occidente que en España se pueden rastrear con cierta dificultad. Este realismo del Lazarillo nos hizo presente que existía una parte del mundo del hombre y de la naturaleza que aun no había ingresado en los reductos del arte literario, el mundo de las necesidades económicas, biológicas y el de los instintos. También nos atestiguaba que se podía ser espectador de ese mundo y también actor, y que sobre este dualismo, integrándose en una forma cerrada, era susceptible levantar una obra literaria seria. Asimismo, nos decía que a la narración clásica del acontecer le cabía la libertad, aun sin perderse, de bifurcarse en una descripción de aquel mundo, no tanto como juego o entretenimiento, sino como aventura de un resentimiento que se fundía naturalmente con un saber del contorno histórico social. Por último, esa novela afirmaba que a la materia novelesca le era dable hacerse más concreta, más vulgar quizá, desdeñando todo arquetipo y ciñéndose el narrador a lo subjetivo como experiencia y huída de las reglas de lo universal.

Hallamos en *El lazarillo de Tormes,* aunque tocadas sucintamente dada la brevedad de la novela, una serie de notas, sustanciales para la futura evolución del género europeo. El autor de nuestro relato y su héroe, con su confesión autobiográfica, perciben hasta qué punto la novela llegará a ser un documento veracísimo del tiempo vivido y también un orbe teñido de subjetivismo. Esto se percibe desde el primer Tratado, cuando Lázaro nos relata sus antecedentes genealógicos. Lázaro ha nacido pobre, en la mayor miseria, dentro de una familia que vive al día y sometida a todas las presiones sociales. Lázaro mira todo este paisaje con mirada diversa, que va desde el rencor hasta la generosidad, y su literatura, bajo este ánimo, va expresándose y coloreándose. A su madre, al ayuntamiento de su madre con "El Moreno", a su hermanastro, siempre los mira con discreción y hasta con amable comprensión humana. Es ligero en su prosa, versátil y hasta mimético como el ala de una mariposa. Tiene un sentido del honor, un honor de pícaro, sin duda, con su código aposentado muy cerca del estómago. En el segundo Tratado, ya Lázaro, en esa lucha endurecida por su subvivencia, y aun en los momentos de mayor crueldad, se siente agradecido por todas aquellas enseñanzas que el cínico ciego le ha proporcionado. En este Tratado vemos hasta qué punto nuestro autor gusta del relato anecdótico, por el mero gusto del relato, que amplía hasta describir un incipiente panorama psicológico. Con el ciego, Lázaro se hace personal en su narración, tanto como objetivo en el Tratado tercero, época del asentamiento con el escudero. Es curioso observar aquí a Lázaro cómo estudia y escudriña a su amo, con qué delectación y también con qué impasibilidad lo va dibujando hasta mostrar importantes resortes de su acción. El escudero es ya una figura de novela entera, por su total presencia, por su concreción anímica, por su pintura acertada y por su inteligibilidad discursiva.

En este libro nos damos cuenta de cómo las personas novelescas, consideradas como un bien mostrenco, las precursoras del género, van poco a poco tomando cuerpo físico e individuación. Sin duda, en el *Lazarillo de Tormes,* el buldero, el capellán y el ciego son entes bien sabidos y conocidos, cuya única independencia artística es, o bien lo pintoresco de su clase social, o bien la anécdota bien contada, o bien la representación de un carácter adjetivo. Pero ya el clérigo y el escudero se van precisando con un mayor relieve, que nos dicen hasta qué punto ellos son individuos afirmados y enraizados en un contorno histórico, revelando una personalidad inequívoca para entablar con nosotros una relación de amistad imperecedera. El escudero ya asegura su mundo de hidalguía, soberbia e individuación insociable, una de las formas más preclaras y dañinas de la vida española. Su sentido del honor hace de este hombre íntegro y decorativo un inservible para los menesteres cotidianos, para la atención del quehacer económico, para la cultura, en suma, de todas aquellas cosas, comercio, ciencia, política, que han dado un significado a la civilización europea, y cuya valoración no importa, ya que sobre su evolución no cabe adoptar una postura excéntrica.

Creemos que no vale la pena insistir sobre los aspectos morales de *El lazarillo de Tormes,* ni sobre la concepción que del mundo tenía su autor, que lo empareja de cierta manera sobre la línea de Cervantes y de nuestros humanistas y críticos erasmistas. Ni tampoco sobre la dosis de fatalismo que también muestra y que se cubre con una escala de valores, impasibilidad y cinismo, sin olvidar su rigurosa resignación de raíz cristiana.

Pero hay aún dos elementos que debiéramos observar: el sentido de su realidad y su prosa. Como cualquier novelista de años maduros, el autor de *El lazarillo de Tormes* aprehende una realidad. Esta realidad, en primer término, está estructurada sobre esa porción vulgar de la vida, donde se albergan las urgentes necesidades, donde se asientan las exigencias somáticas, y sus movimientos están dictados por el imperio de los instintos de mera conservación. Pero sobre esta realidad vive Lázaro, un hombre, un pícaro que pone a su servicio todos los mejores resortes personales: mente lúcida, voluntad tensa contra la presión de los mecanismos sociales y hasta sensibilidad varia para definirse. Sólo al término de la novela, ya Lázaro, como cansado, se resigna a una convivencia más o menos decorosa que no constituye, bien entendido, un final decisivo, sino un paréntesis en la acción. Esta realidad está muy lejos de la realidad de la narración italiana de aventuras, de entretenimiento primigenio, y de la expansión caballeresca o desvergonzada. El limo de esta realidad no es gelatinoso, sino granujiento y apeñuscado. Más apeñuscado que granujiento. Es una realidad primera, de principio de un mundo, desde donde el autor extrae su material y escoge sus figuras. Una realidad no inventada, no exaltada, no compuesta, no deformada. Una realidad lisa y anodina, una realidad meramente descrita, acotada para nuestro mejor conocimiento y donde el arte se manifiesta por el tinte subjetivo de su narración y por la narración misma, anécdota que revaloriza una condición histórico-social. Sobre esta realidad física, se reabsorbe una parte considerable de la novela europea que hasta este momento, conviene decirlo, la desconocía. Es casi imposible establecer relaciones de paridad entre aquel realismo occidental y el nuestro. Como se ha afirmado, hay algo que los separa entrañablemente.

Desde el realismo figurativo medieval hasta este realismo español han existido espacios difíciles de franquear. Su sola enunciación acredita que la condición humana de sus enumeradores era singular y autóctona. Más tarde llegará el momento en que las tierras primerizas de cultivo o meramente eriales se trasvasen y hasta se comuniquen.

Traspasadas las épocas clásicas, de idealismos didácticos o idealismos poéticos, hacia el comienzo del ochocientos o antes, la novela occidental ha buscado esta realidad primera, a la que se fundirá al principio la historia y más tarde la psicología. Y cuantas veces esta novela, ya esclerosada, quiera de nuevo reanudar la marcha, la novela rusa a lo Gorki o la novela de Baroja, tipo *La lucha por la vida,* y aun la novela de postguerra postexpresionista, tantas veces volverá a esta realidad anodina e impersonal que forma el limo de la vida corriente.

La prosa entretejida sobre la materia de *El lazarillo de Tormes* es extraordinariamente plástica. Esta prosa es otro hallazgo incuestionable. Su naturaleza impresionista, indiscutible. Cervantes, con su mente clásica, la desconoció. Cuando se alude a este impresionismo de nuestra obra, hay que entenderlo en su exacta manera, y no confundirlo por el peso de la palabra. No debemos mantener una relación entre este impresionismo y un impresionismo de Marcel Proust, por ejemplo, ya que se pecaría por exceso de diligencia. Entre uno y otro puede haber la misma diferencia que entre las aventuras de los vikingos en las costas de América y el descubrimiento de Colón. El autor de *El lazarillo de Tormes* es, más que un artista impresionista, un impresionista de la existencia, de manera biológica y temperamental. De aquí que su literatura nos dé en imágenes de la vida real, de modo más o menos primitivo, lo que más tarde Marcel Proust nos descubrirá con un máximo de artificio dinámico intelectual.

Este impresionismo se agota con el *Lazarillo*. Todo lo demás será ya un barroco atosigante en Quevedo o un documental expresionista en Mateo Alemán. Aquella levedad, gracia en el salto, notas adjetivas que en el conjunto de la prosa se hacen sustancia aglutinadora novelesca, somero dibujo y cromatismo huidizo, sólo los encontramos, en aquella época, en nuestro ilustre autor desconocido. La pintura de este pícaro es en nuestra literatura relevante y excepcional, ya que lo español cae siempre sobre el lado expresionista o barroco y no sobre el clásico o impresionista. Para volver a encontrar todo esto hemos de esperar a la generación del 98 y a la presencia de "Azorín" y de Baroja.

ACTUALIDAD DE GUZMAN DE ALFARACHE

LAS DOS NOVELAS

Nos llena de admiración saber que ya en 1599, fecha de la publicación de su obra picaresca, Mateo Alemán sabía que en Europa existían hasta dos maneras de hacer novelas. Cuando leemos *La vida de Guzmán de Alfarache,* su primer libro, a poco de andar, ya nos situamos con los sentidos preparados para congraciarnos con una novela de las llamadas realistas, con sus formas inequívocas, sobre las que nuestro autor hubo de ejercer su talento inventor. Al terminar este primer libro, en su último capítulo, aparece insertada la historia de los enamorados Osmín y Daraja, casi con el pretexto soterrado de dar descanso al lector de aquel tiempo de la novela realista de pícaros, entreteniéndolo con una "novella" a la manera antigua. Mateo Alemán, de uno a otro texto, cambia los instrumentos de trabajo, con técnica de sortilegio. Su conciencia parece ser clara en esta cuestión y él preside categóricamente este debate apasionado entre dos formas literarias. Nuestro escritor, hasta la llegada de la narración clásica, ha cuidado de verificar una realidad, donde se ha intentado adaptar un documental estrictamente objetivo, a pesar de su tono autobiográfico, a un resentimiento moral, el del novelista contra esta realidad, lo que produce una deformación de mayor o menor grado. De repente, surge una supresión abusiva del diálogo, pues éste se inserta de modo concéntrico en la materia narrativa. También, una separación de todo orbe discursivo de los sucesos y un engrosamiento de la argumentación ético-didáctica, de modo abigarrado, extemporáneo y hasta indeterminado, que parece una atenuante y una salvaguardia del escritor y de sus malas intenciones. Asimismo brota un relato inconexo y como destripado, de dura lectura para el lector no avisado o adaptado. Podríamos seguir apuntando otras facetas de este realismo picaresco que Mateo Alemán hace difícil y atrabiliario. Pero de pronto el paisaje cambia, así como llegamos a la novela morisca. Nos recuerda la inserción del minueto en la sinfonía o la del entremés en medio del drama calderoniano. La novela morisca se viste con las mejores galas del cuento italiano renacentista. Los individuos devienen héroes, simpáticos y agradables héroes que llevan a cabo hazañas para conseguir un amor venturoso o no. La sociedad que les rodea es caballeresca e idealista. El paisaje bello y evocador. La guerra es una guerra de poema épico. Y los hombres están dotados de las mayores virtudes, como en una comedia española. Toda la novela es un relato conexo, ordenado y fácil, donde el camino se va abriendo como una arcilla untuosa y amable al trabajo. Todas las esencias de aquella novela clásica se observan aquí con deleite. Todo esto quiere decir que ya Mateo Alemán sabía de la existencia de dos maneras de hacer novelas, y que estas dos novelas tenían también dos tratamientos diferentes. No sabemos si adivinaba ya que Europa había de disputar más tarde sobre estas dos formas, y que la novela realista constituiría la gran aventura española.

No se conoce hasta qué punto es cierto que Mateo Alemán viviera en Italia. Pero también no son menos ciertas las relaciones que con Roma, Florencia y Génova tuvo nuestro autor, y cómo todas estas ciudades y los italianos de entonces y sus costumbres le fueron familiares. Junto a sus ciudades y a sus ciudadanos, parte de aquella cultura mediterránea hubo de entrar en él. Y con ésta, la "novella" del Renacimiento. Pues bien, esta novela fué desdeñada, en su amplio contorno, confiriéndole sólo una fuente de diversión, hasta buscar entre los elementos españoles más entrañables o autóctonos, soldados a su singular condición humana, una materia propia para crear una novela picaresca, afincada en eso que se llama, poco más o menos, realismo barroco. Este realismo lo tenemos, por necesidad, que nombrar así, en oposición al otro realismo clásico, como el de Cervantes, y que en *Rinconete y Cortadillo* se produce de manera tan espléndida. Este realismo de Mateo Alemán no es sólo voz autobiográfica, es también la inserción de esta primera persona en la circunstancia o condición vital que le rodea. Un yo en fusión con una experiencia que le anega y le cubre. Mateo Alemán parece así decirnos que esta forma subjetiva no deja de ser al mismo tiempo la única medida que tenemos de la realidad. Con ella llegamos en su relato al más "verídico" conocimiento de las cosas. Junto a su observación podemos extraer datos, hechos, notas, detalles y hasta ideas cuya validez nos aprisiona y nos deleita por su expresividad humana. Así nuestro escritor quiere conciliar, en este mundo del arte y con visión adelantada, algo de lo que en la ciencia intentaron Bacon y Descartes, como apertura de la historia del pensamiento moderno. Ya el novelista no podrá seguir siendo únicamente el feliz inventor de fábulas, el amontonador de extraños sucesos heroicos y el hombre que teje sus convenciones, bajo el imperio de la fácil fantasía, desde lo alto de su cátedra creadora.

Mateo Alemán entendió la necesidad de cambiar no sólo de héroe, sino de lugar y hasta de lector. Su arte, de cortesano o docto, se hace popularmente burgués, ordinario, empírico y hasta iletrado, por su exceso de sentido común, refranes y moralejas. Hemos de pensar que el lector sigue siendo el mismo. Esta literatura frontal, de manera primigenia, se dirigía a satisfacer gustos populares de arte y sobre la misma línea que nuestra pintura de santos, nuestra escultura policromada y nuestro barroco arquitectural. Aquel lector adecuado no existía, como podía existir el espectador o el feligrés religioso extraído de la masa social más o menos personalizada. Se había de contentar con el mismo lector sacado de las clases directoras, de la burocracia, de las profesiones liberales, de la milicia y hasta del clero. Un lector muy semejante al que en Italia leía a Boccaccio, se entretenía con la "novella" griega tradicional y retozaba con el Aretino. Ya se sabe que en España la crisis económica originada por las guerras continentales, por el desgaste colonial y por el enquistamiento nacionalista, producía una proletarización de todas las clases, masificando así la sensibilidad artística en una dirección más popular y menos jerárquica.

De todas maneras, esta nota sustantiva popular es barroca, de un barroco singular. De este realismo circunstanciado y autobiográfico brota con viva espontaneidad una como psicología amoral de las figuras, llevada a cabo a fuerza de concreción y de personal ensimismamiento. Este realismo menudo, agrio e impasible y hasta ciertamente comprometido de Guzmán de Alfarache, hace que su expresión y movimiento tengan una mayor exactitud vital, como arraigados en el alma de estos antihéroes. El arquetipo clásico va difuminándose en una especie de individuo más cercano a nosotros, más preciso y vecino. Es difícil decir escuetamente cómo esta psicología llega a cuajarse. En la novela barroca cunde con fuerza, sostenida en vilo sobre la meditación de Guzmán, en sus discursos lírico-morales, en su incertidumbre activista, en su observación vivísima del contorno que, a veces, parece el ojo agudo de una rata que avizorara al mismo tiempo penumbra y queso.

Este alma de Guzmán de Alfarache se nos viene encima por acumulación de materiales, con su procedimiento de escollera. También esta valoración psicológica se presenta en Dostoiewski o en Marcel Proust por un mismo proceso mecánico y con métodos de elaboración anímica distinta. Decíamos que aquella alma se nos venía encima, a la manera como nos llega, adelantándose a sus propios planos, el pórtico de la iglesia barroca, en el amasijo de sus columnas, nichos y hornacinas. Desde este punto de vista, son interesantes los capítulos de nuestra novela donde aparece Guzmán de estudiante en Alcalá, su segundo matrimonio con Gracia y el decurso de su felicidad regalada hasta su huída a Madrid, con su vida de chulo bien comido, pero con su conciencia bien mortificada.

DE GUZMÁN A RINCONETE

Sobre 1600, Cervantes y Mateo Alemán estuvieron juntos en la cárcel de Sevilla. No tenemos noticias de que se conocieran. De conocerse, es difícil que entre ambos mediara un aire de simpatía, una amistad literaria. Todo lo más, entre ellos se hablaría de cosas ajenas a su arte, de los motivos de su detención, de la vida dura de la ciudad y se murmuraría un poco de las condiciones de la prisión y de los caracteres de los detenidos. No sabemos hasta qué punto, uno y otro, se identificarían para observar cómo dos tan ilustres escritores de la España de su tiempo yacían en una cárcel provinciana, por heridas infligidas a la propiedad. Ya *La vida de Guzmán de Alfarache* había aparecido. *Don Quijote de la Mancha* se elaboraba, acaso en la misma prisión, pared por medio, donde Mateo Alemán componía su *Vida de San Antonio de Padua.* Un diálogo de esta convivencia, entre estas dos mentes tan diversas, hubiera sido de valor incuestionable para conocer una época y su arte. Pero, en España, un diálogo no se traba así como así. Y más, tratándose de un diálogo entre un hombre de pensamiento renacentista y universal y otro hombre de pensamiento barroco e indígena.

Hemos de llegar hasta sus mundos formales para darnos cuenta de la imposibilidad de toda conciliación. En *Rinconete y Cortadillo,* entramos en el ámbito del hampa sevillana, y con los pícaros pasamos al antro de Monipodio, donde hemos de conocer a su jerarca, su burocracia, la moral y disciplina, vida y costumbres. Todo se presenta dentro de un relato novelesco, muy bien urdido, con buen matiz intencional, donde las ideas y las realidades crean un cañamazo y un tejido de la mejor calidad. Cervantes, con su mente clásica, depura, cuida y aglutina. Su condición de intelectual preside este realismo, donde las maneras y los materiales se fraguan en una superior concepción del arte. Su forma es concreta, no representativa o arquetípica y, al mismo tiempo, tiene un aire universal de inteligibilidad.

En las figuras y en los sucesos de *Rinconete y Cortadillo* existe un equilibrio entre la temática naturalista, expresión sustancial del Barroco, y una pervivencia de la confinidad, de la limitación y hasta de lo perfecto, tal como lo entendía el Renacimiento. En los cuadros del antro de Monipodio aparece la gravedad del diálogo de los humanistas, pero no aquietado con esa gota de agua congelada de la disquisición, sino fluyente, animado y estremecido por un extraño devenir como una gota de mercurio. El diálogo, en el entresijo de las situaciones, marcha con ellas fácil, discursivo y con el engrasado natural de los cabellos de los niños. En Mateo Alemán, aquella prosa se hace hirsuta y hasta hosca y a la mente del lector llega con la aspereza de ese pelo del que se bañó en el mar y se ha secado al sol vivísimo de la realidad.

Al hablar de Mateo Alemán se ha repetido mucho sobre el don de su gracia, la singular gracia sevillana. Nosotros hemos de añadir a esta gracia, que sólo compartimos en algunos aspectos, la reverberación cegadora de su relato, semejante a la del campo andaluz y sus paredes blancas. Cuando Guzmán llega a Roma, a su vuelta de Génova, también encuentra, como Rinconete y Cortadillo, una sociedad de mendigos, rígidamente estructurada, con ordenanzas y leyes y con su Monipodio anticipado. Esta sociedad, al margen de todas las otras establecidas, ocupa el interés y los cuatro primeros capítulos del libro tercero. Sus ordenanzas son cuarteleras y afectan a todos los movimientos de sus miembros, no sólo a los propiamente mendicantes, sino a los afectivos, morales y hereditarios. Guzmán, aun a contrapelo, funciona dentro de este hampa romana. El cuadro de materia novelesca es similar al que Cervantes dispone en Sevilla. Pero pronto vemos cómo en Mateo Alemán toda aquella materia, la reproducción de sus ordenanzas, las reflexiones morales sobre la pobreza y la mendicidad y las anécdotas y hechos menudos, cada cosa va por un lado formando cuerpos distintos, mecánicas separaciones, sin llegar nunca a la fusión superior de ideas y realidades concretas, tal como las encontramos en Miguel de Cervantes. Mateo Alemán es prolijo en el detalle, naturalista hasta lo microscópico, divagador hasta el soliloquio lírico, puntilloso en la exactitud para reproducir el objeto más repugnante. Mateo Alemán tiene una cabeza de moralista, inventada, claro está, para su mejor servicio, unos ojos de novelista y unas manos duras de picapedrero. Estas tres notas constitutivas no forman una síntesis decisiva, a la manera de Cervantes. Cada una de ellas va por su camino, fatigando al lector, ya que éste tiene que ir adoptando diversos estados de ánimo, y rompiendo la unidad del deleite intelectual. Siempre nos quedaremos con aquellos ojos vivos de novelista, con su manera de relatar una historia o describir una situación, con su estilo para pintar someramente un sentimiento. Liso, objetivo, impasible, cegador, por la luz de su mala intención, y todo como escrito, al aire libre, en una pared blanca de su Andalucía.

LAS DOS MORALES

Sabemos ya algo sobre la caligrafía de nuestro ilustre novelista. *Guzmán de Alfarache* no es sólo una obra de pícaros, sino también una atalaya de la vida humana. Es decir, que asimismo es un tratado de moral. Debemos escudriñar cómo se comporta en la novela uno y otro hombre. No es difícil encontrar en nuestras construcciones barrocas, en las paredes que miran al norte o al sur, en las paredes perdidas para la curiosidad inicial, unos paños limpios, sin ninguna ornamentación, como grandes rectángulos de inocupada forma. Un estoicismo lineal alargado que pronto quiebra su conjunto ascético para concentrar en otro punto, en puerta y ventana principales y de manera pródiga, rejas, escudos, nichos, hornacinas y columnas, todo un taller decorativo sustancial. En *Guzmán de Alfarache* tropezamos así, en cada capítulo, como si tropezásemos con una de estas paredes recordadas, con el paño enjalbegado de la novela propiamente dicha y aquellas puertas y ventanas barrocas de sus discursos morales, que forman casi siempre la mitad de un capítulo. Sin duda, éste es el método de exhaustiva escenografía y el único adecuado para que el edificio no se derrumbe. Si como artista barroco no posee el sentido de la proporción clásica de las partes, tiene al menos la voluntad y el espíritu necesario para que aquél se mantenga en pie con distinta belleza irreprimible. En la novela, la moral marcha por su camino, con sus sermones y exégesis; el relato, por otro. Hay porciones muy ornamentadas de moral dentro de unos hechos esqueléticos, y otras con largo metraje de aventuras, desguarnecidas de todo discurso salvador. A veces, una y otra van desconectadas, viviendo al socaire de un buen viento inteligible.

Mateo Alemán, con novela y moral de tan densa humanidad, pudo haber escrito, de quererlo, un libro bien compuesto, tendencioso, de carácter alegórico, para enseñanza de príncipes o de burgueses importantes, con personajes conceptuales, con sátira de costumbres, crítica de vicios y espejo de nueva vida, a la manera de Gracián, de Fénelon o de Swift, y en donde fuera accesible medir la temperatura de una época por la situación de la columna de mercurio de su ironía, humor o sarcasmo. Pero Mateo Alemán no quiso escribirlo así. Huyó del artificio intelectual clásico, como de la peste, para caer dentro del naturalismo barroco. Redactó su libro al buen entender. Al principio de cada capítulo expande sus discursos morales, que tocan las fronteras de lo divino y de lo humano, con su palabra fuerte, coloreada, a veces rígida, como la de un sermón ignaciano, siempre caliente y poseída, y, en algunos momentos, seca y retorcida como hilos de esparto. Colocadas al principio y no al final, donde un buen orden humanista hubiera determinado su puesto. Es decir, que Mateo Alemán, como el exacto artista barroco, no obtiene sus resúmenes éticos, sus consideraciones sobre un acontecer y sus exámenes ulteriores de edificación, como gustaron de establecerlas Gracián, Fénelon o Swift. Su sermón moral es ocasional, como el canto de un ave transeúnte a lo largo de los peores caminos de España. Estriega su vientre contra las rocas de su conciencia resentida, como un pez en la hora del desove, y luego, ligero nada, ya en su total objetivación deportiva, por el agua dura de la realidad picaresca. Hemos de reconocer lo barroco del ser de nuestro moralista, pues levanta siempre un sentimiento moral de raíz popular, de ascendencia antijerárquica, que va en todo momento dirigido hacia los últimos estamentos sociales, con su cierto carácter reivindicador. Todo está entendido a la española. El tema de la pobreza y de la riqueza, del mendigo y del hombre de fortuna, de la libertad y de los sentidos, de la caducidad de las cosas y de las ideas, de la dinámica del acontecer que nivela a todos los hombres, de la justicia transcendente frente a las otras justicias de clase o de derecho, del honor del pícaro en pugna con los otros honores terrenos o individuales, del hambre y de la saciedad, del gozo de la vida como privilegio del más pobre, etcétera, etc., toda esta temática, repetimos, parece estar escrita y enderezada a captar las inquietudes populares de la España de entonces.

Pero no únicamente la temática, sino también la forma que ésta adopta. Todo se prepara para ser más directo y asequible, a través de la cantera riquísima del refrán, del cuento popular, del adagio, de la costumbre ancestral, del sermón. En este sentido, esta moral añadida actúa del modo general y cohesivo de nuestra pintura barroca. Sus modos de cautivar son asimismo sinónimos, exaltando los sentimientos más arraigados con el máximo de expresividad, brillantez y resonancia. No debemos olvidar que el espíritu de una y otro son totalmente opuestos. Si a nuestra novela se le suprimieran los exordios de sus capítulos y las recomendaciones que afectan a la conducta del protagonista, nos quedaríamos con un libro excepcional, que expresaría como ninguno la naturaleza de la conciencia de nuestro autor. Se percibiría entonces con claridad el sentido que de la vida tuvo Mateo

Alemán y cuál fué su configuración intelectual y humana. Nos engañamos mucho al querer rastrear y descubrir, por la sátira de las costumbres o por la descripción de una época histórica, la moral de un novelista, su metafísica y sus compromisos transcendentales. Esto sólo se percibe con extraña fijación y con dificultad en todos aquellos elementos del libro que son, por así decirlo, intuitivos o desinteresados. Bien en la composición de la realidad novelesca, trasunto de la otra realidad viva, o en el ritmo de su prosa o en el tiempo existencial o en la configuración del héroe ante el mundo. Desde este punto de vista, Guzmán de Alfarache se verifica dentro de una imponderable dimensión amoral. La primera cosa que hace este hombre es vivir. Vive como Dios le da a entender y nos deja a nosotros, que somos sus espectadores, la libertad de comprenderlo o de condenarlo. Aparece sin ningún compromiso moral. Está hecho de distinta madera que los héroes de Cervantes, de Fielding o Galdós. Incluso se pudiera mantener una escala de valores inserta en esta realidad moral, que va desde los héroes moralizantes de Calderón o Corneille, a los héroes morales, tipo Sancho Panza o Tom Jones, hasta los peculiarmente amorales como Guzmán de Alfarache. Hay unos que quieren amoldar la realidad a su propio "tratado moral". Hay otros que luchan, se hacen o se rehacen, morales o inmorales, y sobre esta pugna surge una nueva realidad. Por último, los hay que se dejan ir desviviéndose, hasta que, al fin, la vida, sin un matiz dado, sin un color expresivo, en su impasibilidad, los arrebata totalmente. Este desvivirse es la sustracción exacta que la realidad hace al individuo, cuando éste no es capaz de reducirla ni de inventarla. La novela picaresca la tenemos que considerar como amoral, no como inmoral. Es la novela que no termina nunca, que se repite siempre. Novela de la máxima desilusión, ya que el interés poco puede descansar sobre el héroe o el antihéroe. Sólo nos atrae, a estas alturas, la posición del novelista ante el mundo, la descripción que de éste hace, y nos sirve como documento, como historia o como forma estética.

A Guzmán de Alfarache lo entendemos como a individuo real, ya sometido a sus circunstancias y atenido a su contorno social. La literatura española se ha hecho realista creando precisamente antihéroes. El héroe es el arquetipo del idealismo literario. Pero del antihéroe y de su medio brota por primera vez una psicología novelesca, que es única en el mundo. Este universo antiheroico, miserable, sórdido, tenebroso y movible, produce en el lector necesariamente la noción primera y segura de la dinámica del acontecer, no sólo de la moral y de las ideas, sino de toda la vida y del individuo mismo. Guzmán es ya un individuo que se hace y se rehace, que deviene, cuya conciencia fluye constantemente. Sobre la imagen del mundo y de su historia, su moral se hace tornadiza y real, como la de un pequeño animal de fondo que se sintiera dueño y prisionero de ella al mismo tiempo. Después de Mateo Alemán vendrán otros moralistas, que ya no piensan y, especialmente, ya no componen como él. Se volverá a las fuentes clásicas para darnos novelas como tratados de moral, con una inclinación cortesana o burguesa, que servirán para edificar príncipes o hijosdalgos. Preparan así a las clases directoras de la sociedad para las nuevas cortes y la nueva Europa, más empequeñecida. Es el caso de Gracián, Fénelon, Swift. En sus épocas ya se había olvidado que hubo escritores que también prepararon otras clases sociales y hasta un posible tercer Estado, sólo para saber vivir e ir viviendo.

COROLARIO ACTUAL

Hemos escrito que Mateo Alemán rebasa en su libro el realismo barroco para dar de bruces en el realismo documental. Con nuestra picaresca entran en el área de la literatura unas parcelas de realidad que todavía no habían hecho su aparición. Basta trazar el sumario de sus capítulos o ir anotando todo el decurso de nuestro libro para observar cómo algo nuevo había ingresado en el dominio del Arte. Sobre el hilo quebrado, pero bien dibujado de una vida en acción, que sólo desea vivir por este único e incierto hecho de vivir, despojada de toda voluntad ideal o ilusoria de alcanzar metas superiores de humanidad, Guzmán de Alfarache se pone en movimiento y recorre España, va a Italia y regresa a su país, pero su andar será siempre un andar para saciar su hambre, para escapar a la peor miseria, para dormir con soltura las noches, para hurtar, mendigar o matar el tiempo, para entretenerlo, reduciendo el tamaño de su realidad apremiante. Da la impresión como si con este hecho de estar caminando siempre, con esta vida trashumante, se quisiera reducir el espacio del mundo y el tiempo de la existencia. Hay como un desorbitamiento en este quehacer español, una inquietud desasosegada, un afán de dejar pronto este recinto terrestre, devorando espacios y tiempos físicos. En nuestros pícaros no se produce una voluntad de apaciguamiento, para aposentarse, para permanecer. No se da en ellos una lucha dialéctica entre una "naturaleza" y una nueva vida, traducción literaria de un movimiento eterno como recurso creador. No es tanto la vida que contradice el deseo conservador de mantener la línea de una susceptible felicidad, erigiendo una casa, una tierra, una ley, prerrogativa de tantos héroes novelescos, como el regusto de no pararse nunca y posibilitar el propio fluir, un dejarse arrastrar por el vaivén de la existencia como cosa fuera de nosotros mismos. Así vemos cómo se funden la indeterminación de la realidad y la indeterminación de la voluntad. Hemos de preguntar siempre cuál fué el último motivo, cuál el estado de ánimo hasta centrar este totalitarismo de indeterminaciones, tan ajeno a la mente europea.

El pícaro, como cualquier otro hombre, vive con su total dimensión, es decir, trabaja, se divierte, sufre, se casa, mantiene unas relaciones familiares, posee unos amigos que lo quieren o unos amos que lo explotan. Pero este tejido de realidad circundante y absorbente es siempre la más dura, la más miserable, la más sufrida, la menos segura. Es la realidad adecuada a un pobre de naturaleza, que no sabe nunca escapar de esta condición primera de ser pobre. Aparte de ser pobre, es Guzmán de Alfarache muchas otras cosas. Pero aquella nota inicial da categoría substancial a su vida, creando una ética de relativismo absoluto y una dinámica original de lucha por la vida muy distante de la del siglo XIX. No cabe duda que todos estos materiales pudieran ser tratados, intervenidos o macerados con distinto genio literario. Pero Mateo Alemán los trató con una original forma, cuya emergencia histórica posterior no ha sido frecuente. Y es que Mateo Alemán, que por adjetivación ha sido considerado como escritor barroco, al mismo tiempo adecuó y amasó técnicas que lo distancian desmesuradamente de aquel arte: su narración picaresca carece de fines inmediatos y transcendentales y es, en este sentido, de un amoralismo vital, desnudo. La vida de sus pícaros sostiene una grandeza escueta de documento impasible, elemento éste muy ajeno al barroco, pasional y hasta comprometido en su modo católico. Y escapa a toda devoción, incluso a una peculiar devoción a su artesanía, a su flujo literario. Todas estas caracterizaciones de un realismo extremista no han sido favorables a las formas de literatura europea. Pasado el influjo circunstancial de nuestra picaresca en el continente, nuestro realismo ha vuelto a surgir incidentalmente, pero no de la acabada manera de nuestro gran maestro. Por fortuna es ajeno al siglo XVIII. Sólo empieza a mostrarse con mayor solvencia en las corrientes postrrománticas, pero no en sus formas, sino en sus materiales y en los recintos de realidad que toca. Ya hemos aludido de pasada a sus notables influencias, y a los modos de estas influencias, en la literatura posterior a Gorki. Cuando se leen páginas del *Guzmán de Alfarache* como la del regreso del héroe a la casa de su madre en Sevilla, su casamiento último y la huída de su esposa y su entrada en galeras y las relaciones con el capitán, escritas todas con una disciplina literaria excepcional, con un extremoso rigor que vierte afuera una realidad tan fuerte y reservada, nos damos cuenta de la perennidad de este arte singular y de cómo es posible que haya llegado hasta nuestros días, bien en la forma de su amoralismo esencial, bien en su textura lisa e implacable, cegadora y acusativa.

Casi todos estos pícaros nuestros sólo se mueven por llegar a punto de la hora de la comida. Ésta es su más urgente preocupación. Para conseguir esta tranquilidad gastronómica son capaces de todo, hasta de ceder a su mujer. Hemos de reconocer lo insólito de esta situación en el campo de la novela. No se encuentra con frecuencia en la literatura medieval, donde los incidentes de esta clase tienen siempre un aire zumbón, figurativo y de farsa. Más extraño todavía encontrar a estos antihéroes en España, donde a primera vista los hombres, aun hambrientos, no han pensado ni se han movido jamás bajo la presión de estas necesidades somáticas. Los santos, los Quijotes y los conquistadores que llenaban España tuvieron que pasar muchas veces hambre en sus magníficas misiones. Esto sucedía cuando los hombres apretaban sus mentes y fortalecían sus corazones con creencias de orden superior. Los pícaros habían desalojado de su espíritu los grandes resortes de acción: la fe religiosa, el ideal político, la pasión amorosa, el cumplimiento de una moral, el reconocimiento de un supremo interés.

Los creadores de esta literatura, lo mismo los auténticos como los que siguieron la moda, caso Quevedo, hubieron de tener una configuración espiritual determinada, un resentimiento, un estado de contrición, un clamor sordo de su conciencia, una actitud extraña frente a la vida, capaces todos de producir esta novela que, al mismo tiempo, daba la insólita casualidad de expresarse en obras de superior arte.

El libro picaresco puede mirarse desde muchos lados. A veces, su lectura tiene la ejecutoria de un ejercicio espiritual. Si un artista nos presenta un paisaje desolado y misérrimo, fría e implacablemente, si a lo largo de sus páginas nos reitera esa pobreza, si casi parece decirnos que esta vida no tiene sentido, que el ser es tan torpe que prefiere la existencia a cualquier esencia, si todos los hombres son chatos y sórdidos y nadie se mueve sino por egoísmo y vanidad y se nos muestra constantemente la fugacidad de toda riqueza y la quebradura de toda jerarquía, al final, nos quedaremos sólo con esa disposición de ánimo que conduce al nihilismo o a la aspiración transcendental de un quehacer mejor y futuro.

No sabemos cuál será el destino de esta literatura de Mateo Alemán. *El Lazarillo* estuvo muy cerca de algunos escritores de la generación del 98. Mateo Alemán se aproximará más y más, y algunas de sus importantes lecciones serán aprovechadas por novelistas actuales o de un próximo futuro. La novela picaresca es, sin duda, un cactus misérrimo y agreste en nuestra biología vegetal artística. Tampoco hay que pensar que renazca con tanta facilidad que echando en tierra uno de sus tallos crasos, con presteza, por uno de los ojos que tocan al suelo eche sus raíces y por los que miran al sol unas hojas jóvenes y verdes. Un botánico norteamericano tuvo colgado de un árbol, cabeza abajo, un cactus, sin que diera señales de vida durante cuatro años. Cansado de este silencio vegetal, lo plantó en la tierra. A los diez días, ante su estupefacción, el cactus comenzó con alegría a retoñar.

QUEVEDO ESCRIBE UNA NOVELA PICARESCA

Casi ya tenía un siglo de existencia nuestra novela cuando aparece en el campo de la picaresca, con su *Historia de la vida del Buscón,* en 1626, don Francisco de Quevedo. Él precisamente, el intelectual máximo de su tiempo, el hombre que todo sabía hacerlo bien y que de todo hacía, el Unamuno de su época o el Larra, la mente más acusadora y aguda, como también la más española —lo que le separa de Cervantes y lo empareja con Unamuno—, aquél donde encontramos la inteligencia en su forma más creadora y más corrosiva también, hubo de proponerse en el citado año de gracia escribir una novela picaresca, la última obra de plenitud de este arte nacional. Dentro de esta circunstancia, *La Historia del Buscón* fué con seguridad la obra más completa. Más completa, por su composición, por su riqueza, por su mensaje, en ella aparecen expresadas todas las invenciones adquiridas, más las adecuadas a una alta madurez personal. Quevedo no olvidó ninguna de las herencias peculiares del género, todas las que Américo Castro ha precisado con tino: técnica naturalista, carácter autobiográfico y gusto de la vida con mal sabor de boca. Quevedo mantuvo estos tres elementos con pulcritud. Sobre el carácter autobiográfico no vale la pena insistir, por su diafanidad. Ahora bien, nuestro autor añadió otras "reformas" a aquellos elementos, de acuerdo con su propia visión estética. De la autobiografía, Quevedo cercenó algunas notas subjetivas referentes a la inteligibilidad del mundo y diversos matices individuales emotivos —que se presentan en el *Lazarillo* con tanto donaire—, a costa de otras muchas cosas que se convierten en expresión deformante, resentimiento y formalismo conceptista. El mal sabor de boca de Quevedo sigue la tradición establecida. Pero este sabor no es el mismo que en sus predecesores, y, aun siendo mal sabor, encontramos en él rasgos e individuaciones que lo separan un poco del vulgar sabor de cebollas, ponemos por caso. La técnica naturalista ha cambiado, con sus instrumentos de visión y precisión. Aquí nos encontramos conque Quevedo, leal a las formas barrocas de su época, realiza con *La Historia del Buscón*, la gran novela barroca que sus maestros no supieron ni quisieron hacer.

Nos situamos, pues, frente a un realismo barroco novelesco que no entendió en su plenitud Mateo Alemán, ni podía emplearlo el autor de *El Lazarillo*. Uno de los más curiosos fenómenos literarios es éste que nos presenta Quevedo al tender una cabeza de puente, y más tarde todo un istmo completo, entre el realismo de nuestra novela y el barroco, conceptos a primera vista irreconciliables, tal como lo llegamos a entender ahora, a estas alturas de la historia. Todo ello se asemeja mucho al acontecer de las artes plásticas de este tiempo, con relación al Renacimiento. Quevedo posee una singular mente realista, se nutre de la realidad española, sus personajes y hechos son recogidos en la más pobre realidad. Pero de la misma manera que en todo realismo plástico barroco hay una gran dosis de ilusionismo, en la realidad de Quevedo este ilusionismo se trueca en caricatura muy deformante de cosas y sucesos, lo que le acerca a la comedia como farsa y a la sátira como instrumento crítico. Su arte está plagado de retruécanos, hipérboles y tropos de baja condición, que no deben verse sólo como materia literaria, sino como sustancia ontológica o psicológica. El dibujo de *El Lazarillo de Tormes* o el fresco de Mateo Alemán se convierten en Quevedo en tela con retrato barroco, con mucho óleo, claro está. Pintura y descripción son los elementos de que se vale Quevedo para hacer novelas. Descripción deformante de una realidad social arrastrada y subvertida por la realidad psíquica de su autor. Estamos en los arrabales del arte expresionista impuro. No cabe duda que esta deformación aumentativa desfiguraba y trastocaba gran parte de la realidad española. Y que sólo en un aspecto nos vale como ingrediente de información de la misma, ya que no debemos olvidar su sentido de regocijo o de juego. La decadencia nacional únicamente se acusa, de manera concreta, en esas figuras, como la del hidalgo o la del alférez, que resuenan a farsa teatral y que rezuman desaliento o pesimismo.

Por otra parte, Quevedo compone su novela dentro de un espléndido molde clásico. Sus partes, el tejido de los capítulos, el equilibrio de los sucesos, la ponderación de sus elementos constructivos, el proceso de su héroe y de sus crisis, todo recuerda aquel orden de escritura. Frente a *El Lazarillo* o a la obra de Mateo Alemán, esta de Quevedo constituye un alarde de composición y de estructura. Quevedo, al fin y al cabo, fué un intelectual puro. Más tarde necesitamos observar cómo el elemento barroco en su literatura se hace presencia arrolladora. En esto recuerda mucho la manera como se edifica una catedral barroca sobre el plano inicial de una catedral renacentista.

Quevedo no necesita descubrir más figuras ni más sucesos que los que le ofrece la novela tradicional picaresca. Es más, no le interesaban. Era frecuente que cada autor aportara nuevos hechos, nuevos tipos, nuevos materiales, que se levantaban como elemento anecdótico fundamental de cada novela. A Quevedo no le importa llevar a cabo ninguna invención. La *Historia del*

Buscón está trabajada sobre la misma masa de sus precursores. No tiene que inventar historias ni preparar crónicas de entretenimiento. El describirá y analizará, con su mente deformadora barroca, lo que los otros nos trajeron como impresión o como documento. Pero, al final, todo será distinto, cada hecho o cada personaje, en sus nuevas líneas deformantes, burlescas o de caricatura, se nos presentará como un nuevo hecho o como un nuevo personaje. Hemos de anotar que este barroco literario, en la novela de Quevedo, está lleno de concesiones populares, que muchas veces llegan a lo plebeyo. Es decir, que huye intencionadamente de las formas estéticas depuradas, teatro, plástica y sermón, que si bien tuvieron un enraizamiento popular profundo, jamás se convirtieron en sus servidores incuestionables. Sólo aprovecharon lo aprovechable, inspirándose en los grandes tesoros heredados, pero a su vez crearon una nueva pasión, un nuevo tiempo humano y hasta nuevas ideas para entender mejor a Dios y al mundo.

Hay en Quevedo excesivo virtuosismo de expresión, situaciones extremistas y recalcitrantes, comicidad que bordea el "astracán" y que se corresponde en lo cómico con el melodramatismo de alguna de nuestra pintura de aquel tiempo. Todo preparado y adobado para la mente más grosera y más simplista. Nunca, ni el *Lazarillo* ni el *Guzmán* llegaron a este popularismo tan fácil. Aquí cabe preguntar que cuando este libro se hacía por dónde andaban las clases directoras de la sociedad española, la aristocracia, dónde nuestra burguesía que ya, en aquel tiempo y en otros lugares de Europa, en parte controlaba la ascensión cultural, la moda, el arte y el sentimiento moral. Pudiéramos seguir preguntando para quiénes se escribían estos libros de tan fuerte originalidad.

Quevedo fué un solitario, no nos atrevemos a decir que un

resentido. Sufrió en su soledad el dolor de ver a su patria malparada y cómo ni los políticos ni la aristocracia fueron capaces de establecer un orden social digno de la grandeza de su pueblo. Regresó desde su sufrimiento hasta la concesión expansiva de ponerse en contacto con aquellos hombres que no estuvieron nunca cerca de su mente ni de su orgullo. Él supo distinguir la naturaleza de unos y otros, sus posibilidades, su moral, el valor espiritual de señores y vasallos. El reconocimiento de este dualismo se muestra en libros como esta novela picaresca, donde desde su altura desciende para buscar las fuentes creadoras más auténticas, recurso y garantía de su seguridad vital, de su esperanza. El reconocimiento de este dualismo fué meramente intelectual y hasta formal. Como buen español, a la hora de la verdad, no separaba ni distinguía, sino que integraba en forma de un servicio total. En *La vida del Buscón,* hay que reconocerlo, existe más un rebajamiento muy hacia lo popular que un afán reinvincador hacia arriba. Quevedo pudo escribir la novela seria de su tiempo, la novela grande y trágica, y él no quiso escribirla.

La madurez de esta novela está presente en todo momento. Salta a la vista en la técnica de composición. Quevedo, en este aspecto, realizó una obra maestra. Y su fino raciocinio elaborador marca los tiempos en el progreso narrativo. Hay un primer tiempo lleno de animación y peripecias, de superior anécdota, que cuadra muy bien con la juventud del héroe picaresco. Otro tiempo más acendrado en tipología y caracterización, de más justeza psicológica y madurez en el desarrollo descriptivo, que se encierra entre la salida de Alcalá de Henares y la llegada a Madrid. Todo aquel período de viajes, de buena sátira, y donde Pablos se mantiene en una posición paciente ante la vida, que fluye rica y cargada de enseñanzas. Más tarde, un tercer tiempo, en que el protagonista endereza su moral en busca de una actividad, siempre frustrada y donde abunda el elemento ético y reflexivo. Esta riqueza psicológica es peculiar de Quevedo, se junta a ella un vasto panorama de la realidad española, vista y trabajada desde distintos ángulos de visión. Quevedo no se contenta con mantener una línea de conducta formal con relación a la materia novelesca, como Mateo Alemán. Una línea uniforme e incambiable. Quevedo, cada escena, cada cuadro lo trabaja con distintos instrumentos psíquicos y con distintas situaciones anímicas. Para un cuadro, la posición será satírica o irónica, para otro, burlesca o bufa, para aquél, cruel o destemplada, para este otro, sarcástica o absurda, y así va desde el desparpajo más desenfrenado hasta lo grotesco, lo comprensivo, lo liberal, en una entonación feracísima y profusa de colores y sentimientos. La ironía y la sátira se acusan en todas las confrontaciones realistas, como retratos de tipos, ingredientes sociales o descripciones individuales, desde el Licenciado Cabra, de Segovia, al astrólogo, pasando por el poeta, el soldado, el hidalgo, y por sus actuaciones como galán de monjas y como representante. La burla y lo bufonesco en las escenas de la universidad, en su vida de estudiante, en los viajes con los rufianes, en su anhelo de buscar mujer casadera, o en el robo de las gallinas de la posada. El sarcasmo y el absurdo, en sus posiciones genealógicas, en su estancia en casa del tío y en su vida con el hampa cortesana. La comprensión y el buen humor, en su amistad con el hijo de Don Diego Coronel, en su introspección rigurosa y en los deseos creadores, que llegan hasta su voluntad de mejorar de posición y de sociedad.

El héroe de Quevedo no está hecho de madera entablillada, sino que acusa su progresión psicológica, casi plástica. Y se hace visible en una época en que todas estas cosas eran invisibles.

Recordemos, nada más, la escena de Segovia entre Don Pablos y su tío y sus relaciones ante el representante familiar, con aquella descomposición de fuerzas del espíritu que lo enderezan por fin hacia Madrid, en busca de no se sabe qué "imperativo categórico". Es muy expresiva de toda esta meditación la carta que como despedida escribe a su señor Alonso Ramplón. No pretendemos relacionar estos aciertos psicológicos con los acabados de la novela del ochocientos. Sólo queremos apuntar cómo el género, en Quevedo, va enriqueciéndose y reforzando las líneas de su evolución.

Al enfrentarse con esta novela picaresca, surgen problemas de orden moral que no se saben dejar en pie. A simple vista, la fuerza intencional barroca de muchos de estos libros, parece adegalzarse y aun esfumarse de su contenido textual, quedando sólo una atmósfera en su trasfondo que es muy difícil de asir. Pero, dígase lo que se quiera, cada libro vale como un buen documento de su tiempo, a pesar de las deformaciones. Es éste su más importante tesoro. Hay que pensar que, en este sentido, su valor es inapreciable. Y superior, claro está, a las otras narraciones de mero entretenimiento, como la novela de caballería o el relato italiano. En verdad, aquéllas no se pueden ver como un mundo de ideas, discursivas o significativas, con energía renacentista o didáctica, emergiendo de un cierto arte desinteresado, a la manera de Cervantes o Rabelais o de la epopeya regular o alegórica. La picaresca supera estas formas, reduciéndose a un realismo estricto y fenomenológico, con su fachada lisa de documental impasible, con su imparcialidad, que recuerda a esa cámara de cine que obra automáticamente. Ella debe considerarse como la primera literatura amoral de Europa, y dentro del orden que Jacques Rivière ha dado a este amoralismo. Nos referimos a esa posición singular del novelista, con su tomavistas especial, haciendo de su oficio, arte y documento.

El pícaro en sí tiene su moral. La moral del que tiene hambre, tan distinta del que no la tiene. Aquélla se aparta mucho de la de los moralistas y filósofos. En este pícaro hay que separar, naturalmente, sus ideas morales que, cumplidas o no, son de raíz aparentemente cristiana y constituyen un estrato importante de su personalidad, de aquel otro mundo activo y pragmático de "lucha por la vida", de carácter somático inconfundible. Por esto no hay que poner el grito en el cielo cuando se trata de analizar este orbe de pícaros. Esta moral, como conducta, es relativista y es la adecuada a todos los pueblos trashumantes. Desaparecidos éstos del marco de la civilización, aquélla ha quedado alojada en las bajas capas de la sociedad miserable. No es muy fácil relacionar todo esto con la moral de la decadencia española. Cada decadencia tiene una moral. La de Roma fué distinta de la del imperio alemán medieval y ésta también distinta de la de España. Y es que existen países en Europa donde la literatura y el arte, el de más energía creadora, se producen sólo en épocas de crisis. Desde este punto de vista hay que entender hasta dos tiempos de crisis: una crisis de crecimiento, la de la Inglaterra isabelina, y una crisis de madurez y decadencia, la de la España del siglo XVII. Esta hora de crisis es fundamental para los pueblos integradores como el nuestro. En ella es cuando mejor se reconocen y tienen conciencia de sí mismos. En el dolor de la contrición, con la angustia de su salvación o con el deseo impotente de restablecer el imperio, llegan hasta los estratos más primigenios de su religiosidad y de su moral. Todo esto son cosas que los españoles nos conocemos de memoria. Siempre será difícil encontrar un pueblo en el mundo que mejor se conozca que el nuestro, que haya sido más héroe de toda meditación y en donde la mente de sus profetas, de sus sabios o de sus artistas se mantuviera al rojo vivo más tiempo, preguntándose sobre el ser y la naturaleza de España de manera tan terriblemente directa o enmascarada, según las épocas, de manera tan ofensiva y agobiante.

LIBRE PLATICA CON GALDOS

EL NOVELISTA SALE DEL PURGATORIO

Sin duda, de todos los grandes escritores españoles del siglo XIX, es Galdós quien ha promovido los más grandes quebraderos de cabeza a historiadores, críticos y ensayistas, sin olvidar a los políticos y a la gente de la calle. Con respecto a esta figura literaria siempre ha habido un ir y venir de simpatías, un vaciar o un llenar su recinto vital con las más extrañas cosas, un tira y encoge que unas veces ha dado en el ditirambo más encendido y otras en la soledad más intencionada. Pasado el tiempo en que llevó a cabo su vastísima obra, cuando la generación del 98 asumió la dirección del mundo artístico de España, Galdós queda como arrinconado, viviendo su primer purgatorio. Este fué largo y ni aun un crítico de la maestría de Pérez de Ayala pudo sacarlo de allí. Después de la primera gran guerra, nuestro novelista siguió sufriendo su condena. Más dura todavía, porque al criterio rigorista y malcriado de un Unamuno o de un Baroja, se unió el de la generación de aquellos poetas y escritores que, entre cátedras de universidad e institutos y *Revista de Occidente,* dispuso el orden de la nueva literatura. Claro está que, a pesar de todo esto, siempre será muy difícil precisar cuál ha sido, a lo largo de todo este tiempo, la verdadera relación entre Galdós y el lector de nuestro país.

Pero, normalmente, es cierto que en cualquier época existe un haz de ideas y preocupaciones, de formas y tendencias que, aun estando en contra de los gustos comunes o del lector medio, la representan con autenticidad y con aplomo. Y que, poco a poco, desde la poesía al decorado de la casa, desde la moral hasta la industria, todo va quedando afectado por aquel espíritu. Lo que ha sucedido con Galdós en España, sucedió con Zola en Francia y con Galsworthy en Inglaterra. Todo el orden literario que se produjo en estas naciones, entre el final del siglo pasado y los primeros treinta años del actual, parecía contradecir las esencias peculiares de estos tres grandes novelistas. Después de 1914, y mucho antes en Madrid, las ideas y las formas nacieron casi como oposición sistemática a aquellas ideas y formas de Galdós, Zola y Galsworthy. Pío Baroja, Marcel Proust y James Joyce representaron un mundo nuevo de objetos, de moral y de estructuras, constituyéndose dentro de un universo separado y agreste, distante y agresivo. Siempre nos llegará la ocasión de preguntarnos si lo que desviaba más un grupo de escritores del otro, era la peculiaridad de sus ideas o la peculiaridad de sus formas. Se contestará que unas y otras, que ambas a la vez. Y también que han sido las formas, la voluntad de forma, la que ha mantenido con mayor enojo las enemistades entre las distintas clases de literaturas y de artes.

Establecer una caracterización entre una y otra no sería tarea muy complicada. Por lo menos en lo que respecta a Francia e Inglaterra. El estilo personal, un nuevo sentido del tiempo y la incorporación del acto arbitrario o gratuito, estas tres notas pudieran levantarse como banderas de combate para los casos de Marcel Proust y James Joyce. Para el caso español la situación varía y de manera muy contradictoria, naturalmente. Hablando de la novela, a Pío Baroja lo debemos considerar como a un adelantado, sin duda. Pero nos encontraremos cómo en muchas ideas generales coincide éste con Galdós. Afirmaremos, en primer lugar, la personalidad de su estilo y el método de composición, luego, su nueva concepción temporal y, más tarde, sus inéditas reincorporaciones morales. Pero Pío Baroja no fué nunca un escritor gratuito. Fué siempre un novelista de grandes compromisos y muy mal intencionado. El elemento ético y el político van en él inseparablemente soldados. Con la sola diferencia de que si en Galdós aquellos compromisos, ajenos a la pura literatura, estaban unidos a una concepción liberal del mundo, en Pío Baroja los mismos compromisos quedaban atados a un absolutismo ilustrado, de raíz nietzscheana y egotista. Si en lugar de Pío Baroja se entresaca a otro escritor español, a Ramón Gómez de la Serna, que empieza a escribir diez años después, se verá cómo aquella condición de gratuidad, que faltaba en el primero, se cumple en el segundo, denodadamente. Así, en la situación europea se genera un frente común de preocupaciones y hechos, debemos escribir de despreocupaciones y sucesos, que explica de cierta manera el olvido de los maestros anteriores.

Simpre será interesante saber cuál fué la realidad exacta, cuál la magnitud del paréntesis que encerró a Zola, Galdós y Galsworthy, separándolos de todo contacto exterior. Una estadística de la venta de sus libros nos colocaría sobre una pista cierta. Ya que no debemos olvidar a ese lector que, al fin y al cabo, es el complemento natural de toda obra literaria. A veces, en singulares momentos de la historia, cualquier minoría audaz, que se dice representar el espíritu de una época, asalta el gobierno de cualquier república artística y se adueña del poder. En estos momentos nos sentimos en muy bajas condiciones para conocer la posición exacta del lector transeúnte. Y más cuando se trata, como en nuestro caso, de movimientos estéticos antipopulares, de orden selectivo, desencarnados y terriblemente hedonistas. Toda aquella literatura que desplazó a Zola, Galsworthy y Galdós, que vivió muy alejada de toda resonancia comunal o comunicativa, es más, que aconsejaba su desprecio, parecía mantenerse sobre la punta de este pensamiento de Paul Valéry: "Sólo es universal, aquello que es lo suficientemente grosero para serlo". Esta incomunicación entre el creador y su lector hizo posible que éste se fuera reduciendo, alojándose clandestinamente en extraños agujeros donde pasar un invierno penoso. Hay que reconocer que este lector se ha ido limitando hasta llegar a ceder parte de su caudal espiritual a ese otro lector escogido, fino y cultivado, que apoyaba con pasión todas estas subversiones literarias.

Hace poco tiempo leíamos en la revista *Insula,* de Madrid, unas declaraciones del poeta Vicente Aleixandre hechas a su director Enrique Canito, en las que nos manifestaba, con gran sorpresa nuestra, lo siguiente: "En mi generación era corriente desinteresarse de Galdós. Yo admiré sobre todo a Galdós, entonces, cuando Galdós pasaba por su purgatorio, del cual está saliendo ahora para ascender a su merecidísima gloria definitiva. En este amor a Galdós sólo rivalizaba García Lorca. Siempre recuerdo, comiendo un día en una tabernita del Madrid bajo, el pasmo y la alegría que nos dió a los dos al sabernos apasionados lectores del viejo novelista, y la risa juvenil que nos sacudió al sentirnos poseedores de un secreto que los demás ignoraban: la fuente de delicias que era Galdós en medio de la indiferencia, acaso de la hostilidad, en que había quedado su nombre". Esta afirmación tan generosa del poeta español nos indica hasta qué punto la cuarentena que sufría el navío del autor de *Angel Guerra* era más aparente que real, menos efectiva que formal. Incluso, en aquellos lugares donde más se le creía sometido a desinfección, existía una estimación poderosa y una amistad entrañable.

De todas maneras, la verdad es que las ediciones de sus relatos, durante veinte o treinta años, fueron extinguiéndose, su nombre olvidado de la crítica, y su lectura escondida y sometida a una larga cautividad. En nuestro país no se puede decir que nuevas generaciones de novelistas se lanzaran al trabajo como es el caso de Francia e Inglaterra, sino todo lo más que el gusto público se había ido separando desde esta forma literaria hacia otras, tales como la poesía y el ensayo. Han tenido que transcurrir muchos años para que Galdós volviese a ocupar su puesto de mando, marcándose una nueva aproximación con el lector español. Lo curioso del caso ha sido que este contacto y este intercambio de ideas y sentimientos se ha venido a hacer sobre otro lector, que no fué nunca ni su primer lector apasionado ni aquel otro que lo desdeñó, andando el tiempo. De todos modos, hemos de apuntar el extraño fenómeno que se ha producido lo mismo en nuestro país que en Francia y en Inglaterra: que un lector, bien preparado, de "élite", finamente seleccionado, como el que se disfrutaba en todos estos países, regrese hacia un arte menos estilizado, más grosero y más común. Todo esto nos indica que el lector de novelas, como el hombre de ciencia o como el hombre político, descansa sobre una cierta continuidad histórica, sobre una corteza terrestre cohesiva, incluso sobre un estado de cosas donde la tradición y la costumbre juegan sobresalientes papeles.

Antes de 1936, ya en Europa y también en España, lo que quiere decir que estos hechos se generaban con anterioridad a la guerra nuestra y a la guerra mundial, se anunciaban unos acontecimientos en nuestra historia literaria que nos expresaban algunos cambios importantes en su estructura, movimientos de creencias y vocaciones, virajes en redondo hacia otros derroteros insospechados, pero perfectamente sabidos. Se debía asegurar ya que todo aquello que constituyó el espíritu de los anteriores equipos literarios estaba pasando de moda, y que una crisis en los gustos y en las inquietudes se cernía lo mismo sobre el lector no avisado que sobre el escritor alerta. Comenzaba a no interesar ni la rareza de las ideas, ni su novedad ni su sorpresa, y lo mismo sucedía con el personalismo de todo estilo, refugio y norte de su justificación, que miraba más hacia su calidad que hacia su valor humano o moral. Todo esto —que se encerraba en un recinto totalmente incomunicado, oscuro e ininteligible, que parecía traducir las dificultades de toda coherencia social y literaria, por lo menos las de orden general—, expresaba muy claramente la manera de comportarse el mundo de entonces, dentro de sus circunstancias históricas, políticas y aun religiosas. Lo sensitivo, lo poético y lo gratuito, largas y finas columnas de aquella construcción, empezaban a resquebrajarse ante el nacimiento de otras columnas gruesas, bastas y anónimas que comenzaron a levantarse sobre toda la tierra de los hombres. André Gide, que fué en su tiempo y a lo largo de medio siglo un espíritu avizor contradictorio y terriblemente disconforme, nos iba vertiendo en su *Journal* la órbita de sus problemas y desazones. Recordemos que ya antes de 1930 aconsejaba a los franceses y a los europeos, él se pasó toda su vida dando consejos a la juventud, un arte comunal, abierto y generoso, entendida esta comunión con un cierto sentido evangélico. También recomendaba una nueva lectura de Zola, sin olvidar la necesidad de escapar de la gratuidad de algunos actos ante el fatalismo de la libertad. A pesar de todas estas inéditas posiciones de André Gide, en épocas ya cercanas a las guerras parciales y totales, lo mismo Sartre que Camus no sintieron ninguna estimación por el autor de *La porte étroite*. Sartre lo consideró siempre como un pequeño ser egoísta y enemigo de todo verdadero compromiso ético o social. Camus sólo admiraba en él su estilo clásico y su romanticismo domado. Aun dejando un poco de lado al existencialismo, centrándonos únicamente en las figuras que aporta Francia a la literatura europea, es fácil reconocer que con Bernanos, Saint Exupèry, el último, y el mismo Albert Camus, un nuevo contenido de conciencia, una nueva responsabilidad y una nueva tarea surgen en Occidente. Hasta las palabras son también nuevas. Se habla de sacrificios, de hermandad, de deberes, de ataduras y de espíritu comprometido. La novela ha perdido altura, pero ha ganado lastre. Se debe afirmar que ha ido desdeñando estilo a cambio de una incorporación de valores más humanos.

Karl Jaspers ha escrito en su *Origen y meta de la Historia* que la realidad es siempre algo que compromete: "Nuestro verdadero trato con la historia es una lucha con la historia. Esta nos atañe y nos importa. La convivencia humana, o bien retrocede y entonces veo la historia como algo que está frente a mí, como una cordillera lejana, o, por el contrario, descubre la actualidad en su conjunto, el ahora que existe y donde yo existo y en cuya profundización la historia se me convierte en el presente que soy yo mismo." Es muy posible que todas estas maneras de pensar sean la consecuencia de cómo unos acontecimientos han presionado el alma de un filosófo, obligándolo a soltar la prenda de sus compromisos puramente metafísicos. Lo cierto es que esta forma de entender la historia toca el fondo del hombre contemporáneo, la acerca a nuestro dominio, y lo que creíamos escandalosa especialización y trabajo escueto de laboratorio, con su técnica ininteligible, se funde con nuestra existencia, dándonos consuelo y esperanza.

Ante todos estos hechos, la reaparición de Galdós se produjo con seguridad y tino. Fué una necesidad impuesta por el tiempo y por el natural retorno de las oscilaciones del espíritu español. Un clima moral semejante al de Europa, el producido por la guerra civil, nos colocaba en una situación similar al de las otras naciones. La nueva aproximación de la historia y de la novela, determinada más que por nada por una original interpretación de la historia y por la historia misma, nos obligaba a leer otra vez a Galdós como método restaurador de nuestras fuerzas exhaustas. No debemos olvidar que las relaciones entre la historia y la novela han sido siempre vivas y nos recuerdan la existencia del álamo en Occidente. Sabido es que todos los álamos que permanecen en Europa son del género masculino, y se han desarrollado desde los esquejes de un único árbol importado de Oriente hace 150 años. Todos los álamos vienen a ser parte de una misma planta madre y, aun viviendo con autonomía, constituyen un sólo ser viviente, porciones pequeñísimas de aquellos que plantó Napoleón al borde de las carreteras con miras estratégicas.

DESPUÉS DE UNA GUERRA: NUEVA PERSPECTIVA

Tenemos que admitir, quiérase o no, que un estado bélico internacional, que una conflagración política o económica llevada por las armas, al convertir a los pueblos contendientes en campos de odio o de rencor, de pasiones o sacrificios, de miserias y de dolor, produce sobre los seres individuales o colectivos unas situaciones físicas y anímicas que rompen la continuidad anterior, despertando otras voluntades de vida o muerte y trastocando y subvirtiendo los dispositivos de la existencia corriente, de la vida en paz. Bajo el peso de la guerra, ya da lo mismo que sea internacional o civil, la moral, lo religioso, lo estético, el orden de los Estados y el sentido de su convivencia quedan automáticamente desfigurados. Se ha pretendido muchas veces, entre los teóricos de la sociología y de la política y entre los críticos de las artes, que cada uno de estos mundos integrantes de la personalidad humana viven por su propia cuenta, independientes y libres, produciéndose con su historia separada y casi sin intercambio de embajadores. Especialmente, en lo que se refiere al recinto de la estética, cuarenta años de formas puras, desinteresadas y graciosas lo han querido mantener alejado de toda preocupación vulgar o social. El arte era sólo objeto del individuo, de su especial empeño y limitación. Si tenía historia, que nadie se la negaba, ésta se erigía en cerrada historia de su acontecer y nada más. Una historia que casi no suponía relación con las otras historias ajenas o cercanas.

Pero las guerras ensucian todo lo que tocan, y limpian otras muchas cosas. De hecho se produce un fenómeno singular que atañe, en primer lugar, a la moral del hombre en cuanto éste es aquel ser que sufre con dolor y que al convertirse en miseria, lo mismo en su cuerpo que en su alma, cuando yace en su soledad aterida, o bien busca a su Dios, o bien deja penetrar en su sentimiento o en su meditación, lógica o irracional, el clavo ardiente de un arrepentimiento o de una salvación comunal o entrañable. Se ha de reconocer que las condiciones de vida que precipitan cada guerra, necesariamente conducen a un hombre distinto, a un arte distinto y a una religión distinta, al menos en la estructura de sus valores y de sus formas. Con simplicidad se puede ver en la Europa posterior a la última guerra, una disposición de ánimo que rompe con todo el mundo que le precedió. En cada nación, aquélla se presenta con su manera peculiar de existir y afecta a diversos sectores de la sociedad y del espíritu. En algunas, sólo la economía y el sentido político han cambiado. En otras, se ha reducido a una nueva convivencia con la religiosidad, con lo santo. En muchas, y hasta en todas, el orbe estético ha girado sobre sí mismo, apeteciendo todo lo que antes desdeñó. En Francia, la guerra ha hecho nacer una nueva escala de valores éticos, que marcan violentamente a la novela y al teatro, dándoles una fuerte coloración comprometida y estoica, tan ajena al precedente estado de cosas, productos sugestivos del ocio creador y de la gratuidad. Pero en esta marcha ascendente o regresiva no debe pensarse que se han perdido todas aquellas invenciones estéticas de los pasados años. Muchas de ellas han durado, y hoy componen importantes porciones del nuevo cuadro. Es el caso de la variante expresionista. No hay revolución ni movimiento reaccionario en política que no aproveche parte de todo aquello que en su día combatió ferozmente, desde el sentimiento al traje, desde el ademán social hasta el gusto de los placeres.

En España, la guerra del 36 ha producido muchas y notables cosas. En primer lugar, cuando la contienda bélica terminó, los españoles se quedaron como asustados. Un susto tan terrible que no les llegaba la camisa al cuerpo. No hablamos de todos, hablamos de los mejores. Un susto que se originaba ante la realidad de lo acaecido, ante una realidad que parecía mentira. Ningún razonamiento era bastante claro para explicar la gravedad y la violencia de la contienda, la heroicidad y la soberbia de tanto suceso extraordinario. Pero asustaba más todavía el que se hubiera caído dentro de los mismos riesgos, infortunios y torpezas, dentro de aquellos mismos que los mejores españoles repudiaron, elevando sugestivos actos de contrición. El devenir histórico, la ciencia y la industria y una incuestionable ordenación de valores morales había preparado en nuestros hombres una cierta creencia en el progreso. Esta noción bien asentada, y la europeidad de nuestra geografía y cultura, nos aseguraba la imposibilidad de una nueva guerra civil después de la Restauración. Pero el hombre propone y Dios dispone. Lo cierto es que aquélla se produjo y que la batalla arrastró a todos, desequilibrando los estados pacíficos del alma hispana.

Primero, el susto de ver lo que no se creía. Más tarde, un temblor físico y espiritual que se producía como una necesidad interior de restablecimiento, como un deseo de volver a poner las cosas en su sitio. El temblor de cabeza a pies indicaba, con su estremecimiento febril, que una nueva conciencia andaba dando tumbos por las moradas del alma y que, aun ciega, tropezaba con muchos objetos olvidados. Estas correrías sísmicas tendían también a subsanar los desperfectos de la memoria despierta. Por último, el nacimiento de una angustia más o menos irracional expresaba que un original mundo moral estaba a la vista. En esa hora todavía no se sabía cómo se había de configurar esa angustia yacente entre los desperdicios del recuerdo y la voluntad indomable de existir. Ante esta situación, al hombre español le era posible adoptar diversas posiciones. Al fin y al cabo, estas posiciones no dejaban de ser parecidas a las de los otros hombres europeos, sometidos a idénticas circunstancias bélicas, cualesquiera que éstas fuesen. En una guerra, aun siendo distintos los orígenes, son siempre iguales los espacios que median entre principio y fin, y, por lo tanto, iguales también las vicisitudes del alma humana, sometida rigurosamente a aquélla. Su experiencia y sus reacciones se manifiestan, en último término, coincidentes. Hay siempre como un reconocimiento de que el universo es absurdo cuando se llega a la hora de la paz, después de una guerra. Y más, si se sabe instintivamente que esa paz no es de verdad todavía, sino el posible paréntesis que ha de llevar hasta ella. Esta intranquilidad y desasosiego lleva siempre a una interpretación pesimista de la vida que, o bien aleja toda especie de idealismo, convencional o no, o bien hunde las raíces del hombre más cerca de sus sentimientos religiosos remotos y presentes, o bien despierta toda desvergüenza moral, desconectando lo mismo los dispositivos de las crencias inmanentes que los de las transcendentales.

El tiempo de la angustia, que puede ser también en muchos espíritus el tiempo del arrepentimiento, origina procesos espirituales del mayor interés. Muchas veces, en las almas más veraces y más inquietas, la angustia se genera sólo porque se establece una transfusión dentro de cada hombre entre las ruinas de su mundo de ideas y sentimientos, que pueden ser las del vencedor, y el otro mundo del vencido, con su haz de ideas y sentimientos, aún vigentes. Este intercambio es recíproco, es decir, que el mismo proceso se formará en el ánimo de cada combatiente. Poco más o menos y expresado de manera dura, sucede como les sucedía a algunos pueblos primitivos, por ejemplo, a muchos indios norteamericanos de la costa del Noroeste. Allí, cuando un hombre mata a otro hombre no sólo después de la victoria entra en posesión de sus tierras, de sus enseres de labranza, de sus fetiches e incluso de su mujer y de sus hijos, sino que también termina por adueñarse de su nombre, de sus sortilegios y, si, ponemos el caso, la víctima era curandero, las virtudes de su curanderismo pasan a engrosar las riquezas morales de su matador. De este modo podemos explicarnos el renacimiento en la conciencia de muchos españoles exilados de una voluntad nacionalista o patriótica para entender las cosas de nuestro país, o una caída dentro de una libertad personalista o de un existencialismo esencial, bien que de raíz cristiana, de escritores españoles nacidos bajo los signos de nuestra guerra.

Debemos admitir que después de una guerra llega el momento de la reconstrucción. Esta reconstrucción lo mismo, se entiende, ha de afectar a las ciudades bombardeadas, a sus calles y edificios, a la economía deshuesada o a la política maltratada por la realidad bélica, que a los cuerpos y a las almas de los combatientes. Una guerra civil exige todavía más cuidados en esa reconstrucción física y espiritual. Al final de la nuestra, junto al temblor y a la angustia, surgió la necesidad imperiosa de una convivencia entre los españoles. Antes de que los artistas acusaran el estado de sus preocupaciones y dolores, ya en gran parte de nuestra burguesía y de nuestro pueblo, entre las ganas generosas de olvidar, se cernía el deseo poderoso de convivir dignamente. En este momento aparece Galdós con su importante mensaje de paz.

Nunca se leyó a Galdós tan frecuentemente como en esos años posteriores a nuestra guerra. Aquel burgués y aquel obrero especializado, el profesor y el abogado, el comerciante y el carpintero de ribera, el empleado de mostrador y el albañil de pro, en resumen, grandes sectores de la nación española, al menos, los más constructivos, los que trabajan y los que producen, se sentaban a la buena de Dios en sus casas, en las horas de ocio, con una novela de Galdós en las manos. De una parte, como vehículo de entretenimiento, de apacible entretenimiento, capaz de restañar temblores y angustias, y, por otra parte, como elemento de conocimiento de la España y de los españoles que habían vivido un tiempo semejante al que este lector acababa de rebasar.

Se habían dado las cosas de tal manera que nuestro lector habitual no se sentía a gusto con los relatos de la generación del 98. Un afán de convivencia obligaba a ampliar el reducto social de este burgués neto. La existencia de un dolor soterrado exigía naturalmente el desplazamiento de cada ser hacia mayor número de seres, en un acercamiento cristiano de caridad y aun como recurso egoísta de conllevar el sufrimiento del mejor modo posible. Un deseo callado de justicia, acaso de raíz mítica, preparaba el camino de un conocimiento más cabal de los españoles, dentro de un cierto orden de veracidad y de comprensión. Todos estos síntomas hacían que se prefiriera una literatura más comunicativa, entrañable y objetiva. Al mismo tiempo, más cargada de compromisos morales y, si posible, portadora de un mensaje. El arte nacional anterior a 1936 no servía para esto, ni aun la poesía, salvo alguna excepción sobresaliente.

Hemos de reconocer que este momento histórico era semejante al que le tocó en suerte vivir a Galdós, sobre la fecha de la cancelación de las guerras civiles del siglo XIX. El español de hoy se sentía en una posición similar al español de ayer. Y después del susto, del temblor y de la angustia, su conciencia se volvía hacia la España anterior, que había fraguado tales fracasos, para preguntarle la naturaleza de éstos, sus cómos y sus porqués. Claro está que tenemos que advertir que este español, así idéntico en el fondo, se nos aparecía distinto en su exterior y extraño en su forma. Galdós podía servir de punto de arranque, como límite de una nueva carrera histórica, cuyo futuro permanecía escondido y avieso como un truhán cualquiera. La vida que interesaba a los hombres de hoy estaba ensamblada de modo ocasional, pero muy duramente, al pasado reciente. De aquí que la nueva preocupación del español, lo mismo que la de ayer pero también distinta, estuviera fundida de forma muy arriesgada con la figura y la esencialidad histórica, presentándose éstos como una existencia si no absurda, al menos impenetrable y de remoto sentido, pero con la que este español tenía que contar en todo momento, haciéndola presente vivo. Hemos de comprender que esta historia tenía que servir de ejemplo y disciplina, y sobre su moral, que es muy posible adoptase mil caras, se había de fijar la moral de este instante, como sometimiento a la circunstancia vivida y como exigencia mínima de supervivencia. De aquí que el ánimo de este hombre se desplazase, en el ámbito de la literatura, más hacia el libro que encerraba un conocimiento o una historia que hacia ese otro libro que era sólo confesión o mera crítica impasible.

La novela nuestra posterior a la generación del 98, incluído Ramón Gómez de la Serna y la novela intimista o poemática terriblemente subjetiva, no podía interesar a este lector angustiado. Ni Baroja ni Valle Inclán ni Azorín, con sus mundos personalísimos y sus inventivas literarias y, es más, con sus sucesos malintencionados, con sus héroes introvertidos, su hedonismo narrativo y su moral bélica y agresiva, aun cuando cargada de razón en muchos puntos, tampoco servían para disponer un frente deseado de concordia y de conocimiento veraz. Miró y Pérez de Ayala, que éticamente podían colmar aquella voluntad de paz, no constituían una lectura fácil, la indispensable para un hombre cansado, dado su sorprendente barroquismo literario. Se necesitaba ir más atrás, hacia un tiempo de cierto modo más comprometido, pero poseído de un tono más impersonal. Estos dos valores contradictorios parecían darse con exactitud en Galdós, que huyó adrede de toda invención y de todo mundo imaginativo o elíptico.

Frente a la tendencia estilizadora del grupo del 98, la escuela realista de Galdós se manifestó dentro de un orden corriente de escritura y de una coloquial actitud imitativa. Bien es sabido que las cosas y los hechos se pueden reproducir de dos maneras. Para que llueva, los sacerdotes de los pueblos Zuñí americanos hacen rodar piedras por el suelo para originar el trueno, colocan un recipiente con agua en el altar de los sacrificios para que la fuente se llene y baten espuma con una planta nativa para que las nubes se agrupen en el cielo. Estos tratamientos de la realidad tienen todos un simple valor imitativo, directo y elemental. Pero hay otros pueblos primitivos que para atraer la lluvia se valen de otros procedimientos, donde la fantasía y la metáfora entran con todo su poder. Se ponen una máscara y alrededor de una piedra mágica, verde o roja, coronados de plumas de cóndor, danzan hasta caer extenuados. Este distinto estilo de persuasión atesora una fuerza evocadora y enfática y terriblemente estilizada. Nosotros no sabemos a quiénes harán más caso los dioses de la lluvia. Lo cierto es que existen estas dos maneras de comportarse con la realidad, con la posible realidad que es la lluvia. Historiadores y ensayistas han intentado muchas veces, en el seno de la literatura o de las artes, presentarnos estas dos formas de realismo. Es de suponer que el primer realismo aparezca primero, con su fácil paso y su lógico ritmo inductivo. Y que el segundo no venga a ser otra cosa sino la consecuencia de una depuración mental o de una conciencia poética, que expresa su dificultad para dar testimonio de una realidad cualquiera. Ha escrito Huizinga que la búsqueda de una palabra certera e imitadora de una cosa, por su afán de lograrla lo más ajustadamente posible, conduce a la exageración, a un hiperrealismo, que se trueca pronto en figura fantástica o elíptica.

Pues bien, Galdós usó de entre estos dos modos de invocar a la lluvia, el primero. No es difícil comprender que cuando Galdós se puso a trabajar todo estaba por hacer. Después de las guerras civiles del pasado siglo, urgía revisar por completo el material humano que constituía España, tomar la altura de su espiritualidad, gastada a través de tantos años, reconocer la medida de sus hombres y los resortes de su moral, escudriñar la situación de sus estamentos, confrontar la vigencia de su religiosidad y de sus tradiciones e, incluso, echar una ojeada a su estructura económica. No se presentaba con idéntica estructura la novela de Inglaterra y la de Francia. En la época de Galdós, ya en aquellos países se habían acotado importantes lugares de la vida inglesa o francesa. De Fielding a Dickens, de Balzac a Flaubert, la narración inventada o la narración histórica ya podían colocar en nuestras manos documentos importantes del alma nacional. Cuando se lanza a su tarea Galdós, comenzó a escribir la primera página de su primera novela no mirando hacia la cuartilla o concentrando el pensamiento en las puntas de su pluma, sino que nos lo hemos de imaginar con la mirada perdida en el estrecho espacio de su alcoba de una pensión madrileña, tropezando con la blanca pared y queriendo observar toda una vida española perdida en sombras áureas irreales y lejanísimas.

Galdós, para toda esa empresa que apuntamos antes, sólo contaba con dos elementos importantes: de una parte, la gran masa cerrada de una España arcaica, sin duda válida, encerrada en una cierta leyenda, apretada entre sus mitos incontrovertibles, limitada por sus héroes, sus grandes hechos y su conducta singular, todo expuesto a través de un arte y de una literatura espléndida, y sólo agrietada críticamente por el trabajo de Cervantes, la picaresca y Quevedo. De otra parte, el pequeño tabique formado por la buena voluntad de los escritores inmediatamente anteriores a Galdós, mantenido, o sobre un romanticismo que se contentaba con exaltar o repudiar leyendas y costumbres o con un realismo incipiente que no pasaba del cuadro de costumbres acomodaticio. A pesar de todos estos exponentes, la verdad era que la España de aquella hora, temporalmente distinta de la tradicional (ésta no había conocido las guerras civiles últimas), necesitaba para seguir viviendo de un reconocimiento, de un injerto crítico y hasta de una nueva moral, con su mensaje de paz y de supervivencia. Galdós pudo contentarse con ser un archivero extraordinario, un naturalista zoólogo ordenado y eficiente o un burócrata literario dispuesto a clasificar la riqueza poseída y los saldos en contra. Pero Galdós no se contentó con esta importante tarea, ya ingente, sino que nos presentó una España en forma documental y rigurosamente cierta, como trabajo preparatorio de una futura acción creadora. Hizo todo esto y, además, escapando a cualquier manera docente, se lanzó a la gran aventura de plantar una moral y hasta una metafísica. Si ésta no fué muy clara, al menos la primera se nos aparece hoy radiante y al alcance de todos. Ortega y Gasset nos ha dicho muchas veces que la vida española para ser feraz se ha de concebir sólo como dinamismo. Creemos que nuestro filósofo aprendió esta noción leyendo las novelas de Galdós.

Lo extraordinario fué que nuestro escritor de la Restauración intuyó de modo simple y hasta pragmático esa condición humana del español, necesaria para la convivencia y el orden social de la nación, mucho antes de que Ortega y Gasset la afirmase como una bella y exacta teoría. Acaso Galdós aprendió esta idea en Cervantes y en el gran tráfico literario del Siglo de Oro, o, sencillamente, observando a sus semejantes en el tráfico de su vida. Aquella vida como dinamismo era lo único que podía acallar o encauzar ese vivir desviviéndose, última razón existencial del hombre hispánico. Vistas las cosas desde hoy, Galdós se nos presenta como el artista que despliega el grande y pequeño mundo de los seres de la realidad nacional, el cómo es España, de tal manera que sobre este mundo, los filósofos posteriores, como Unamuno y Ortega y Gasset, cada uno desde distinto punto de mira, podían enunciar el quién es España, su substancial permanencia y sentido primero. Toda esta tarea interrogativa, interrogación que iba siempre precedida de una angustia original, se había de coronar en su día con una *España en su Historia,* donde Américo Castro ha intentado desentrañar el más inalcanzable de los porqués enunciados.

Parece mentira, pero es así, que siempre y primeramente conocemos al hombre y su circunstancia histórica que a su personal y adecuado paisaje. Nos choca antes el acto de ese hombre que su contorno y aire geográfico. Por esto, Galdós, lo que hizo originalmente fué presentarnos al héroe, a los héroes que llenaban este paisaje vacío, que nuestro artista no supo llenar. Los paisajes de Galdós son repetidamente elemento ornamental, marco. La verificación de aquel paisaje sólo la llevó a cabo la generación del 98, constituyendo uno de sus más extraordinarios hechos. Galdós nos enseña, desde distintos ángulos y desde distintas perspectivas históricas, al español, inventor de su universo, el cual, sometido a contradictorias circunstancias, al fin y al cabo, no dejaba de ser siempre el mismo. Su quijotismo, su soberbia, su vida objetiva, soldada entrañablemente a la interioridad insobornable, su desvivirse peligroso y su realismo como incertidumbre ideal o mística, todas estas notas sustantivas nacionales las mantenía Galdós en la primera línea ofensiva del alma de nuestro héroe. Ya importaba poco que las morales inyectadas en él, la del naturalismo, la del orden liberal kantiano o la de un misticismo cristiano, atravesaran la aguja única de aquel ser singular. Los hilos para coser podían aparecer distintos de color, rojos, grises o azules, pero la aguja permanecía en todo momento la misma. Galdós, desviviéndose también, quiso ofrecer a los españoles unas tareas efectivas que los entretuviesen. Durante toda su vida se esforzó en incitarlos con nuevas preocupaciones a fin de que, en su natural desvivirse, pudieran servir para algo, dentro de un orden europeo, el creado por la burguesía, que les venía muy estrecho.

Galdós reconocía la primacía de esas celdillas, resortes o automatismos psíquicos de nuestra personalidad, pero aseguraba al mismo tiempo que este hombre primordial había variado de circunstancia temporal, y que no debíamos perderla de vista. Teniendo en cuenta estos dos principios vigentes, él estuvo siempre dispuesto a ofrecerle diversos recursos de acción, modernizándolo, atemperándolo y estableciendo mínimos puntos de contacto vital. Su gran secreto consistió en captar aquel hombre en su perennidad y dentro de un sentimiento cosmo-vital, por así decirlo, pero reforzada esta captura con una mirada crítica u objetiva, siempre en suspenso y alerta sobre los accidentes de tiempo y espacio que le tocaron en suerte vivir. Éste era como un círculo mínimo de conciliación. Su nacimiento hemos de buscarlo allí donde el artista hace dejación de sí mismo para entender a todos los otros, al prójimo, a las cosas de fuera, reconociendo la validez de estas existencias. Esta visión estuvo con frecuencia en pugna con la de los novelistas posteriores: Baroja, Unamuno, Gómez de la Serna, escritores de tal individualismo y de tan rancia conducta estética, que nunca admitieron más que dos mundos: el suyo o el que ellos inventaron, y el otro, el ajeno, desdeñable y perecedero por falta de veracidad.

Entendido así el hombre español, hemos de entrar en la era de los descubrimientos que Galdós instaurara en la marcha de sus propias novelas. Estos descubrimientos afectan no sólo a la condición humana singular de aquel hombre, sino al enjuiciamiento de la manera como nuestro escritor llegaba hasta él, desde su especial repliegue crítico. Sin olvidar, claro está, su concepción del tiempo y del espacio, el sentido comprometido de su obra y su humorismo, valioso instrumento de trabajo y exploración.

Al establecer una relación entre Galdós y los otros novelistas europeos, con un afán clasficador, se ha hablado mucho de Balzac, de Gogol y de Zola. Para llegar a estas conclusiones se han identificado, entre el nuestro y los otros, la moral, la forma expresiva, la valoración de la historia y de la sociedad, la metafísica, etc., etc. Pero creemos que esas coincidencias entre estos novelistas, nunca fueron mayores que las que se pueden mantener entre Galdós, Gogol y Dickens. Efectivamente, el escritor ruso y el escritor inglés han sido los primeros que, por estar situados en una coyuntura temporal única, han llegado a revelar la naturaleza individual, desde sus ángulos psicológico y social, del hombre ruso y del hombre inglés, con su autonomía reconocible e insolidaria. Queremos recordar que Turguenev llegó a escribir que hasta que leyó a Gogol no supo nunca qué cosa era ser ruso, esa cosa tan fácil hoy de intuir a través de las grandes novelas, de su historia y de la actividad religiosa y política del último siglo. Lo mismo se puede decir de Dickens, que trae a la literatura el reconocimiento general del carácter inglés, entendido en su condición insular y anímica, tan difícil de rastrear en el mundo artístico nacional, a pesar de los isabelinos, de Defoe o de Fielding y de los románticos. Llegamos a ver esto con claridad si relacionamos todo lo apuntado con la literatura francesa. Ni Balzac ni Stendhal ni Zola nos dicen con claridad la personal naturaleza del francés. Con ellos conocemos almas, vicios, virtudes y conductas, de las que no podemos entresacar ninguna particularidad original que rebase lo universal o humano. Galdós, como Gogol y Dickens, manifiesta en sus novelas una manera de ser español, cuyo entendimiento casi se había perdido desde el Siglo de Oro, con Cervantes, Quevedo y Calderón. Él, como Gogol y Dickens, por primera vez después de muchos años, establece una nueva estimativa de lo hispánico, lo sistematiza y le confiere un destino individual intransferible. Lo quijotesco, la sobriedad, el desasosiego, la soberbia, lo místico y el original sentido de la realidad, todas estas caracterizaciones y creencias profundas del español, las redescubre Galdós y las sirve en la bandeja de plata de su humorismo entrañable.

Este descubrimiento lo lleva a cabo nuestro novelista desde una única posición espacial. Él pertenece a ese equipo de españoles ilustres que han sabido buscar un original punto de vista desde donde penetrar todas las perspectivas posibles, a fin de conseguir una visión crítica y mágica de nuestra condición humana. Esta posición se pudo capturar, no de cualquier manera, sino como consecuencia de un repliegue táctico de gran envergadura. Repliegue crítico, lo debemos llamar, verificado en las más difíciles condiciones estratégicas, sobre un abrupto terreno de tópicos y mecanismos esclerosados, al amparo de la noche, y buscando siempre ese lugar propicio para un conocimiento cargado de incitaciones y recelos. Sobre ese mismo repliegue crítico habían vivido ya Cervantes y Quevedo. Más tarde, Feijóo. Y, por último, Larra.

En Galdós no es complicado otear una metafísica, aun cuando poco se ha hablado de ella. Claro está que no la creemos tan accesible como la de un Dostoiewski o la de un Marcel Proust. (En estos escritores la metafísica es algo expreso, discursivo y hasta polémico, y se la muestra con cierto descaro). En el autor de *Angel Guerra* los valores morales de su mensaje son claros y precisos. No podemos decir lo mismo de su sentido del tiempo y del espacio, que sólo llegamos a entrever a través de la composición, de la forma estilística y de la valoración estética. George Poulet, el filósofo francés contemporáneo, nos ha expresado que todo pensamiento posee un lugar, un espacio, es decir, se mueve prácticamente en un espacio interior. Pero entre el pensamiento y su objeto existe siempre una distancia variable, que muchas veces aparece como exterior al pensador, en forma de paisaje, constituyendo así un a manera de campo magnético intelectual. Este espacio en Galdós es de orden clásico. Posee éter, y está lejos de lo conceptual o inventado. No tiene más importancia que la de servir de marco o perspectiva al héroe de su obra. Nuestro autor reconoce el mundo objetivo, especialmente el medio geográfico y físico, pero le quita todo valor de paisaje mondo y lirondo, de paisaje lírico, observándolo sólo como topografía humana y como ornamento histórico. Este espacio se consigue por acumulación suma y por llenado a granel. Un espacio coherente y discursivo que, en todo momento, precede siempre al personaje que lo va a habitar. La realidad de este espacio nunca se nos presenta como una forma ontológica, sino reiteradamente bajo su dimensión histórica, de tipo tridimensional y naturalista. Quizá este espacio sea el más fácil de obtener literariamente. Después de estar bien separados el paisaje y el hombre, es cuando aquél llega a valorarlo, o como paisaje puro y escueto, o como creación de su espíritu. Es extraño que Galdós, que asistió desde lejos a uno de los más extraordinarios descubrimientos del paisaje en Europa, no fuera impresionado por los nuevos hallazgos. Naturalmente, no podía serlo, ni por el modo de su sensibilidad, ni por su situación como novelista primero de un mundo por hacer.

El tiempo, en el arte de Galdós, es el que corresponde a su espacio histórico. Y similar, por lo tanto, al de Balzac o al de Tolstoi. Un tiempo humano situado entre el tiempo de Rousseau, terrible e inexcusable compañero del hombre, como se ha escrito ingeniosamente, y el tiempo de Bergson, entendido como una creación continua del espíritu. Pero la verdad es que este tiempo de Galdós no pertenecía a ninguno de ellos, rigurosamente. Se caracterizaba por una intensa valoración del pasado y, al mismo tiempo, por un innegable reconocimiento de su caducidad. Este tiempo del ochocientos está lejos del tiempo medieval, fluyendo natural e imperceptiblemente, y del tiempo barroco, aprisionado en su instantaneidad. El tiempo del autor de *Misericordia* se hacía sobre un tejido romántico y sobre un tejido realista, medidos con estricta igualdad. La concepción de los *Episodios nacionales* nos indicaba claramente su sentimiento del pasado como tal pasado, su gusto por lo acaecido y transcurrido en su integridad, pero a su vez la evocación de este tiempo, tiempo muy próximo al de Galdós, nos afirma su voluntad de atraerlo hasta el presente cargado de exigencias, donde él aspiraba a introducir a todos sus héroes, idealistas, mendigos, revolucionarios, pícaros y cesantes. Este tiempo físico e histórico tiene en Galdós una apariencia sólida y sus personajes se levantan en él, activa y prácticamente.

No cabe duda de que Galdós fué un escritor comprometido, terriblemente comprometido. Todo el mundo inmediato, material, que le cercaba, desde el moral al económico, político y religioso, lo llevó a sus novelas. Y una vez que allí dentro los tenía, el creador los iba sometiendo a su inteligibilidad, a su comprensión, a su sentimiento del universo. Nunca fué artista evasivo ni gratuito. Incluso en sus momentos de máxima depresión voluntarista, que acaso fueron los de más fina verificación estética, su espíritu mesiánico se ejercía siempre con un cierto quijotismo. La vida, la existencia en su total despliegue, que la reconocía en todo momento como independiente y objetiva, constituyen siempre en él la incitación única de toda puesta en marcha, el choque que capacita toda reacción creadora. Él estuvo constantemente cargado de compromisos. No nos referimos a los compromisos que dimanan de una confesión religiosa, ni a los de un partido, ni a los de una coyuntura económica. Su pensamiento y su vida sufrieron altos y bajos, plenitudes y depresiones, seguridades e incertidumbres, pero ya en estos momentos se debe decir que no tuvo otro compromiso que el de aquella moral que se desprendía de sí mismo, de su meditación y de sus creencias. En este sentido, él no se parece a los escritores comprometidos de nuestros días que, de cierta manera, viven ahogados por sus compromisos, pudriéndose dentro de una subjetividad peligrosa. Al mismo tiempo, su concepción liberal del mundo, reconocimiento de los contrarios como necesidad interna de toda historia progresiva, hacía que su fachada de novelista comprometido, que siempre supone una mutilación, careciese de la adustez de lo sistemático, de lo rígido y de lo "ideológico". A lo largo de toda su vida se nos apareció como aquel artista que lo comprende todo, que todo lo respeta, que a todo quiere sacar un secreto dignamente humano, y todo también desplegado sobre el aplacerado mar, de buen fondo, de la libertad.

Para que este orbe de cosas se llevase a buen término, Galdós estuvo dotado de un sentimiento humorista del mundo, que aprendió en Cervantes y en Dickens. Fué su gran herramienta de trabajo, que escapaba a modos y modas, y que le hacía caer en el justo medio de las contiendas que sus héroes y la realidad entablaban. Este humorismo se humedecía con un espíritu romántico que llevaba hasta lo grotesco y también con un sentido de estoica responsabilidad. Es curioso observar cómo este humorismo es común a los mejores novelistas de la Restauración, a "Clarín" y Palacio Valdés. Pero todos también son distintos. Este humorismo no lo vemos en los novelistas franceses ni en otros europeos de la misma tendencia y de la misma época. Hemos escrito que este humorismo era una herramienta de trabajo, y esto no es verdad. Más que una herramienta, el humorismo es el hombre mismo que tiñe con él todo lo que toca, incluso su misma herramienta. Es el sentimiento que se posee del mundo y se puede ser humorista como estoico, idealista, místico o realista. Este humorismo yace en lo más hondo de la personalidad humana, donde ya no se ve y donde uno se pierde.

LO QUE SOBRA Y LO QUE QUEDA

No cabe duda de que hoy se escribe una novela de distinta manera que en el tiempo de Galdós. La prosa, como la poesía, la arquitectura, la música o la pintura, es arte que ha ido sufriendo una trasmutación extraordinaria, perdiendo unos elementos, sustantivos o meramente decorativos, y ganando otros más en consonancia con el nuevo tiempo, la sensibilidad contemporánea y el clima moral que nos ha tocado en suerte vivir. Los aspectos físicos y éticos del universo actual han pesado de modo incuestionable sobre las formas estéticas. La velocidad del mundo que habitamos, el cine, el periódico y la radio, la amplitud del espacio, la formación pedagógica, la existencia familiar y el advenimiento de las masas son todos ingredientes que han caído sobre la prosa novelística, hiriéndola en sus tradiciones y subvirtiéndola para nuestro propio gozo. Es fácil reconocer una página literaria del siglo pasado sólo con ver la composición de la misma, el orden de la puntuación, la frecuencia del diálogo, el reiterado uso de unas palabras y la rapidez o morosidad del discurso. Se debe afirmar, de manera general, que un estilo original, desconocido en épocas anteriores, ha asaltado el plano de nuestra curiosidad, y dentro de él, como en un buen traje cómodo que responde a nuestras exigencias, es como nos sentimos a gusto. De aquí, que cuando queremos leer una novela de Galdós o una novela picaresca, da lo mismo, o el propio *Don Quijote de la Mancha,* tengamos que llevar a cabo dentro de nosotros mismos un acto muy sensible de adaptación, de conciencia traspuesta, de alargamiento espiritual, que nos recuerda mucho al que realizamos cuando sufrimos un choque contra un árbol en nuestra marcha natural y espontánea. Claro está que nos referimos únicamente al hombre de la calle, es decir, a ese hombre alejado de la cátedra de literatura o de los archivos estudiosos.

El gran mérito de Galdós estriba en que en su tiempo supo ver, con generosa crítica, todos los problemas que habían de aquejar más tarde a la novela, una vez pasada la hora de su actualidad. Reconoció la existencia del tiempo, la inexorabilidad de las mudanzas, el cumplimiento de una evolución necesaria. Cuando empezó a escribir se dió cuenta en seguida de que con la prosa que tenía a la vista y la manera de componer novelas de sus predecesores era difícil llegar a ningún puerto serio. Bajo este aspecto es muy interesante recordar el prólogo que puso nuestro escritor a *El sabor de la tierruca,* de Pereda, publicada en 1882: "Pereda es, como escritor, el hombre más revolucionario que hay entre nosotros, el más antitradicionalista, el emancipador literario por excelencia. Si no poseyera otros méritos, bastaría a poner su nombre en primera línea la gran reforma que ha hecho, introduciendo el lenguaje popular en el lenguaje literario, fundiéndolos con arte y conciliando formas que nuestros retóricos consideraban incompatibles. Una de las mayores dificultades con que tropieza la novela en España, consiste en lo poco hecho y trabajado que está el lenguaje literario para reproducir los matices de la conversación corriente. Oradores y poetas lo sostienen en sus antiguos moldes académicos, defendiéndolo de los esfuerzos que hace la conversación para apoderarse de él."

Para que Galdós llegase a escribir novelas dentro de la línea estilística de Balzac, Gogol, Dickens o Zola, desdeñando la prosa literaria que se llevaba entonces, colorista pero infantil, lisa pero inexpresiva, enfática pero anticoloquial, coherente pero inflexible, creando una literatura adecuada a sus propios temas e incitaciones y realidades, tuvo que quemarse muchas veces las manos con el fuego ardiente de lo problemático y de lo incierto. Hay que pensar que los maestros barrocos poco le servían para tan importante revolución formal. Ponerse a escribir como Cervantes o Quevedo, en su tiempo, era ya cosa imposible, si tenemos en cuenta el otro derrotero realista ascendente que estaba sufriendo este arte. La verdad es que sólo podía servirle de enseñanza, o como santo y seña, alguna prosa excepcional de nuestros ensayistas neoclásicos.

El estilo de Galdós, cualquiera que éste sea, sigue sin ser estudiado por los críticos o tratadistas, olvidando que es a través de este estilo como mejor llegamos a conocer la significación de sus novelas e incluso la historia de la España que vivió. En su estilo no es difícil encontrarnos con grandes sorpresas, tantas quizá como en Flaubert, en cuyo orden literario hoy se ha venido a reconocer el gran estilo oratorio francés, el de la oración fúnebre que va de Massillon a Chateaubriand, sin olvidar su natural entronque con La Bruyère, aquel moralista ilustre a quien se le ocurrió cortar inopinadamente la frase armónica con una asonancia. Pero Flaubert no fué sólo esto. Su lenguaje tuvo como fondo entrañable el de los médicos y burgueses de Rouen, despegándose siempre y de cierta manera de la prosa ágil y analítica del siglo XVIII, hecho que hoy nos parece mentira. Mediante su estilo deberíamos estudiar en Galdós su marcha, el ritmo de su andadura, que no estuvo nunca a la altura del discurso de su mente, más nervioso y deslumbrador, faltándole esa ágil carrera que lo capacitara para romper la sintaxis tradicional, como lo hicieron los Goncourt cuando se adelantaron a los refinamientos impresionistas.

La prosa de un novelista ha de considerarse en todo momento como un edificio y, antes que otra cosa, hemos de ver en ella, o bien su peso o carga, o bien su libre erguimiento. En la literatura de Galdós se percibe a primera vista una lucha incuestionable entre una fuerza pasiva o grave y una fuerza activa de sostén, parecida a la que encontramos en toda construcción clásica. Unas veces esta lucha establece un equilibrio tectónico sorprendente, y vemos algunas de sus novelas, *Doña Perfecta, Misericordia* y hasta *Angel Guerra,* graciosamente suspendidas por sus formas y ritmos, a pesar de la extraordinaria carga de materiales nunca estilizados, sino repletos de elementos constructivos agobiadamente realistas, de mera información. En principio, cuando queremos enjuiciar, dentro de un orden estilístico, la manera de escribir de Galdós, nos sentimos inclinados a reconocer su denominador clásico. Claro está, esta clasicidad no es una clasicidad cualquiera. Todo estilo clásico, como todo estilo impresionista o barroco, está teñido por el tiempo, y así vemos que aun manteniendo cada uno de ellos su esencial peculiaridad, que nos los hace reconocer como tales, existen a su vez elementos que los van disfrazando o destruyendo socialmente. Hoy llegamos a percibir hasta varias maneras de estilo clásico, considerados como filiales del origen griego: un clasicismo humanista, uno cortesano francés y hasta un clasicismo burgués, tal como lo hallamos en Galdós. Nos atrevemos a afirmar que si llamamos a Galdós escritor clásico es por la necesidad de ponerle algún nombre, sea para bien, sea para mal. Efectivamente, nuestro autor no fué un narrador impresionista, a pesar de los escarceos de sus últimos tiempos. Ni tampoco un escritor barroco por su sentido de la realidad y lo discursivo de su pensamiento. Si ninguno de estos nombres le va bien, no tenemos otro remedio que echar mano del que nos queda. Por último, nos es dable asegurar que si no fué un prosista de índole impresionista, al menos preparó nuestro lenguaje literario para que la generación siguiente pudiera serlo, tal como lo vemos en Baroja y "Azorín".

La mejor crítica artística de hoy ha reconocido que el estilo clásico se caracteriza por lo directo, lo objetivo y lo distante, y que sus virtudes deben reducirse a un amor de la veracidad y a un sentimiento recatado de lo natural. Muchas de estas caracterizaciones las encontramos en Galdós. Pero, además, todas ellas están tocadas por ese instinto, tan vivo en nuestro novelista, del "escribo como hablo", de Juan de Valdés. En el "escribo como hablo" existe una preocupación personal que no es corriente tropezarla en los escritores clásicos, y está alimentada por el modo cercano y comprometido de Galdós de aprehender la historia y la realidad, tan diferente a la de cualquier escritor antiguo. Dentro del impersonalismo tan representativo de los novelistas del siglo XIX, nuestro autor logra crear un estilo definido y suyo. Hecho que se debe testimoniar con fuerza, ya que él jamás se valió de ninguna estilización para conseguirlo, como lo hicieron Flaubert o los Goncourt, Emilia Pardo Bazán y "Clarín". El encontró un estilo, el apropiado a su pensamiento, intencionalidad, preocupaciones y mensaje trascendente. Claro está que lo mismo se puede decir de Zola.

Los críticos han estimado en el autor de *Los Rougon-Macquart* una forma literaria neutra, continua y despaciosa. Así se nos presenta esta obra si la miramos fraccionadamente, deteniendo aquí y allá la mirada. Pero estas partes, al acumularse, generan unas masas de prosa de gran relieve, que se adecuan con exactitud dentro de aquella voluntad del novelista de describir grandes conjuntos humanos, movimientos unánimes y bloques poderosos de hechos colectivos, pintados con gruesos y primitivos colores en grandes cuadros. También se ha advertido, y esto

BENITO PEREZ GALDOS

PEREZ GALDOS INGRESA EN LA ACADEMIA ESPAÑOLA.-21 DE FEBRERO DE 1897

lo puede comprobar cualquier lector transeúnte, su falta de preocupación por el detalle, que tanto amaba Flaubert, y su gusto de componer mediante una prosa simple sometida a un flujo monótono e invariable, pero donde siempre se encuentra una veta de fortaleza incuestionable. Nunca se llegará a saber si este estilo de Zola se constituyó así porque en todo momento redactó su obra con una pluma grande y pesada. El creó de esta manera una forma literaria que casi era la propia del contenido épico-vulgar de sus novelas. Sorprende percibir en todos estos escritores naturalistas, e incluso en Galdós, el terrible debate entre su voluntad de hacer una novela de amplia resonancia humana, de generoso servicio comunal, moviéndose dentro de un inequívoco prosaísmo, y esa otra voluntad que todo artista lleva en sí de separarse, de personalizarse, de vivir junto a una casta privilegiada. En este caso, siempre será el primer signo de distinción crearse un lenguaje especial literario, un argot. La mayoría de las veces, ha expresado el profesor J. Vendrys, la lengua artística de un libro ha de considerarse como una reacción contra la lengua común. Todo esto puede comprobarse hasta en novelistas como Zola y Galdós, cuya buena intención democrática es bien visible.

Galdós concibió un argot literario que de cierta manera lo separa de los otros novelistas de su generación. Aun dentro del impersonalismo, tan corriente entre todos estos hombres, que llega de Pereda a Palacio Valdés. Este lenguaje lo configuró con un lastre de tal conformación, de tal peso y equilibrio, que fué capaz de dar una extraordinaria ligereza y soltura al gran navío artístico de la Restauración. Todos sabemos que la estiba de nuestro navío, visto desde estos tiempos, pecó de mal dispuesta y de desordenada colocación, lo que hacía que la marcha de la nave en muchos casos no fuese ni graciosa ni diestra. Galdós, para lograr una buena estiba literaria tuvo que luchar en su astillero con graves problemas constructivos, que no lo fueron nunca tanto debido a la madera y al carpintero, como a la tradición artesana heredada, de la que necesariamente tuvo que echar mano si quería asegurarse una buena botadura. Galdós estaba cercado por la grandilocuencia de Castelar, por el prosaísmo inocuo de Mesonero Romanos, por el artificio de Echegaray, por la elegancia presumida y jerarquizada de Juan Valera, por un casticismo académico, el peculiar de una sociedad directora decadente, por el barroquismo tradicional de su gran historia, más todos los arcaísmos peculiares de un país poco desarrollado en todos los órdenes de su vida a lo largo del ochocientos. Hemos de suponer el heroico comportamiento de Galdós para romper este asedio poderoso. Nuestro novelista quería dejarse oír, necesitaba lanzar su mensaje transcendental y establecer una subversión en la manera de concebir la realidad española. Se ha olvidado mucho en Estética que el artista es un ser social sujeto a trasmutaciones importantes. Estas le obligan a atacar el mundo objetivo con diversos instrumentos hasta hacerse comprender de los otros hombres, sus prójimos. De aquí que lo primero que se acusa en el estilo de Galdós es su sencillez. También su llaneza. También es sencilla y llana la escritura de Baroja, pero todos han de apreciar que entre ellos no hay ninguna identidad. Como asimismo, aun admitiendo el sentido coloquial y real que anima la literatura de Galdós, todos saben que está muy distante de lo que hoy entendemos por esto, tal como lo vemos en la novela de nuestros días. Un diálogo de cualquier relato de hoy es más directo y más dúctil que el mismo diálogo de Galdós.

Desde la generación del 98, la prosa española se estiliza, adquiriendo personal figura. Se cuida y poda, o se decora y abrillanta con finos materiales, y siempre se deja en ella una carga poderosa de subjetividad. Aun en los escritores muy sencillos, como Baroja y "Azorín", que alardean de espontáneos y comunicativos, el estilo es siempre un producto de deshumanización, de tendencia hacia lo abstracto. Parece mentira, pero es cierto, que toda inclinación de una prosa literaria hacia lo personal o íntimo se logra a través de una desencarnación reiterada. Toda marcha hacia lo subjetivo supone una pérdida de sentimiento comunal. Pero Galdós no tuvo nunca sentido de ninguna clase de estilización. Bien es verdad que en su prosa hay que admitir una evolución, no cerrada en un orden dado, sino irregular, con sus cambios fuertes en la estructura y en la artesanía. Cuando se llega a la época de *Misericordia,* la palabra de nuestro novelista, los períodos y sus métodos lingüísticos de composición han ido depurándose, acercándose a los modos de los más simples de nuestros clásicos. Formalmente se pueden apreciar mutaciones importantes, pero el aliento y el ritmo casi se mantienen iguales. Tenemos que pensar que Galdós jamás se preocupó por expresar o decir las cosas, por la manera de expresarlas o decirlas, sino por lo que las cosas valen en sí. Sólo quiso mostrarnos unos hechos, unos caracteres o unas inquietudes morales, ciñéndolos, en la medida de lo posible, a la palabra escrita, con la misma intención que un guante se ciñe a la mano, sin olvidar que hay muchas clases de guantes. Conviene precisar que la emoción, lo cómico o lo sentimental llegan siempre en Galdós, o bien porque el hecho en sí es emotivo, o porque es cómico el carácter que se nos presenta, o porque la inquietud moral nos hiere sentimentalmente. Claro está que todo esto nos indica hasta qué punto un estilo inocuo de documental o un estilo frío como guante de goma, debieron haber sido los adecuados para expresar el universo de nuestro novelista. Pero no fué así. Ya que Galdós poseyó una prosa bastante difusa y prolija. Ésta, en todo momento, no sirvió sino para indicarnos el movimiento de sus ideas, que se mostraban intranquilas, para lograr una exacta representación de las cosas. Este afán realista de captación hacía que su prosa fuera desaliñada, profusa y descuidada, y que su andar, aun siendo suelto, pecara de laxitud. Fué la prosa adecuada a ese tránsito de la novela europea que venía, desde la escueta narración entretenida, hacia un mundo descriptivo y analítico de superior valoración, y donde se intentaba adquirir un nuevo sentido de la historia con su interpretación rigurosa.

El autor de *Angel Guerra* escribió siempre de manera fluente, detallista y hasta pintoresca. Cuando quería contarnos un suceso, anotar una calle o un tipo, o simplemente describir los móviles de un alma en tensión, su prosa, que se iniciaba corta y expresiva, por momentos iba engrosándose y alargándose, recogiendo aquí y allá nuevos elementos de confrontación, partículas de la fricción intelectual, residuos de sugerentes relaciones, produciendo períodos cada vez más corpulentos y pesados. Se acumulaba esta prosa como ese pedazo de arcilla que al arrastrarse por el camino húmedo de los hechos va adhiriéndose todo lo que encuentra a su paso, desde la piedra más prosaica hasta el tallo más sugerente por su erguimiento y verdor. Y decimos arcilla y no otra cosa, porque la arcilla nos parece la tierra más cordial, más fluente, y aquélla que va dejando en nuestra mano ardiente de amor una huella más viva y tolerante. El estilo de Galdós se nos aparece, por encima de sus vicios y virtudes, como el más cordial y comunicativo de los estilos de la Restauración. Su estilo estaba en la raíz de su sentimiento del universo y de su juicio sobre los hombres. Este estilo nunca olvidó una cierta impersonalidad, la característica de su tiempo, ni su cierto tono discursivo, ni hasta su masificada caligrafía, cualidades todas que lo alejan muy mucho del gusto del lector contemporáneo. Siempre permanecerá en el misterio llegar a saber cómo Galdós aunó aquellas formas de su estilo con esa llaneza cordial que casi se construye como figura concreta y reconocible. Estilo integrador por naturaleza, húmedo y reposado, que a lo largo de su viaje por el ánimo del lector va siempre buscando recintos de simpatía donde alojarse, tocando las cuerdas más diversas y los huecos más extraños en que dar sus voces.

Existen muchos impedimentos para que la prosa de la época de la Restauración llegue hasta nosotros. Aun reconociendo diversas graduaciones en cada uno de nuestros novelistas, que van desde la elegancia de Valera hasta la prolijidad de Pereda, sin olvidar la estilización de "Clarín", hay, por otra parte, algo común que los une a todos, dando a este tiempo una manera de ser inconfundible. Impersonalidad, llaneza, masificación, logicidad y profusión son todas cualidades que espantan al lector moderno, ya acostumbrado a la voz subjetiva o muy personal, al estilo difícil o muy matizado, a un orden arbitrario, a un ritmo trabajado y compuesto, y a un lenguaje refrenado o desbocado de manera automática. Bien es verdad que esta prosa que caracterizó todo el siglo XX, desde antes de la primera guerra mundial, bajo otros signos y compromisos, ha ido perdiendo influencia frente a una nueva generación de novelistas. Estos son más desdeñosos de todo estilo sabido o matizado, y les interesa más el significado de una metafísica y el asentamiento de los hechos que la forma que estos han de revestir. Pero tampoco se puede olvidar que ninguna de las grandes adquisiciones de la prosa novecentista se han perdido. Ya Graham Greene, Albert Camus o Ignazio Silone, con sus perentorios compromisos, no escriben como sus antecesores, los hombres del siglo XIX: Expresividad, la palabra como una brasa y un cierto misterio psicológico u ontológico, un subjetivismo atrabiliario y una desvergonzada flexibilidad mental siguen siendo elementos primarios de toda buena composición de una novela de hoy.

Al fin y al cabo, ese estilo contemporáneo se acerca desmesuradamente al lenguaje de la gente actual y a la vibración íntima de sus pensamientos, tan separados en el tiempo y en el espacio de los del hombre de Galdós. Creemos que las mismas preocupaciones formales que un novelista del día tiene, las tuvo Galdós en su época. Recordemos su esfuerzo por escribir en una prosa realista que se adaptase a la expresión del habitante de la calle, de la oficina, del taller, del burgués que fué su lector y su héroe. De cierta manera, el viraje de la escritura actual se acerca, respetando todas las distancias, al espíritu que animó a Galdós en la hora de la redacción de sus novelas. Pero también tenemos que decir que detrás de todas estas preocupaciones formales o sustantivas relacionadas con el idioma literario a través del cual un escritor se expresa, hay algo en Galdós que escapa a toda determinación rigurosa temporal; intransferible don de su alma, y que es su estilo vital, lo llamaremos cordiforme, de esencial simpatía humana, integrador y comunicativo, que aun hoy nos es posible leer alojándonos en él con gozo y generosidad.

* * *

Después de la guerra española, Galdós pasó a un primer plano de atención pública. Desde dentro y fuera de nuestro país su figura mereció el máximo interés. A él se volvía en busca de paz y de conocimiento reparador. No es extraño que muchos escritores de semejantes ideas o sentimientos lo exaltasen. Lo raro fué que críticos, historiadores y ensayistas que nunca tuvieron ninguna coincidencia con él, es más, que lo desdeñaron siempre considerándolo anticuado o simple, volvieran a su órbita, ofreciéndole su simpatía y su adhesión. Galdós tendía a conciliar, a unir, y el camino de su resurrección llegaba a todos los lugares. Guillermo de Torre, María Zambrano, Ricardo Gullón y Angel Sánchez Barbudo, en el periodismo y en estudios literarios de matizado relieve, y muy especialmente Joaquín Casalduero, en un espléndido libro que todos recordarán con agradecimiento, y Sáinz de Robles, en su amplio trabajo de divulgación, y otros muchos, respaldados por nuevas ediciones, monumentales o modestas, aseguraban la nueva cosecha del viejo Galdós. Se le volvió a leer como si se tratase de un novelista contemporáneo. En realidad, él se nos apareció sobre un plano capaz de aglutinar una nación muy dolorida.

Pero existe un hecho que no debemos olvidar así como así. Esta última guerra ha producido, naturalmente, después de algunos años, un cierto renacimiento de la novela española. Un renacimiento que a estas alturas se afianza y se vigoriza, despertando las mayores esperanzas. Ya es hora de afirmar de una vez que el teatro y la novela, al menos entre nosotros, son sólo producto de etapas históricas de desasosiego y de incertidumbre, y preceden o siguen a las grandes conmociones políticas nacionales. No se puede decir que esta literatura sea o no la adecuada a una decadencia espiritual. Ella por sí no es una literatura decadente. Lo que sí decimos es que aquella novela y teatro sólo se producen sobre un tiempo difícil, angustiado y lleno de riesgos. Lo cierto es que después de nuestra guerra han ido surgiendo una serie de nombres en nuestra novela de la mayor importancia: Carmen Laforet, Cela, Zunzunegui, Gironella, Suárez Carreño, Darío Fernández Flórez, Pombo Angulo, Ana María Matute, Ignacio Agustí, Delibes y otros, sin olvidar a los que desde fuera refuerzan este renacimiento, como Arturo Barea, Salazar Chapela y Max Aub. Pero todos estos escritores bien dotados, hemos de reconocer que ninguno de ellos, salvo una o dos excepciones, se acerca a Galdós, ni parece que éste les interesa ni formal ni ideológicamente. Esta incompatibilidad manifiesta entre los nuevos novelistas y Galdós merece nuestra mayor atención, y más cuando ya hemos afirmado que el viejo maestro, poco a poco, ha ido saliendo del purgatorio literario y va camino de su paraíso.

Se ha de decir, en primer lugar, que una novela construída con la técnica, la artesanía o la estética de Galdós y también con su mundo de ideas morales, es casi imposible en nuestro tiempo. Su arte, es decir, su manera de hacer, ha de considerársele caducado, tan caducado como el de Dostoiewski, o el de Flaubert, el de Dickens o el de Cervantes. Una novela no es sólo un plano de construcción y una técnica, sino asimismo una realidad, un acercamiento o un alejamiento de una realidad dada y ya hecha, un sentido de la misma, con su justificación moral o metafísica. Se debe, pues, afirmar, a la vista de la última novela española, que nuestros artistas no sienten esa aproximación de Galdós ni mucho menos, salvo los casos concretos de Gironella y de Zunzunegui. Muchos de ellos se emparejan con Baroja, otros manipulan con soltura los valores existencialistas que se han puesto de moda imperiosamente en Europa, en su mezcla confusa de material realista y documental y extrema vociferación subjetiva. Hasta hoy no creemos todavía factible presentar una línea única de trabajo y teoría de la joven generación. Es más, cada cual compone novelas por su cuenta y riesgo, de manera insolidaria, sin que una común agua viva los alimente. Pero, a pesar de todo, existe un mínimo punto de coincidencia estética y moral que con algún esfuerzo podemos desentrañar.

Este mínimo punto, mejor, estos mínimos puntos debemos

agruparlos así: literatura de preocupación ética y de compromiso inmediato en los mejores, descubrimiento de tierras vírgenes donde lo feo, lo sórdido y lo absurdo se constituyen en contorno y realidad, desplazamiento de la historia desde su perspectiva tópica de pasado hasta un presente existencial y vivido, tendencia a una humanización o encarnación del arte, dando a éste una mayor comunicabilidad, forma porosa o penetración ofensiva y, por último, deseo acusado de un estilo, de una técnica singular, dirigida hacia una pérdida de individuación con ventaja de una máxima "naturalidad". Todo esto nos indica la presencia en España de la novela europea más combatida, que ha llegado por sus pasos contados y necesariamente. El genio nacional ha dado su personal respuesta a todas estas inquietudes, con su afán de penetración hasta confrontar el mundo objetivo y con su angustia metódica ante la incertidumbre de conseguirlo.

Este mismo panorama actual de nuestra novela, con sus preocupaciones y realidades, lo podemos hacer retroceder en el tiempo, y situarlo en la posición de Galdós en el suyo. Hay muchos elementos de los apuntados que no coinciden. El autor de *Doña Perfecta* nunca pudo ver a su universo moral soldado a la fatalidad de un absurdo, sino todo lo más encajado en la problemática de una liberación discursiva. Pero su sentimiento de un compromiso colectivo, de una humanización más directa, y el sentido de una intencionalidad reparadora son ingredientes que debemos considerar convergentes en los dos tiempos, respetando todas las posibles relatividades históricas. Todo esto nos quiere decir que a Galdós hay que entenderlo como una potencia literaria de larga incitación, como Cervantes, como la picaresca, o como la generación del 98. Cada cual en su recinto y cada cual con sus armas. Con su arte y técnica caducadas, naturalmente, lo que nos indica que la forma estética es el más fugaz de los trabajos del hombre, pero el único medio posible para dar perennidad a sus ideas o sentimientos. Galdós todavía puede irradiar, hasta todos los seres, mundos reconocibles de vida y de moral.

LAS NOVELAS DE LA CONDESA DE PARDO BAZAN

LOS INJERTOS NATURALISTAS EN ESPAÑA

Sin ser la Condesa de Pardo Bazán la expresión más completa del naturalismo francés en España, ya que este importante honor le corresponde a "Clarín" por *La Regenta,* sí puede decirse que fué ella quien, en un alarde de contemporaneidad intencional, de viveza teorética y de conexión epocal, dió a aquella escuela literaria, a través de la polémica y de la novela, su pasaporte para andar por nuestro país.

Nuestra autora se avenía cordialmente con la nueva concepción novelesca instituída sobre el ciclo Goncourt-Zola. Esta cordialidad era menos cordialidad de sentimientos y temperamento que de cordialidad de ideas y teorías. Por lo tanto, no era cordialidad sino comprensión, y consecuencia de su buena preparación intelectual, de sus lecturas extranjeras, de sus viajes. Afianzábase todo esto sobre su condición aristocrática, sobre esa clase superior social que en España lo mismo puede importar institutrices, caballos y maneras de vestir, como un serio caudal de humanidades. En nuestro país, esta clase, por su decadencia prematura, si la relacionamos con la inglesa, ha tenido siempre en los últimos tiempos una tendencia a la exogamia, quizá como instinto vivificador y reconstituyente.

La Condesa de Pardo Bazán, sobre este horno de alta temperatura de ideas y sentimientos, hubo de encaramarse para montar la máquina de un considerable debate, cuyo producto, *La Tribuna, Los pazos de Ulloa* y *La madre Naturaleza,* constituye sus tres mejores novelas. Estos frutos de su industria intelectual no surgieron hasta ese momento de conciliación entre lo cristiano y lo determinista, valga la expresión fácil. Es interesante observar la manera como esta lucha toma carta de identidad en sus libros y cómo se prepara aquel movimiento de conciliación, realizándose con la mayor dignidad. Hemos de exponer cómo esta situación no es sólo peculiar de nuestra condesa, sino que se alarga también a los otros maestros de este tiempo, desde Pereda a Galdós, Palacio Valdés y hasta Leopoldo Alas, con su sentido clarificador. En este orden de cosas, nuestros naturalistas han sido los mejores castores de nuestra literatura. Sabido es que para fabricar los famosos diques, en el lago o en el río, el castor se sitúa cerca de los bosques donde abundan árboles de corteza blanda, su alimento. Si la corriente del agua es rápida, nuestro animal corta uno de los árboles que quedan más arriba del sitio que ha elegido para levantar el dique y lo lleva a favor de la corriente para vararlo allí, donde ha de hacer su fábrica. Si el agua es mansa, el castor derribará un árbol más abajo del lugar apropiado y lo remolcará corriente arriba. Así, nuestros novelistas, unas veces transportaban desde la realidad española un material épico, otras veces un material costumbrista y en algunos momentos un romanticismo circunstancial. La inspiración moral se producía sobre acarreos del humor cervantino, con el pensamiento de cada escritor frente al universo, y se entresacaba con espontaneidad de un fondo acendrado cristiano, o de un estoicismo indígena o de esa ética natural, tan abundante en nuestros realistas antiguos. Esta inspiración refrenaba la influencia francesa ideológica con su devenir mecánico o evolucionista. La corriente del agua fué siempre el lector español, cuya adaptación a la nueva literatura había de ser cuidada teniendo en cuenta su idiosincrasia religiosa, torpeza teorética o alejamiento de la ciencia.

A pesar de todo, hubo de hacerse el dique, muy poderoso, del naturalismo en nuestro país. Adaptado, disfrazado o diluído, éste fué siempre capaz de establecer un renacimiento importantísimo de la novela nacional. Este naturalismo, en su composición y en su espiritualidad, no procede nunca del gran filón del relato picaresco. Le es extraño y hasta antinómico. De lo español recoge la herencia de Cervantes, bien en su literatura propiamente dicha, bien en su pensamiento renacentista o humanista y hasta en su tolerancia religiosa. También recoge la visión plástica de Velázquez, con su sentido crítico del mito, tal como lo representa el cuadro "La fragua de Vulcano". Con la crítica del mito, el gusto por la figura extraordinaria, donde se da una objetividad caudalosa y meramente pictórica. El humor de Cervantes no permanece íntegro, sino que se sensibiliza o se moderniza bajo la mano inspiradora de Dickens, de los Goncourt o de Flaubert.

Tocar la objetividad novelesca del naturalismo español es quemarse adrede con un clavo ardiendo. No tiene que ver nada con la veracidad griega, compuesta y distante. Tampoco con la objetividad documental del realismo picaresco. Ni con la objetividad del historiógrafo corriente ni con la del hombre de ciencia, más o menos errónea o partidista. Al fin y al cabo, esta objetividad sólo se debe acaso a un documento mal leído o a una lente de microscopio fallida. Dentro de aquella objetividad, nuestros escritores se acercaban, exploraban o presentaban, desde un campo crítico y analítico, la realidad española. Esta realidad era extensa, inédita y compleja. Estaba todo por hacer, al menos en la novela, desde el tiempo de Cervantes y de Guzmán de Alfarache. Esta objetividad se reducía, y era ya mucho, a lo que en el pensar común se entendía por este nombre. Bertrand Russell, en sus *Fundamentos de Filosofía,* nos dice que "si una cierta escena la ven simultáneamente, en el teatro, por ejemplo, un cierto número de personas y la fotografían un número dado de cámaras fotográficas, hay siempre una impresión producida en una persona o en una cámara fotográfica semejante a la producida en otras personas y cámaras". Esta coincidencia en las semejanzas toca el sentido íntimo de lo objetivo y de la objetividad. Existe, pues, una realidad, dramática o cruda, individual o social, que ante su presencia coincidente no cabe otra cosa sino someterla a una clasificación y a un orden técnico. Aquella objetividad exige que se encaje esa realidad dentro de mundos aproximados y poseídos de una instrumentación dada. Se puede pensar que estos mundos fueron para los realistas de entonces, la historia y la biología, vehículo científico de todo aquel quehacer. Gilbert Murray recuerda cómo se hizo la gramática con Dionisio de Tracia que, sabido es, llevó a cabo el extraordinario descubrimiento de que existía una cosa que se llama ciencia gramatical, ya que daba la casualidad de que los hombres en su lenguaje cotidiano siguen, sin darse cuenta, un sutil y complicado conjunto de normas. Un descubrimiento parecido efectuaron los novelistas del pasado siglo en España, con respecto a la vida de los hombres, a sus relaciones, a sus conflictos, a la familia, al país y a su historia. Expresar la vida actual, así como vida, era muy difícil literariamente en la novela. Por esto, la transmutaron en historia de ahora, en historia cercana. Sobre esta historia, desde arriba, adoptaron una posición todopoderosa, abarcadora de espacios y tiempos. A esta posición no le podía faltar su acento épico, aun cuando fuera de medio pelo, junto al acento crítico, natural en todo investigador. La narración primitiva, para estos menesteres, se sustituyó por la descripción de tipo analítico. Para estructurar este mundo se necesitaba un espíritu comprensivo y universal, no tanto por encima del bien y del mal, como indulgente para observar el decurso inductivo de los fenómenos y de los individuos. Este espíritu fué común a Galdós, Pereda, Palacio Valdés, "Clarín", la Pardo Bazán. Este espíritu se mantuvo en el primer Blasco Ibáñez, pero desaparece ya con Baroja y Valle Inclán, con Ricardo León y Gómez de la Serna. Volvió otra vez lo individual, el valor moral y subjetivo, la introversión, todo encuadrado en un arte más depurado y expresivo o más lírico.

Emilia Pardo Bazán no preparó un lenguaje o un diálogo idóneo para esta novela naturalista, como Pereda. Ni inventarió tan gran número de individuos novelescos, calles y casas, ni tuvo tan gran sentido del debate dramático entre las ideas y los sentimientos, como Galdós, ni tampoco la fuerza de un dibujo clásico para fijar personajes, como "Clarín". Pero tiene en su tesoro de novelista haber compuesto *La Tribuna,* el primer libro español en que el obrero, en su condición de tal y hasta como clase social, hace su aparición dentro de un cuadro ausente de todo pintoresquismo y sujeto a una estricta y severa realidad. Además, cuando escribió, andando el tiempo, *Una cristiana* y *La prueba,* nuestra novelista, dentro de una crisis naturalista de su arte, asentó la posibilidad de que se compusieran libros de un rigor católico ortodoxo, crudos, feos y de gran vigor morfológico, allanando así el camino para que en su país apareciera un Mauriac o un Bernanos. Tampoco debemos olvidar que la autora de *Los pazos de Ulloa* y de *La madre Naturaleza* compuso las novelas de más escolástica objetividad de todo nuestro naturalismo, manteniendo con el mayor rigor las reglas de juego, y separándolas de todos aquellos temperamentales efluvios de Pereda, Galdós o Palacio Valdés.

Creemos a estas alturas baladí hablar de la insuficiencia y de las fallas del naturalismo español ochocentista. En nuestro país se debe decir que los resultados obtenidos fueron buenos en la representación de la realidad espacial, también en la pintura clásica de caracteres en función de una psicología histórica, más débiles en la expresión de la subjetividad pura, y nulos en la captación del tiempo. Aquel estilo novelesco sirvió únicamente para desvelar y reconocer porciones más o menos extensas de realidad española. En esto se asemeja a cada nueva concepción física del mundo, que sólo revela una parcela del mismo, aun cuando se crea ingenuamente que ya todo el universo ha quedado encerrado entre sus brazos.

Este arte de la novela, repetimos, clasificó, extendió y exploró una región considerable de realidad española. Y valió más en sus enunciados y presentación y hasta en sus debates, que en la sugerencia del tiempo vital y en la dinámica psicológica. El naturalismo resultó una espléndida escuela de trabajo, aun reconociendo sus convencionalismos técnicos e ideológicos. Si se le compara con el realismo picaresco, narrativo y existencial, con su subjetividad integradora, a éste lo hemos de reconocer como más estricto y desinteresado. Como se ha escrito muchas veces, toda la literatura europea sólo ha sido una reiterada penetración de la realidad, un acercarse más y más hasta la última realidad, que siempre aparece encubierta por velos terriblemente metafísicos. Cada época ha superado a la anterior, en el decurso histórico, y hoy se ha llegado a decir, por ejemplo, que el impresionismo de Marcel Proust ha sido más "real" que el naturalismo de Zola. De cierta manera, sí. Y esto confirma la divagación teórica de ensayistas y críticos. Nunca se pudo pensar que con medios puramente subjetivos, la realidad se llegara a alcanzar con

MONUMENTO A EMILIA PARDO BAZAN
EN LA CORUÑA

EMILIA PARDO BAZAN LEYENDO UN DISCURSO EN LOS JUEGOS FLORALES DE ORENSE.-JUNIO 1901

más precisión. Acaso todo esto no sea sino el resultado de una distinta sensibilidad y de opuestas visiones del mundo, pero cuya disputa no vamos a establecer por ahora.

ESTILO Y CALIGRAFÍA

Al enjuiciar a nuestra escritora y al relacionarla con los otros novelistas de la Regencia, en todo lo que hace referencia a estilo y composición, se ha intentado aislarla, concediéndole un estrado de honor. La clasificación de su estilo literario ha llegado a academizarse de tal manera por los críticos que ya sabemos, cuando leemos una historia de nuestra novela, cuáles son los adjetivos y cuáles las ideas que la califican. Se trata de un estilo terso. bien cuidado, arcaizante y colorista. "Clarín" lo archivaba junto al estilo de los Goncourt. Los más recientes estudios han hablado hasta de un estilo plateresco. Andrenio, por su parte, llegaba a admitir en esta novelista la aleación feliz de un lenguaje literario y del habla común de la vida. La verdad es que la Pardo Bazán escribió siempre con la escritura que caracterizó a todos nuestros escritores naturalistas. Esta escritura se estructuró sobre la lengua común y estaba cerca del "escribo como hablo". Observando que este "hablo" se refería a las formas del lenguaje de la burguesía de su tiempo, y no a ningún otro lenguaje, aun cuando el afán realista de la novela expresara los diálogos en el argot ordinario del pueblo, si de obras de esta índole se trataba. Era una prosa sencilla, clara, de un orden lógico inmutable, desenvuelta con fluentes palabras, pero rígida y cerrada. La propia y adecuada a cualquier español de la Restauración, con profesión liberal, o a la de un comerciante con su título de bachiller. Lengua escrita con sintaxis metódica, con frase terminante o impersonal, encerrada en grandes cuadros de palabras, expresión viva de la gramática burguesa. La prosa era pesada, acumuladora, muy objetiva, la propia de una novela cuyo arco de resistencia más importante fué el retrato, la descripción y el detallismo meramente informador. En la prosa de todos estos escritores hay una escala de valores que va desde Pereda, el más denso y cargado, y que servía como un orden dórico en este estilo naturalista, hasta Galdós, el más campechano, fluente y descuidado. La Pardo Bazán, dentro de este estado general de cosas, mantenía un equilibrio formal de pulcritud y ecuanimidad. Era la que más se acercaba a la prosa media francesa de este tiempo. No quiere decir esto que era una afrancesada, vicio de poca monta, ni que dejara de usar galicismos, cuando los necesitaba para una más lógica expresividad. Queremos decir que su prosa era más clásica, ordenada y más objetiva que la de Pereda y Galdós, y es la que con "Clarín" eleva el discurso burgués hasta su mayor depuración. Todos estos escritores redactaban sus obras con una buena prosa clásica. Prosa clásica de la burguesía, que no tuvo nada que ver con otros clasicismos. Ésta se resumía en impersonalidad, sencillez y claridad. Elementos todos muy lejanos de un estilo plateresco, que no fué nunca ni impersonal ni sencillo ni simple ni claro. Tampoco hemos de admitir el calificativo de terso para el estilo de nuestra novelista. Terso es un espejo. Y no podemos afirmar que esa cara de su prosa fuera como la cara de un espejo, bruñida y capaz de mentir la profundidad de cualquier mundo circundante. Tersa es la prosa de "Azorín" o la de Gide. No sabemos hasta dónde una prosa tersa es idéntica a una prosa cuidada. En este sentido, la Pardo Bazán es el más cuidadoso de los escritores contemporáneos, aun cuando andando el tiempo no sólo se cuidó, sino que se podó y se acicaló.

Tampoco nos recuerda su estilo, el estilo de los Goncourt,

con quien se le ha relacionado en España, por la mejor crítica. La norma de su prosa está más cerca de la Escuela de Medán, por su densidad, pesadez y opacidad, y hasta por lo cerrado de su mampostería. Nunca de los Goncourt, tan sinuosos, de ágil nervadura, dinámicos y expresivos para la síntesis y la caracterización. No olvidemos que sobre los Goncourt pudo surgir, pasado cierto tiempo, un arte impresionista. En la prosa de nuestra escritora encontramos una virilidad que no encontramos en los escritores de la época. Un cierto señorío de prosa objetiva, orgánica, a la que nunca llega ni Galdós ni Palacio Valdés ni, incluso, "Clarín". Una prosa corriente, pero que se distingue, se hace visible. Y aun en el caso en que el estilo se hace demasiado familiar, aparece en seguida como una ascensión impersonal, de equilibrio de clases.

Siempre nos sorprenderá cómo entre las caligrafías de los novelistas de la Restauración, la de la Pardo Bazán rebasa las influencias de Pereda y Galdós, estableciendo su propia norma. Con Pereda, por el material rural y costumbrista, coincidía. Incluso por la manera de entender el nuevo realismo, a la española. Sobre aquel regionalismo, ella pudo crear un aire más europeo, inteligible y colorista. Frente a Galdós, más genial, sin duda, pero también más ordinario, mantuvo un equilibrio serio y solvente, luciendo un clasicismo temporal que aseguraba las figuras, la composición y los temas. Una de las personas o críticos a quien más molestaba la Condesa de Pardo Bazán fué don Julio Cejador, que no entendió nunca de literatura francesa y por todas partes sólo encontró frivolidades y materia pecaminosa. Le molestaba el naturalismo de nuestra escritora, sus veleidades extranjeras y hasta el uso de una terminología de orden científico, que doña Emilia usaba para representar la vida psicofisiológica de sus héroes.

LA TRIBUNA (1882)

Sobre 1882 publica la Condesa de Pardo Bazán su novela *La Tribuna*. Su primera y única novela naturalista, la que fué escrita con todo el rigor y las observaciones más escrupulosas. Nuestra autora ya sabía qué cosa era ésta del naturalismo y creemos que ya sostenía correspondencia con Emilio Zola. Así, pues, la obra se escribió ajustada a las muchas disciplinas escolásticas del momento. A pesar de todo, de su franco éxito subversivo, de la carta de ciudadanía naturalista que hubo de adquirir, Doña Emilia abandonó el camino emprendido, contentándose con aprovechar de aquel estilo lo que ella estimó aprovechable. La aparición de *Los Pazos de Ulloa,* poco tiempo después, nos indicaba la extraordinaria mutación que se había operado sobre el naturalismo importado.

La Tribuna está trabajada sobre los preceptos de "la tranche de vie" y recoge con el mayor cuidado la vida de la fábrica de tabacos de Marineda, su mundo obrero de mujeres, su mecanismo social, sus reinvindicaciones, su malestar económico y su estado moral. Por primera vez, en una novela española, este universo de la clase trabajadora, y como tal clase social, aparece pintado con un cierto orden clasificador, con una pintura gruesa y objetiva y con una lejana simpatía. A través de su literatura, pero en contra de la imparcialidad oficiosa requerida por los maestros naturalistas, se percibe cómo doña Emilia deja caer su estimación sobre los individuos como tales, en su limitada personalidad, sustrayéndola e ironizando cuando aquéllos se agrupan en una masa, proletariado, para depositar su confianza en la revolución social, la República Federal de 1873, tema político que cruza la novela de cabeza a pies.

Esta obra es novela de observación. Hay datos que confirman la asistencia, como vía de documentación, de nuestra escritora a la fábrica de tabacos, a los barrios de la ciudad baja, a las casas destripadas y malolientes de nuestros obreros. La miseria de *La Tribuna* se ofrece con mayúscula caligrafía. El diálogo brota vivo y muy natural. No se escatiman ni la descripción física ni la moral. Se han sostenido con lealtad los cuestionarios técnicos de la Escuela de Medan. Es más, la Condesa, dispuesta a cargar con todos los deberes del caso, escribió su novela experimental. Es difícil precisar hoy un sentido de la llamada novela experimental. En aquella época, lo experimental equivalía a la sistematización y estudio de los hechos observados. Pero nuestra autora entendió más esta expresión a la manera realista española; una verificación de los hechos a través de nuestro propio conocimiento práctico. Así, en *La Tribuna,* los últimos capítulos, el parto de Amparo, con comadrona y médico, con su amplia y minuciosa información, fundida con especial decencia a la materia literaria, todo esto quedará siempre como una página maestra de este estilo novelesco.

Claro está, a nuestra novelista le faltaban dos rasgos esenciales para que su naturalismo cristalizase seriamente: un sentido filosófico para apreciar con simpatía las determinaciones mecánicas de la sociedad y de los individuos, y una disposición audaz para proseguir las exploraciones audaces de los maestros franceses. Ella, mejor que un discípulo de Zola, el mejor alumno de la escuela en España, pudo haber sido un Alfonso Daudet, o un Huysmans, capaz de levantar un naturalismo al revés, con la misma acritud que Zola lo levantó al derecho, pues para cualquier menester tuvo el suficiente talento y la vocación encendida.

La verdad es que la gran lección de Doña Emilia no se supo aprovechar en España. Ni Galdós, quien tuvo la genialidad de crear un naturalismo limitado a sus posibilidades y adecuado a su sentido del universo, marcado sobre la línea Cervantes-Balzac-Dickens. Sólo Blasco Ibáñez, en su tiempo, volvió a insistir sobre la materia, con más solvencia y seguridad y con un caudal de energías extraordinarias.

No sabemos hasta qué punto el paisaje social de España sirvió adecuadamente a los imperativos de la novela en cuestión. Según la confesión de nuestra escritora, las clases bajas españolas no estaban estructuradas del mismo modo que las clases bajas francesas. Las de aquí mantenían valores morales, principios de acción, sensibilidad religiosa, elementos todos que les conferían una autonomía espiritual. Quería esto decir que el naturalismo estaba bien para ajustarlo a la historia de los Rougon-Macquart, pero nada más. En cambio, no servía, con sus rígidos propósitos, para novelar a los trabajadores de cualquier ciudad de La Coruña. De cierta manera, Doña Emilia caía sobre ese mismo determinismo histórico, del cual ella quiso siempre escaparse. Si la piedra es de grano fino, el cincel podrá en todo momento producir una talla de capitel depurado y de alto refinamiento. Si la piedra sólo aparece en grandes bloques, gruesos y porosos, aquel mismo capitel, con la misma inspiración estética o religiosa, se convertirá en obra tosca y primitiva.

De un libro no sabemos todavía qué es lo que permanece. Decir, graciosamente, que permanece sólo lo que no es actualidad, no deja de ser una majadería. Lo mismo llegamos a afirmar cuando se dice que lo permanente es, con rigor, lo subjetivo. De Emilio Zola aún siguen en pie elementos que únicamente fueron adecuaciones exactas del vigente naturalismo. Sin duda, fué su propio genio novelesco, soldado a lo epocal, lo que le dió viabilidad trascendente. Todas estas cosas configuraron una estética, así sus métodos descriptivos para captar grandes masas y el orden acumulativo de detalles observados. En cambio, existieron en él otros elementos personales de una pureza intransferible, como los grandes atisbos psicológicos, aquéllos precisamente en los que el maestro francés se olvidaba un poco de los tratados científicos del momento que llevaba en la maleta, y exploraba con magnífica intuición el sino de sus criaturas.

La aparición de *La Tribuna,* en 1882, ha de considerarse como una fecha memorable de la novela española. Aquel instante tuvo que ser sorprendente, al ver a esta escritora, muy joven aun, inquieta, atrevida y con la responsabilidad de la madurez, rebasar su propia geografía física y moral, y escribir un libro donde se atacaban paisajes nunca vistos y se suscitaban problemas estéticos, sociales y morfológicos de la mayor seriedad. Con esta novela quedaban arrumbadas todas las desabridas narraciones postrrománticas y aún el sentido que de las mismas tenían Alarcón y Valera, con sus ingenuas maquinaciones y sus pintorescas tesis. Y hasta nos fué posible concebir un equilibrio poderoso entre el naturalismo más acendrado y una jerarquía literaria indiscutible. *La Tribuna* parecía decirle a Valera que sus viajes no le habían servido para nada, y a Alarcón que su casticismo no tuvo nunca la suficiente fuerza para solventar los problemas estéticos y morales de la España de aquel tiempo.

LOS PAZOS DE ULLOA (1886)

En *Los Pazos de Ulloa* hay que distinguir hasta tres elementos importantes de caracterización: el paisaje rural y lo pintoresco-costumbrista con sus tipos y escenas, el sentido intencional ético y su valor poemático-crítico.

La Condesa de Pardo Bazán nos presenta un paisaje y una naturaleza sobre el vehículo apropiado de la descripción. Es el vehículo de su época, al que no puede substraerse. Además, es una de las herramientas más idóneas de esta manera de novelar. Los cuadros que vemos en *Los Pazos de Ulloa* están siempre mediatizados por la presencia de una individualidad y no escapan al especial determinismo de su tiempo. Es el retrato clásico, de gran caballete, con su paisaje al fondo. Pero se debe observar cómo el individuo, en este cuadro, llega a una individuación de su carácter, y, en cambio, el paisaje, aun muy elaborado y aumentado, no pasa nunca de una objetividad anodina e imprecisa. Es decir, que en todos estos novelistas, incluída nuestra Condesa de Pardo Bazán, Palacio Valdés, Pereda y "Clarín", y también Galdós a pesar de su refractariedad al paisaje como naturaleza y su afición por el paisaje urbano de calle y casa, en todos ellos no encontramos nunca el paisaje sino desde fuera, un poco a la manera de una guía y sobre un engranaje mecánico. Este fenómeno no es sólo español, sino europeo. Así lo encontramos en Balzac, primero, que da la medida, y en Stendhal y en Flaubert y siempre en Zola. Sólo los Goncourt y un poco Flaubert escapan a esta caracterización. Todo esto quiere decir que el impresionismo plástico de este último tiempo no tocó nunca la novela como situación de "plain air". Todo el mundo sabe que si Zola defendió aquella escuela de pintura, fué más por rutina o por estudiada subversión que por entrañable convicción artística.

Sin duda, nuestra escritora logró con su novela la descripción más colorista, más fuerte y de más justas calidades. Pero este paisaje nunca dejó de ser la tela apropiada para representar algo. Hemos de recordar los primeros capítulos del libro, la presentación del camino que llevaba al Pazo de Ulloa, el propio pazo y sus habitantes, la hora del anochecer. Al final, ya de amanecida, Julián, el héroe, vuelve al paisaje, pintándolo otra vez. Del paisaje pasamos de hecho y con prontitud a lo pintoresco-costumbrista, medida de salvación de este método descriptivo. Con la intromisión de la pintura en la nueva manera de novelar, la novela tuvo que pensar en su propia limitación. En la composición se había de desembocar, para mantener el interés, en el cuadro de género, en el paisaje de rico y variado tema, que alcanzaba ya un realismo bien conocido por la plástica europea. *Los Pazos de Ulloa* están bien nutridos de esta clase de cuadros. La fiesta aldeana de Naya, las visitas a la aristocracia campesina, las escenas de la cocina de Ulloa, las elecciones en la provincia. Las leyes novelescas del ochocientos, que llegaban de Francia, donde después de los Goncourt era difícil que se siguiera escribiendo al modo de Balzac, no tenían por qué ser rechazadas. Imposible aceptar, nos referimos a los lectores españoles, obras del tipo de *Renata Mauperin* o de *La educación sentimental*. Nuestros novelistas, con vivo ingenio, tuvieron que dar un rodeo para adecuar la nueva estética a nuestro gusto. Este rodeo descubrió de pronto un tío-vivo de gran atracción: el viejo costumbrismo indígena se erigió en punto de conciliación, claro está, sometido a la nueva temperatura, a la observación crítica, a un realismo normativo, etc., etc.

No nos debemos engañar. En *Los Pazos de Ulloa* nos encontramos dentro de un naturalismo poderoso, pero escamoteado, transmutado. El influjo europeo es completo. Y su ética formal también. Primero, nos situamos sobre un medio rural, en su función de naturaleza y como vivienda del hombre. Luego, estos hombres quedan sometidos a la presión de este medio económico-social, con dureza y humillación. Llegan hasta nosotros, entonces, los restos de una aristocracia feudal, los Moscosos de Cabreira, ya naufragada por ausencia de destinos y al margen de todo orden histórico, en su régimen de tierras gallegas, viviendo sobre un aldeano que trabaja y aspira a su gleba y riqueza, y que soporta hasta la abyección, con tal de conseguirla. Es el caso de Sabel y Primitivo. Se intenta salvar esta crisis económica con un casamiento dentro de una aristocracia provinciana, de mayor seguridad, pero de escasa fuerza fisiológica. Los Pardo de Compostela y Marcelina, la hija, que se nos presenta con su innata debilidad, como un producto de una cultura refinada, de ideas y sangre, pero ya decadente. Toda la vida rural aparece en la novela, desde la familiar y política hasta la religiosa. Frente a todo este determinismo social, sólo una figura, la de Julián, parece escapar de la dialéctica epocal, para expandirse como individuo auténticamente novelesco. Que tampoco lo es, bien mirado, ya que lo debemos considerar como a ese vástago de clan rural que, en su vida de superación, va separándose de la servidumbre impuesta a su familia por el feudo señorial. Pero Julián, el sacerdote campesino, es algo más que un hombre atenido a un clima social. Es aquí donde la Pardo Bazán huye de todo determinismo y valora el ser en su estricta individualidad y transcendencia. Julián, desde este punto de vista, se nos acerca como desdibujado y jamás llegamos a conocer su verdadera interioridad. Allá dentro se libra la gran batalla espiritual entre un amor posible, de orden terreno, y su misión evangélica. Este desdibujo constituye un acierto psicológico, pues el misticismo de la figura queda envuelto en un aura de sugestividad expresivísima.

El rigor constructivo de la novela, en su ideología y moral, es muy acabado. Observación de la más alta calidad unida a la mejor crítica del medio y de las determinaciones históricas. Hemos de decir que, afortunadamente, el valor de experimentación lo deja un poco de mano nuestra escritora y lo suple con su buen sentido y su buen instinto femenino y hasta con una cierta disposición jerárquica. En toda la obra, hasta la llegada del nudo dramático y el desenlace, observación y crítica van demasiado juntos, comportándose dentro de la mejor doctrina naturalista. Pero al llegar a estas alturas, las adecuadas para ejercer una buena inducción experimental, la tónica cambia y el curso gira en redondo. Desde el capítulo veintiocho, la novelista hace su aparición, con su natural subjetividad siempre presente, y brota como una conmiseración hacia el decurso de los hechos. Una caridad nace entretanto y bajo este aliento se encuadra la narración que nos da Perucho, el niño bastardo, de los acontecimientos, y también la que nos ofrece Julián, el clérigo rural, herido y castigado en su retiro montaraz. Notas todas sedativas y emolientes por donde el alma de la escritora busca respiro, y que caracterizan por igual toda la producción naturalista española y acusan una de las maneras de ser y de sentir de nuestro pueblo.

En *Los Pazos de Ulloa* no debemos olvidar su acento épico, entreverado de crítica sistemática y de espíritu liberal. Este acento épico, tenemos que entenderlo como una postrera descarga romántica. Asimismo, la objetivación del mundo regional hispánico, depósito importante de un folklore cuyos mitos siguen subsistiendo, y que en todo momento fué reconocido por los grandes novelistas de este tiempo. Este acento épico no lo presentó nunca el realismo francés, salvo Zola, desde donde lo retiró Blasco Ibáñez para componer los espléndidos frescos de sus novelas valencianas. Aquel acento épico se eleva en *Los Pazos de Ulloa* a través de las descripciones del campo gallego, en la vida dura del clan rural, en la figura de Julián. Todo esto observado y expresado desde una distancia larga pero apasionada, con su cierto énfasis reprimido, con su literatura crasa y bien vestida y coloreada.

LA QUIMERA (1905)

La Condesa de Pardo Bazán abandona con esta novela sus viejas calzadas naturalistas y emprende el fino camino que le lleva a la novela psicológica, de corte francés, casi diremos, a lo Paul Bourget. Con *La Quimera,* nos damos cuenta que a nuestra escritora no le va bien sino el tono épico, descriptivo, dramático de la vida rural gallega, o el tono menor narrativo del cuento. En el nuevo libro, en un deseo sobresaliente de perfección y arrastrada por una ideología espiritualista, intenta crear sobre un individuo una psicología más o menos compleja, bien encadenada a la moda de entonces. Así, se dispone a estudiar el proceso de disolución, primero, y, más tarde, el crecimiento vigoroso de un personaje, a través de un retrato que no logra nunca la nota idónea de una buena construcción. La novela es irregular y desacertada. Su composición, hermafrodita, pues quiere participar de la medida de "unas memorias", del tono objetivo y hasta de la confesión lírica. La verdad es que con todos estos elementos dispersos nos encontramos con un rompecabezas, difícil de reconstruir, ante la ausencia de una mano rectora que unifique y sedimente.

La novela no llega a adquirir su ritmo vital. A veces, parece que estamos en el teatro asistiendo a una escena de sociedad, a lo Benavente. Recuérdese toda aquella parte del libro, la intitulada "Madrid", dedicada a la presentación de Silvio Lago, como retratista de salón. Teatro hasta en la disposición de las entradas y salidas de los personajes, en los diálogos interminables. Cuando este teatro termina, comienza la lectura del diario del pintor, de escasa sugestión por su carencia de fuerza lírica. Silvio Lago es un protagonista, cuya originalidad quiere destacarse a todo trance, no sólo por sí mismo, sino por deseo explícito de su creador. Hay en él mucha siembra de ideas, superestructura ideológica que vuelca en sus andanzas tras de la Quimera, inusitada obra muerta de navío y escasa quilla humana. A esta novela le falta un aire peculiar que justifique incluso la irrealidad de sus personajes. Este aire de composición no estaba todavía formado dentro de la evolución de la novela que llegaba desde el naturalismo. Ese aire que se encuentra hoy en cualquier novela anglosajona de segundo orden. Para mover imponderablemente este aire, era necesario primero llegar a la novela subjetiva esencial, a lo Marcel Proust, aspiración difícil de conseguir entre los maestros de procedencia naturalista. Estas fallas y quiebras se perciben muy bien en *La Quimera* en los momentos autocríticos de Silvio Lago y en las fases de crisis o tránsito psicológico, lo mismo en el pintor que en Clara Ayamonte. Estas fases necesitan de un máximo de atención literaria, de un cierto puntillismo y, al mismo tiempo, de una explanación vigorosa de orden confesional, para todo lo cual se precisa una literatura apropiada. Nuestro héroe peca siempre de excesiva lucidez, incluso de excesivo discurso lógico. Su aborigen francés a lo Bourget se reconoce aquí diáfano. Se pasa así de lo psicológico al sabio tratado de psicología.

La Quimera quiere ser también una novela simbólica. Un simbolismo encerrado en un mito clásico, que la autora nos compone teatralmente en un prólogo. Resultaba inevitable este desembocar de la novela naturalista en meros o graves símbolos. No llegamos a desentrañar si estos símbolos recaen a su vez en cada uno de los personajes, a la manera de Galdós. Creemos que se trata sólo de una forma de tesis, con su intención ideológica, difundida a lo largo del libro, como basamento de preocupaciones intelectuales. Este elemento era muy frecuente en la novela de su tiempo y su intención moral, recta y doctrinaria. Tan lineal como desdibujada la contextura ética del pintor Silvio Lago. Al terminar el libro, no sabemos qué clase de quimera perseguía nuestro héroe. Como buena quimera, permanece indeterminada y huye de toda herencia platónica. La quimera podía ser el dinero, la vanidad o la soberbia artística. Pero todas estas apetencias destruyen en Silvio Lago su calidad de pintor auténtico, nos quiere decir el novelista.

Lo más notable de este libro es el capítulo "Intermedio artístico" por su buen nervio y su excelente tono vital. París, con sus salones y fiestas de arte, está trabajado con los ingredientes de una buena novela de su tiempo. La visión del París que trabaja y del París que se divierte, el París de la costura y el París de la buhardilla. Tan bueno esto como malo lo que representa la cosmopolita Espina, con su morfina, su tumor y sus hastíos. El regreso a Alborada, la conversión de Silvio Lago y la fiesta campesina necesitaban otro estilo. Se exigía, o bien un realismo lírico, valga la expresión, fundamental y caudaloso, a lo Huysmans, o bien la ascética literatura, lisa y sin pretensiones, con su valor de documento periodístico, a lo Maurice Baring. Siempre hemos pensado, leyendo estas novelas de la Pardo Bazán, sus novelas últimas, en cómo estropeó su camino de las primeras obras por el afán de estar bien situada con el resto del mundo y especialmente con el meridiano de París. No podemos desdeñar este afán, sin duda. A él se deben todas sus inquietudes literarias, sus grandes descubrimientos. En este caso concreto, cuánto mejor hubiera sido buscar un sitio entre Alarcón y Galdós, uno con *El Escándalo* y el otro con su *Angel Guerra,* ambos libros de conversiones, de crisis espirituales y de angustias meditativas. Uno y otro, y cada cual a su manera, le habrían servido de apoyo y de confianza.

* * *

La Condesa de Pardo Bazán se nos aparece hoy como una figura sobresaliente del renacimiento literario de la Restauración. Realizó importantes descubrimientos y una obra profunda y seria. Siguiendo una gran tradición hispánica se acercó, con los ojos bien abiertos y con una cierta seguridad de la valoración nacional, a Europa, especialmente a Francia, a fin de renovar lo caduco de muchas costumbres estéticas y de injertar nuevas ramas en un árbol con natural tendencia hacia el enquistamiento aislacionista. Por el breve estudio de las obras que hemos presentado, nos damos cuenta exacta de hasta qué punto su espíritu fué osado, intrépido y batallador, todo esto sin mengua alguna de lo autóctono y de lo acrisolado, que ella siempre respetó tanto, al menos, sentimentalmente. Entre los escritores de su generación se mantiene en primer término, sirviendo de preocupación, de acicate y de norma a los demás, elementos todos indispensables para lograr una acabada feracidad y una buena obra en el mundo de las artes.

Hemos de reconocer que su acercamiento a Francia fué necesario. En su época, la novela del país vecino irradiaba sus temas y sus ideas sobre toda Europa. Había de irse allí para asegurar una buena revitalización literaria. Con "Clarín", la Pardo Bazán forma el frente más aguerrido de occidentalización. Pereda, Palacio Valdés y Galdós se mantienen más alejados de todo contacto extranjero. Se ha discutido si nuestra autora debe más a los Goncourt que a Zola. Es posible que a ella le hubiera gustado más estar dentro de la línea de escritura de los Goncourt. Pero su aliento literario la situaba más cerca del espíritu épico-crítico de Zola, haciendo caso omiso de todos los contenidos morales que los separaban. Basta abrir una de sus novelas para que salte a la vista cómo el estilo y la caligrafía y la técnica de estos dos escritores se asemejan. El descuido de uno y el cuidado de la otra son meros hechos adjetivos que no suponen nada. Los Goncourt están más próximos a nuestro gusto. Así se explica que, al comienzo de nuestro siglo, un novelista tan moderno como "Azorín" considerara a los autores de *Renata Mauperin* maestros de las nuevas formas literarias, si no en la naturaleza de la realidad presentada, al menos en el modo de cómo esta realidad era aprehendida.

Ya hemos dicho que Galdós, entre todos los escritores de la Restauración, es el más cercano al lector actual. También hemos intentado explicar las causas. Vistas las cosas objetivamente es posible que la Condesa de Pardo Bazán se lea hoy poco, como Pereda o "Clarín". La novela es un género muy sometido a los vaivenes de la moda y del gusto. La escritura va variando, con su prosa, de manera muy accidentada y discontinua y hasta violenta, sometida a diversas circunstancias muy ajenas, la mayoría de las veces, al propio valor literario. Es difícil que un lector de nuestros días soporte las grandes y

EMILIA PARDO BAZAN EN 1908

LEOPOLDO ALAS «CLARIN»

cuidadosas descripciones de la autora de *Los Pazos de Ulloa,* la morosidad estática de los personajes, el diálogo estudiado y artificial, la composición lógica y una realidad tan fuera de la nuestra. La prosa es como el vestido y como las máquinas. No sólo hablamos del lector medio, sino incluso del lector preparado y erudito. Lo mismo que nos pasa con la Pardo Bazán, nos pasa con la picaresca y con *El Caballero Cifar.* Hemos de reconocer que para sumirnos apasionadamente en esa literatura de la Restauración, tenemos que realizar una trasposición de nuestro entendimiento y de nuestra sensibilidad, como el que cambia de un medio físico a otro, de la tierra al mar, de nuestro andar cotidiano a una inmersión atrevida en las aguas. La misma distancia hay de Baroja a la Condesa, que de aquél a Cela. De todas maneras, nuestra escritora permanece ahí, en su puesto privilegiado. Leámosla o no, esto es indiferente, ya quisiéramos en cada nuevo tiempo contar con un artista de su categoría, casera y universal, exigente y osada, gustosa de andar inteligentemente por el mundo, y capaz de traer de cada correría tan raras invenciones, sólo por el hecho generoso de fecundar y aumentar el tesoro tradicional de nuestras ideas y de nuestra novela.

REVISION DE LEOPOLDO ALAS, "CLARIN"

LA CRÍTICA FRENTE A "CLARÍN"

De todos los novelistas españoles de la Restauración, ninguno fué tan maltratado como Leopoldo Alas. Así sucedió en su tiempo de madurez. También en la época de la reacción antinaturalista, su vacío se ahondó más y más. Después han llegado olas de simpatía hacia algunos maestros de su generación o de su vecindad, pero el autor de *La Regenta* ha quedado siempre fuera de toda órbita de aproximación.

Desde todos los ángulos que se le observe, "Clarín" sigue siendo un gran ensayista de su tiempo, un espléndido crítico literario y además el creador de *La Regenta,* la obra maestra del realismo español del ochocientos. También aparece como el autor de una novela menos pretenciosa y más pregrina, *Su único hijo,* que llegó a sorprender hasta a un escritor de tanta pureza crítica como Valéry Larbaud, cuando se empeñaba en descubrir valores importantes en las letras españolas. Leopoldo Alas es asimismo el artista creador de un género de novelas cortas, muy raro en nuestro país.

Si repasamos cuál ha sido el comportamiento de la crítica nacional frente a "Clarín", nos sorprenderá siempre el escaso interés que éste le despertó. Son tres o cuatro los pocos atrevidos escritores que pusieron su atención en nuestro novelista. Si miramos hacia las Historias de Literatura, el puesto de "Clarín", con sus novelas, cuentos y ensayos, no ha pasado de ser estrecho y en todo momento malintencionado.

No basta alegar la limitada producción de novelista. Un novelista puede figurar con el entorchado de insigne y haber escrito sólo una buena novela. Y más si se trata de una novela ejemplar, centro de un mundo de temas estéticos, índice de una moral y espejo de un quehacer. Es el caso de Stendhal. Y también el de Flaubert. No todos han de constituirse en inagotables Balzac o en devastadores Zola.

Por ejemplo, y ya refiriéndonos a críticos más cerca de nosotros, "Azorín" se ocupó de "Clarín" en *Clásicos y Modernos*. Pero "Azorín" sólo vió un aspecto sutil del autor de *La Regenta*. Un hilo finísimo de agua, que sugirió una imagen fresca, saltando sobre una vena de pozo artesiano, muy caudalosa. Hemos de reconocer que "Azorín" no llegó nunca a leer *La Regenta,* con sus mil páginas, intolerables para un escritor impresionista. Ante un libro como *La Regenta,* necesita "Azorín" reaccionar con su limitado arrebato y recordarnos que su autor estaba influído por el Derecho Romano, sacando a relucir la condición docente del relato, que fué imperativa en la estructuración del mismo. "Azorín", en este momento de su lectura, pide ayuda a la simplicidad y a la simplificación, como forma suprema de arte. No sabemos qué pudiera ser más indigesto para un novelista, o más aleccionador, si el Derecho Romano o el Código Civil de Napoleón. A lo largo del tiempo el arte no se ha ido simplificando. Todo lo contrario. La verdad es que la simplicidad ha sido sólo la forma suprema del especial oficio de "Azorín".

Andrenio, en sus ensayos sobre los novelistas españoles, dedica unas líneas a "Clarín", y resuelve sus dificultades, hablándonos de cómo el naturalismo transpirenaico se transformó y asimiló, de manera castiza, a través del maestro. Es decir, todo lo mismo que se nos ha dicho de Garcilaso, del Duque de Rivas o de Moratín. Juan Chabás, en su expresiva corta *Historia,* dedica dos líneas a Leopoldo Alas y tiene el acierto de afirmar que *La Regenta* recuerda la emoción de *Madame Bovary*. Mucho antes, Andrés González Blanco escribió de "Clarín", con extensión insólita, los mayores elogios e insinuaciones muy vivas dentro de su prosa abrupta, desmedida y descuidada, pero del interés más encendido.

La última Historia de Literatura Española, grande de tamaño y de sugerencias, es la de Angel Valbuena Prat. De todos los escritores de la Restauración, es Leopoldo Alas quien le merece la menor atención. No sabemos en qué época leyó nuestro historiador al autor de *La Regenta*. Debió ser en un tiempo singular, cuando se atreve a escribir cosas como estas: "su técnica, más detallista y concreta que las generalizaciones de Galdós, mira más que éste hacia el concepto lento y exacto de la geografía de la narración. Sobre los caracteres se alza la sonrisa irónica e inteligente del autor". Nuestro crítico dedica a Alarcón o a Valera, o a las novelas de Unamuno, que todo el mundo sabe que son muy malas, varias y especiales páginas. A "Clarín" no ofrece más de veinte líneas, líneas como las que acabamos de reproducir. Es curioso anotar que Valbuena Prat expresa todo lo contrario de lo que constituyen las esencias literarias de nuestro novelista. Éste no fué nunca más detallista y concreto que Galdós. Ni el Galdós de la gran época fué hombre de insospechadas generalizaciones. En cuanto a la sonrisa irónica e inteligente no sabemos lo que en verdad quiere decir. La ironía de "Clarín" era inapreciable, salvo que se llame ironía a su sátira cruda y hasta ascética. Realmente sí se debe decir, y todos lo pregonarán, que "Clarín" era un escritor muy inteligente.

Ante esta actitud inhospitalaria de la crítica nacional con respecto a nuestro novelista, resulta difícil sostener una nueva actitud. Cuando la novela de Europa ha llegado a ser lo que es hoy, bien nos damos cuenta que Leopoldo Alas y todos los narradores de la Restauración están ya marcados por la ceniza del olvido. Queremos afirmar, sin embargo, que "Clarín" no está tan alejado de nosotros como se supone. La decencia de su morfología novelesca, el estilo depurado de su composición y aun la dialéctica de su moral, bien que considerado todo esto desde un ángulo historicista, sorprenden hoy a todo amante de la buena literatura. Asi se ha podido comprobar a través de otra crítica más en su punto, alguna aparecida antes de nuestra guerra. Es el caso de Juan Antonio Cabezas, autor de notables biografías de nuestro autor. Más tarde, hemos leído importantes ensayos de Melchor Fernández Almagro y amplios estudios de Carlos Clavería, muy cuidados y penetrantes. De la obra de "Clarín" debe decirse que en ella surgen con claridad todas las grandes inquietudes estéticas de su tiempo, llevadas a una alta temperatura de cocción, y que *La Regenta* concretiza, como ninguna otra obra, el sentido de una voluntad de forma inquebrantable, soldada a una ética temporal insoslayable. Tenemos que recordar ante su acabada novela, esa creencia, muy difundida entre los leñadores, que afirma que todos los matices de color con que se ha ido revistiendo un árbol durante su existencia, acuden y brillan en la lumbre en que arde, cuando se quema después de cortarlo.

"CLARÍN", CON Y SIN FLAUBERT

Unir estos dos nombres, Flaubert-Clarín, no tiene otro valor, en principio, sino el de buscar una pista. Esta pista, no puede ser nunca llegar a la afirmación de un parentesco físico y moral entre Madame Bobary y Ana Ozores, la heroína de *La Regenta*. Es más, esto nos es indiferente. Lo que nos importa consignar ha de ser la situación de Leopoldo Alas, en el proceso de la novela española naturalista, que se acerca a Gustavo Flaubert y no a Emilio Zola, como todos esperábamos.

"Clarín" es el primer escritor de la Restauración que posee un sentido preciso del llamado realismo psicológico. También llega a saber que este realismo, en su objetivación, no constituye sólo una pintura o una mancha de color, ni una posición dramática ni un carácter. Y que a aquél ha de considerársele como una línea trazada sobre un campo inocuamente liso, que va desde lo fácil a lo difícil, proyectándose en un espacio clásico de valores.

La Regenta se escribió en 1884. Es decir, que aun no habían aparecido ni *Los Pazos de Ulloa*, 1886, ni *Sotileza,* 1885, ni *Fortunata y Jacinta,* 1886. En las letras españolas, *La Regenta* tenía sólo un precedente incuestionable: *Tormento,* de Galdós, que se publicó en 1884, en el mismo año de aparición de *La Regenta*. Hasta este momento, la novela de nuestro país exhibía una galería de personajes, cuyas figuras se mantenían sobre la tradición europea del llamado carácter, a pesar de su pintoresquismo local, y se ajustaban a una medida rigurosa de conducta y de continuidad normativa. "Clarín" hubo de encontrar para su nueva novela una figura que rebasaba el carácter antiguo y se perfilaba dentro de un proceso vivo de formación y de crecimiento, adscrito a una cierta discontinuidad dialéctica. No bastaba para elegir estas individualidades el conocimiento tópico de un clima o la determinación de una voluntad tradicional. Para conseguir aquéllas se necesitaba de un análisis que se abriera paso por entre un mundo anímico, no consignado ya como historia y reconocido como tal, sino sorprendido en ese instante mismo de su presente indudable, donde habría de sometérsele a una lucha de fuerzas más o menos positivas, captadas en la crisis de una realización inaplazable. Esta complejidad en la creación dificulta nuestro conocimiento de los héroes predilectos de "Clarín". El novelista nos tiene, como lectores, siempre en jaque. Así, Ana Ozores, como complejidad y como modelo, no tiene precedentes en nuestra novela. Ella es una encrucijada de celdillas espirituales, en permanente lucha, que obstaculiza toda clasificación a base de dos o tres notas caracterológicas.

Ana Ozores no es tanto una Madame Bovary como un Federico Moreau, con faldas. Le lleva quince años, ya que *La educación sentimental* es de 1869. Durante este paréntesis, "Clarín" ha aventajado al maestro en fuerza de penetración, en delicadas aventuras por los caminos clásicos de composición y se ha contaminado del atuendo épico de Zola, que el nuestro salva con inteligencia y con su humor satírico a la española. "Clarín" llegó a descubrir muy bien que el azúcar, como la poesía, se podía extraer de otras sustancias distintas a la misma caña de azúcar, como escribió Flaubert. Pero que tan importante había de ser el hallazgo de la materia prima como el instrumento de destilación.

Si *La Regenta* se asemeja a veces a *Madame Bovary* por el asunto, por el desarrollo del tema, por la necesidad del adulterio, siempre se separan los dos escritores en la manera de valorar a sus personajes y en la emoción que fluye de sus libros. "Clarín" ama a sus figuras, no con amor de romántico, sino con devoción de creador. Su realismo fué en todo momento un realismo esencial, congénito, fundamental con su comportamiento ante el universo. El de Flaubert se levantó, a pesar de todo, por odio a la realidad, como él mismo ha expresado en su correspondencia.

"Clarín" difiere de Flaubert, no tanto en la manera de la observación psíquica como en el aliento que infla su literatura. Flaubert es corto, seco y bien podado. "Clarín", más trabajado en las formas de Zola, es largo, cálido y nutrido. La densidad de nuestro novelista se rezuma por todas partes, especialmente cuando quiere penetrar en los automatismos de la conciencia despierta. Recordemos las páginas que tratan del reconocimiento de la infidelidad de Ana Ozores, visto a través del Regente, Don Víctor de Quintanar, y por el Magistral Fermín de Pas, que marchan paralelamente. El marido va pasando, mientras van de cacería, por matices de alto contraste. Ese aturdimiento, que inmoviliza toda acción y que deja en un estado de inercia, como sólo viviendo sobre unas cosas anteriores al hecho dramático del adulterio. Más tarde, las reacciones de su espíritu cuando el hecho pasa por el campo de ideas del honor y cuando se contrastan frente a la implacable senilidad. Por último, el reconocimiento de un destino adverso, junto al caso de conciencia, que ya es mirado más con ojos de padre que de marido ultrajado. Por otra parte, el canónigo se debate entre su amor, que él cree debiera ser el del ideal esposo, y las obligaciones que le imponen sus hábitos, la tradición y hasta la historia.

"Clarín" se alinea junto a Flaubert sobre dos frentes indiscutibles. Los dos realizan una novela cuyo arranque es siempre una crítica de índole aristofanesca. Los dos se expresan a través de una psicología lineal, con la sola diferencia que mientras en el español aquella línea aparece gruesa, en el francés la percibimos fina. Une a los dos escritores un sentido hedonístico de la elaboración novelesca, de su construcción, llevada a cabo con un estilo refinado, preciso, que muchas veces enmascara una subjetividad permanente o una orgullosa impasibilidad. Estamos frente a dos novelistas, cuyo instrumento de trabajo más importante es el análisis descriptivo, manejado de manera morosa y desinteresada.

Este análisis psicológico descriptivo no lo hemos de ver como otro cualquier análisis. Es un análisis que tiene hasta su condición lírica. Lírica y lineal por su levedad. Se obtiene el rasgo psicológico por una a manera de dibujo, sobre una línea bien perceptible. Arte distinto en su totalidad del arte colorista, con gruesa capa de pintura, de un Zola o de un Galdós. Bien es verdad que "Clarín" no abandona nunca su proyección española plástica, que hace que ese arte sea más interesante, más dramático y también más pintoresco que el de su homólogo francés.

En *La educación sentimental* existe una técnica de elaboración retardada, menuda y hasta resobada, que se nos hace a veces insoportable. Técnica y elaboración sin sorpresas. La línea psicológica de Federico Moreau la vemos como un auténtico camino de hormiguero, en un día de tráfico muy vivo. A lo largo de este camino, las hormigas tocan sus antenas y sus cabezas en señal de reconocimiento, de alerta. Así, Federico Moreau, sobre la narración mecánica, acusa de momento en momento su especial carácter. Su "educación sentimental" es el vehículo de un detalle, de un hecho, de una situación breve.

"Clarín", como Flaubert, por primera vez, ha sabido abandonar el supuesto hedonístico de entretenimiento, consustancial con toda novela y de imperecedera validez, para sustituirlo por otro supuesto hedonístico, más alejado sin duda del mundo habitual del lector pero más cerca de la sensibilidad de la burguesía ascendente: la penetración psicológica de una realidad no dada, sino dándose. El primer supuesto caía de lleno sobre el asunto, sobre las aventuras, sobre una historia. El segundo descansa en el individuo detenido, sobre el disco de una realidad que se analiza sin cesar. Análisis que ha necesitado inventar método literarios de verificación y de gran exactitud. El placer del entretenimiento imantado sobre la aventura ha sido suplido por el placer del análisis fundido a la aventura del proceso de un conocimiento real. Esto ha determinado una mayor delicadeza en los métodos y una más acabada individuación del estilo. "Clarín", como Flaubert, cada cual en su país, han sido los hombres que han logrado un estilo más personal, depurado y preciso.

La posición de estos dos escritores en el siglo XIX es casi heroica. Al menos, en su tiempo. Hay que reconocerlos como avanzadillas de las técnicas literarias posteriores y como origen de los delicuescentes psicólogos de la postguerra, de la novela impresionista y hasta de los confeccionadores del relato neohumanista. Ellos supieron liquidar con soltura y sin recelo todo el mundo épico que se nutrió, de manera escandalosa, en parte del romanticismo, al que puede considerarse como raíz de la gran novela ochocentista. Y sorprende más su posición, porque no hemos de olvidar que tanto "Clarín" como Flaubert fueron muy fieles a su siglo. Poseedores incuestionables de aquellos bienes que bien disfrutaron a su antojo. Desde el positivismo filosófico hasta las leyes de la evolución, reforzados por un espléndido sentido crítico del universo. Sólo una cierta lucidez, que llamaremos clásica, les obligó a manejar todos aquellos resortes, reconociéndoles como tales resortes y que en un momento cualquiera se les podrían saltar de entre las manos.

LA NOVELA DE COSTUMBRES EN SU ASCENSIÓN CLÁSICA

Una nomenclatura expedita de *La Regenta* nos diría, en primer lugar, que se trata de una novela de costumbres. También, dentro de una denominación más castiza, *La Regenta* será siempre una novela regional. En todo esto, "Clarín" se mantiene firme y junto a las trayectorias de su tiempo. Hace novela regional, como Pereda, la Pardo Bazán o Palacio Valdés, y de costumbres, como éstos y como el mejor Galdós. Nos encontramos así con el realismo ochocentista español, el cual para vigorizar su existencia, para fundamentar una autonomía, echa mano de elementos decorativos o sustanciales, que no son los peculiares de los otros países, especialmente de Francia, donde costumbre y región, tipismo o particularidad, se ahogan por la fuerza psicológica, por los caracteres morales o históricos, por el estamento o la política abstracta, por las ideas intencionales o la emotividad tendenciosa. En Flaubert, en los Goncourt o en Zola, sólo interesan las cosas; las cosas nos quieren interesar a través de la matemática de una pasión, de una figura en su fusión histórica o de una clase social en su devenir inexcusable. Y sólo valen en su presencia de joven burguesa, de minero, de hombre rural, de prostituta, o como proyección ética de una universal evolución.

La Regenta es la crónica de una ciudad, Vetusta, la descripción de sus costumbres, la pintura de sus habitantes. Unida a esta ciudad va el espacio físico y su tiempo de almanaque. No otro espacio y otro tiempo. Conocemos las calles, los barrios, las casas. La porción vieja de la urbe y la nueva en construcción: el Campo de Sol, donde los canónigos pasan la tarde, la Colonia, residencia del nuevo dinero y de los indianos, el Espolón y la Encinada. La novela nos va enseñando, a través de los días del año, con detalle y fruición, las fiestas de Navidad, el carnaval, la Semana Santa, las efemérides locales, el verano o el invierno, la época de los bailes o de los sermones y ejercicios espirituales, el teatro o el Casino, los baños en el mar y las vacaciones, los entierros y las fiestas mayores. Todo está observado y reproducido con la mayor fuerza de evocación y con un cierto desinterés.

Toda esta vida de una ciudad vieja del norte de España, en su aspecto más concreto y diferenciador, en sus costumbres más peculiares y definidas. Junto a la ciudad vienen las figuras, con su análisis muy cuidadoso. Las familias de la burguesía grande o pequeña, el elemento rural que llega hasta la urbe sobre un plano ascendente, la política y los políticos, la Catedral y su clero, la aristocracia coagulada y el dinero que explora la riqueza. Los conservadores y los revolucionarios, el capitalista y el obrero. Todos estos cuerpos genuinos, que pueden dar paso en cualquier momento a la abstracción, en la novela española están sólidamente fundidos con la región y la costumbre, y, en nuestra última mirada, cuando nos retiramos del libro, la costumbre o la región es lo que permanece en el aire del recuerdo.

Se debe decir que sobre estas costumbres, elemento histórico-cultural, y sobre la región, elemento físico-biológico, "Clarín" levanta el gran edificio de *La Regenta*. Pero nuestro autor es un intelectual, en un sentido muy ochocentista. Y como en todo intelectual, punto extraño de precisar sobre el itinerario del artista y del arte, aquella costumbre y región han de ser puestas inmediatamente bajo una luz crítica esencial. Hemos de ver, antes de llegar a esta situación, que al fin y al cabo es la última, cómo la costumbre y la región viven en forma de estado emocional. Las calles, como la Catedral, la referencia social de su ciudad, su evolución psicológica, el estamento clerical o el aristocrático, la alegría de unas horas o los pesares de otras, la perspectiva en el tiempo y la reactividad ante lo nuevo, todo esto se hubo de formar en el ánimo de "Clarín", juventud, adolescencia, madurez, sobre planos y más planos de vivencias ingenuas, sentimentales o resentidas. Para llegar a una aprehensión intelectual de la esencia de Vetusta, la ciudad del Norte, primero tuvo que producirse un estado emocional de valores referidos a costumbres y región. Estos valores sobre las cosas no son valores objetivos o eternos, expresados a través de "Clarín". Son unos valores temporales que, junto a otros más fijos e indestructibles, fueron generando los pequeños mundos "ideológicos" y hasta necesarios del hombre de aquel momento: valores políticos, estéticos y religiosos que daban sentido a una época.

Sus métodos de crítica no rebasaron ni el psicologismo al uso ni las teorías sociológicas corrientes ni tampoco el evolucionismo encopetado de los grandes doctrinarios. El arte de "Clarín" no traspone totalmente estos linderos didácticos. Pero en estos linderos nos es posible todavía sorprender un importante mundo de arte.

Vetusta es la ciudad observada desde todas sus alturas y rincones. A todas las horas del día y en todas las estaciones del año. Los biógrafos de Claudio Monet recuerdan al pintor impresionista, saliendo de su casa al rayar el alba, con la cestilla del almuerzo, la caja de pinturas y un montón de telas. Se sentaba frente a una pirámide de heno, en medio de un prado y empezaba a pintar. Al terminar la tarde, había pintado doce telas sobre la misma pirámide de heno. Había atrapado luz y color, amarillos que se matizaban hasta lo innumerable y chispas de luz distintas, recogidas sobre la órbita del sol a lo largo de todas las horas. "Clarín", como Monet ante el almiar, va viendo y pintando a Vetusta y sus costumbres y hemos de aceptarlo siempre debatiéndose sobre una doble línea exultante y crítica.

Pero "Clarín" no hizo una novela de costumbres o una novela regional cualquiera. La costumbre es la repetición de vivencias y formas de conducta. Esa misma costumbre a través del tiempo, ya carbonizada, llega a constituir la tradición. Costumbre y tradición parecen ser nutridas ininterrumpidamente por la memoria. La memoria actúa aquí como el agua en los pozos de petróleo. La memoria aquí, una clase de memoria, imita y copia. Y su función es meramente conservadora. Ante este estado de cosas, "Clarín" no tenía otro remedio sino ejercer la crítica para descoyuntar costumbre, tradición y memoria. Así vemos como, de una parte, "Clarín" se nos aparece como un novelista de costumbres al igual que Galdós, Pereda o Palacio Valdés. Pero se separa de éstos en cómo somete la costumbre a una observación crítica, llegada desde un plano emocional. Esta nueva novela así formada, poseída de notas esenciales, "Clarín" la elevará a una forma clásica irreversible.

Todo el mundo sabe que el siglo XIX fabricó el ámbito propicio para el desarrollo de la novela de costumbres en España. Y cómo la novela naturalista se vale de la novela de costumbres para marcar su ascensión ininterrumpida. La costumbre implica una realidad y esta realidad, a su vez, un lugar en el espacio y en el tiempo. La costumbre es siempre lo más próximo a nuestras manos y a nuestros ojos. Por eso ella genera el campo más adecuado para nuestra experimentación. Pero la costumbre, como cualquier otro hecho histórico, puede ser captada de varias maneras. De una parte, como historia física o ingenua de fechas y sucesos. Así fueron costumbristas Estébanez Calderón, Fermín Caballero, Alarcón y gran parte de Valera. En sus novelas existía candor, entretenimiento, color y hasta turismo. La costumbre aparecía en forma de grabado en madera. Galdós o "Clarín" trabajan ya en aguafuerte, en su marcha de lo sencillo a lo complejo, penetrando en la índole de las costumbres, manera de realizarse y proceso de su desenvolvimiento.

La posición de unos y otros novelistas difiere, casi estrictamente, en el modo de colocarse ante la realidad. Los primeros estaban soldados a ella, a su costumbre, viviendo perezosamente a su sombra. Los segundos se separan de aquella costumbre, preparando una perspectiva para su escudriñamiento y un puesto de tomavistas singular. Podemos admitir que el conocimiento de las costumbres no se agota con estas dos posiciones. Existe una tercera, y existe de hecho en España con "Azorín" o Gabriel Miró. Esto no nos debe parecer extraño, pues una misma cosa y hasta una misma idea llegan a aprehenderse desde distintos miradores. Por ejemplo, el concepto histórico de antigüedad no quedó exhausto con solo la visión del Renacimiento. Más tarde, el Barroco nos dió otro concepto del mundo antiguo. Y había de aparecer Goethe para que una tercera visión nos llegase.

La novela de costumbres y la pintura de género, en su manera esencial de hacer, se acercan mucho, y no únicamente en los contenidos. No cabe duda que la novela naturalista lo primero que hizo fué pintura. De aquí la necesidad imprescindible de destacar el valor cuadro. "Clarín" nos presenta en *La Regenta* una exposición espléndida de pinturas, que se intercambian con cuadros de género y aguafuerte. Cada capítulo podría tener su título idóneo, que identifica cada uno de los momentos de la vida civil de Vetusta. "Clarín" va alternando la exploración psicológica de Ana Ozores y de Fermín de Pas con la representación, a través de una materia plástica de alto relieve, de las costumbres y de la ciudad, fijadas en su cronología e interpretadas críticamente. Páginas como la descripción del teatro de Vetusta la noche de la interpretación de "Don Juan", la del martes de carnaval, con su fiesta en el casino, los tiempos de Cuaresma y la procesión de Viernes Santo, la vida bulliciosa en la fecha de la Natividad o la época de veraneo en el monte o en la playa, con todas las peculiaridades provincianas, van tejiendo en *La Regenta* cuadros de género inconfundibles.

Ultramar y extranjero, año, 26 ptas. Número atrasado, 25 cénts.
Madrid y provincias: trimestre, 2'50 ptas.; semestre 4'50; año, 8.
Administración: calle de Sagasta, núm. 8, ent. centro dha.

GALERÍA CÓMICA

LEOPOLDO ALAS—*Clarín.*

CARICATURA DE «CLARIN»

GABRIEL MIRO

Es curioso observar cómo la novela de costumbres española, que comienza en Andalucía con su realización inocua y pintoresca o colorista, al ascender hacia el Norte en busca de la línea cantábrica, y a través de "Clarín", Palacio Valdés o la Pardo Bazán, se concentra intelectualmente, con su humor reflexivo o amargo, o su tono épico-naturalista. El centro de estos dos puntos extremos lo constituye Galdós. Todo esto nos recuerda, desde otro aspecto de la historia de las artes, la separación que existió entre Leyden, la ciudad holandesa de los pintores de género, y Haarle, que descompone el cuadro con su realidad plástica, penetrante y hosca. Las telas de género traen a la pintura cualidades insospechadas, con su valoración sobresaliente del mundo de las cosas, por sus colores fríos, grises y platas, por su objetividad escondida y su lirismo amortiguado. El ámbito emocional que de estos cuadros se desprende, ya no tiene que ver nada con los maestros del retrato, ni con la tardía pintura religiosa o cortesana. Pieter de Hooch, Vermeer o Van Ostade crearán un realismo a través de habitaciones burguesas o de paisajes, que tienen una más reducida dimensión humana, pero también una resonancia más cálida en el corazón de la gente.

Hasta "Clarín", la novela de costumbres no logró una fundamentación clásica. Valera no supo nunca qué cosa era el clasicismo novelesco. Sentía un amor poético por Grecia y tejió cuentos o novelas pintorescos o sabrosos. "Clarín" tuvo una noción precisa de lo objetivo, de lo directo, de lo distante, de lo natural y de la economía de las fuerzas constructivas. Equilibró como ninguno la fuerza ascensional creadora y la realidad como fuerza gravitatoria. En esto llegó a una perfección que no conoció Galdós, que se dejó llevar siempre por lo singular, lo extraordinario y lo pintoresco, y lo basaba sobre una caracterización que procedía del realismo barroco tradicional. Además, Galdós no fué nunca un novelista de costumbres, por sí mismas, por su análisis o su crítica. Fué un creador de figuras y reproducía las costumbres como algo que vestían sus excepcionales personajes, como elemento adjetivo que ofrecía una nota de color o un rasgo típico de entretenimiento. Galdós fué fundamentalmente el novelista poseedor de un mensaje moral para los españoles, tan necesitados de él, y que deseaba evacuar a toda costa.

La mirada crítica de "Clarín" aparece siempre desapasionada, y, aun escribiendo libros de tendencia epocal, mostró, como Cervantes, un espíritu clásico supremo, al reconocer la existencia de una distancia focal, la única, la de máxima nitidez, para apreciar las cosas de este mundo.

HUMORISMO Y REALIDAD

Toda *La Regenta* está trabajada sobre una corriente poderosa de humorismo. Este humorismo, que arranca esencialmente de una actitud crítica ante el universo, se obtiene en nuestra novela a base de un fuerte claroscuro, y es feraz, de índole tragicómica, rozando a veces lo grotesco, pero siempre cálido, emocional y humano. Si vamos observando las figuras del libro, casi debemos afirmar que todas estas figuras están anegadas por este agua humorística. Si apartamos a Ana Ozores, al Magistral y a Alvaro Mesía, todos los demás, hasta veinte personajes, participan de aquel aliento inicial. Así el Regente, don Víctor de Quintanar y su amigo Frigiles, el bucólico explorador. Mujeres como Ob dulia Fadiño y Visitación Barco y todas las heroínas menores provincianas. Con humor y criticismo esmerado han sido vistos todos los componentes del Cabildo catedral de Vetusta, desde Ripanilan, el canónigo virgiliano, hasta "Glocester", el arcediano aristofanesco. Con humor asimismo están tratados los estamentos sociales, desde la alta burguesía, los Vegallanas, hasta los Carrespique, carlistas recalcitrantes, pasando por los indianos de última hora y todas las figuras del casino, los librepensadores, los arqueólogos y los libertinos. Y aparecen como dos héroes de vivo relieve casi grotesco, don Santos Barrigana, el puro, y don Pompeyo, el converso. Cuando "Clarín" abandona todo humor y muestra toda su seriedad "naturalista" es cuando trata de describir el dinamismo social de las clases, la situación de una familia en su proceso biológico o económico. Bajo este signo penetra en el mundo rural, al que pertenecen Fermín de Pas y su madre, en su marcha ascendente hacia la ciudad, o en la sociedad de nuevos ricos indianos en su conquista de la alta burguesía. O bien el aletargamiento de la aristocracia provinciana sometida a presiones económicas o políticas, que no sabe superar.

Encontramos hasta doce o quince cuadros en *La Regenta* que son exponente espléndido de este humorismo esencial y donde se aglutinan de manera osada lo tragicómico, el aguafuerte, la ironía dura, lo grotesco y la caricatura, todo fluyendo dentro de un caudal vivo de emoción. Recordemos aquella escena entre la Regenta, que llega a su casa cargada de excitaciones producidas por el contacto de la vida mundana, buscando al marido, y lo encuentra en la alcoba, con una espada en la mano, recitando grandes períodos calderonianos y envuelto en estupendo aparato grandilocuente. También es significativa, desde este punto de vista, la huída de Ana Ozores y su enamorado, azotados por la lluvia y el viento, y perseguidos por don Víctor y el Magistral, cada cual poseído de contrapuestos estados de ánimo. La enfermedad y muerte de don Santos Barrigana, el ateo, ocupa todo un capítulo, que se complementa con la conversión de su

gran amigo don Pompeyo Gumiaran. Sobre una y otra figura,
todos los ojos de la sociedad de Vetusta están pendientes.

Todo este humorismo va insertado en una realidad psicológica a lo Flaubert, entretejida con minuciosidad y mano segura
El carácter de Ana Ozores, en su evolución, en la crisis de su
personalidad, es magnífico de traza. Mujer de cabal capacidac
para ser esposa y madre, su naturaleza queda truncada por una
situación incierta económica y por el casamiento con el Regen
te, hombre ya acabado. "Clarín" va escudriñando todas las fa
ses del alma de Ana Ozores, desde la romántica idealista, hasta
la mística antropomórfica, pasando por el amor-pasión del adulterio. En la novela de Leopoldo Alas vale tanto la colocación
de estas columnas, base de una psicología metódica, como e
estudio de sus tránsitos, lagunas novelescas tan difíciles de llenar
de un agua de alta calidad literaria.

Pero hemos de volver al humorismo de "Clarín", a su hu
morismo enrevesado y lúcido, agrio y sensitivo, inteligible y
mal intencionado y llevado siempre a un último grado de ma
ceración. Su procedimiento, en algunos sentidos, nos recuerda la
conocida anécdota de la Emperatriz Josefina. Enterada ésta de
que una dama, a quien detestaba con toda su alma, luciría en una
recepción próxima a celebrarse un traje de un verde rabioso, hizo
cambiar aprisa y con enorme coste todo el decorado del salón
papel de las paredes y tapizado de los muebles, donde había de
celebrarse la fiesta, todo, para darle un color azulado que hiciera
chillón y vulgar el tono verde del traje de su enemiga.

Esta clase de humorismo no lo conoció la novela francesa
Es curioso observar cómo la nuestra, cuya motivación ideológica
muchas veces se buscó en París, ya en su madurez, se separa de
sus muelles de abastecimiento, para lanzarse al mar libre, con
autonomía. Ni Balzac ni Stendhal ni Flaubert ni los Goncour

ni Zola ni sus epígonos supieron nunca trabajar una materia novelesca con un humorismo caracterológico o trascendental. Todos
o muchos estuvieron animados de poderoso espíritu crítico y sintieron la ironía y la intencionalidad combativa, la sátira y la
caricatura. Todo el realismo se bifurca hacia lo épico al revés,
lo objetivo y hasta el lirismo. Llega con Flaubert hasta el arte
aristofanesco, con lo cómico, lo cursi y lo cínico.

Al enfrentarnos con la literatura española nos encontramos
con que tres de sus principales maestros de este tiempo, Galdós,
"Clarín" y Palacio Valdés, adoptan una actitud humorística ante
la vida, costumbres, historia, creencias y leyenda. Este humorismo ya es una concepción o un sentimiento del universo, y se
puede aparejar con cualquier otra concepción filosófica o vital.
Este humorismo español viene a ser una actitud crítica del pensamiento, primero, pero luego, al verificarse, se expande en una
como comunión humana y emotiva, acogiendo y comprendiendo
en su regazo a personas, cosas y sucesos. Este humorismo no
tiene nada que ver con el humorismo alemán de la Estética hegeliana. Tampoco con el humorismo inglés que, a veces, es sólo
la mirada cómica sobre un mundo serio, o una mirada grande
sobre un mundo pequeño.

Este humorismo español del realismo ochocentista parece que
afluye abundantemente desde Cervantes o Velázquez. Pero
aparte de este nacimiento, que no sabemos si será intelectual o
biológico, este humorismo, a lo largo del tiempo, se ha ido tiñendo de esenciales pigmentos barrocos —claroscuro, maceración,
naturalismo—, hasta caer bajo la presión del criticismo del siglo
anterior. Pudiera expresarse, con lenguaje pretencioso, como un
romanticismo al revés. De todas maneras, esta expresión la creemos corta para enjuiciar la situación española. La verdad es que
este humorismo llega desde muy lejos y constituye gran parte

del tejido anímico del hombre hispánico, bien unido a un sentimiento cristiano singular de la vida, más el estoicismo nacido naturalmente sobre el duro quehacer de nuestro pueblo.

Aunque al parecer este humorismo, el del siglo XIX, se acerca al de Dickens, al mismo tiempo ambos se alejan en valores fundamentales. En Dickens surgen figuras o héroes humorísticos, desgraciados, ofendidos, perseguidos, todos ellos mirados con una especial simpatía humana. Pero no debemos olvidar que junto a éstos, y manteniendo un dualismo simplista, nacen los malos, los viciosos, los ruines, siempre sometidos al palmetazo reformador. En nuestra novela, "Clarín", Galdós o Palacio Valdés, los seres, las cosas y los hechos no son medidos por una misma regla moral. Aun admitiendo una categoría sustancial ética, el novelista español justifica y pone a todos sus héroes, chicos y grandes, santos o pecadores, dentro de un mundo de inteligibilidad humana amplísima, dentro de un relativismo y de un humorismo vital. Tal modo de acoger a las figuras novelescas escapa también al arte francés del ochocientos. Éste funde la sistemática positivista de la realidad con una forma de extraordinaria calidad, como en los Goncourt o en Flaubert, y resulta, a veces, o una obra despiadada, o una obra dramática conseguida al rojo intelectual. Cuando no es así, caso Zola, existe como una descomunal valoración humana, con una carga de pigmentos cromáticos sobre un punto elegido.

No todos los humorismos de estos escritores españoles son iguales. Junto a sus coincidencias aparecen sus alejamientos. "Clarín" se vincula a un humorismo intelectual y trascendente, Palacio Valdés queda insertado en un humorismo criatural y afectivo. Galdós aglutina las dos formas anteriores y erige sus figuras sobre una cuadratura estética, cordial y desinteresada.

HOY, FRENTE A "CLARÍN"

En el capítulo anterior no queda agotado nuestro debate sobre el humorismo de la novela española del siglo pasado. A veces hemos pensado en las posibles relaciones que este humor literario tuvo, como expresión estética, con el relativismo científico que caracterizó el último tiempo del ochocientos. En cuanto se refiere a la moral, está fuera de duda que la de nuestros novelistas tuvo siempre un punto de mira rígido e inquebrantable y, por lo tanto, absoluto. Por esto, no se puede afirmar que llegaran nunca, v. gr.: al amoralismo total de un Marcel Proust. Pero debe quedar bien sentado que su relativismo artístico, que parte de un absoluto, aun formado en el fluir humorístico, ha sido el que más tarde ha animado el sentimiento ético de la novela europea, aunque entendido desde otras perspectivas y razones vitales. No sabemos hasta qué punto lo humorístico es más simple que lo lírico o que lo fenomenológico. Todavía no se ha llegado a descubrir si el primer hombre fué, en los comienzos de la vida, un humorista, un poeta o un fenomenólogo. Sí se debe afirmar que gran parte, la más notable, de la novela del novecientos, estuvo informada siempre en moral por un juicio o una teorética perspectivista. Esta actitud moral, frente a las cosas y a los seres, era radicalmente opuesta a las maneras morales del siglo pasado, las de Balzac, Zola, las Brontë, Valera o Alarcón. Pero los novelistas nuestros posteriores, por el sencillo motivo de estar imantados a Cervantes o Velázquez, más otras muchas razones ya dadas, lograron crear héroes o figuras de cualquier tamaño, contempladas u objetivadas con una igual seriedad, con una misma razón de naturaleza, con su idóneo principio anímico.

Ante el novelista, cada individuo, con su destino englobado solidariamente, grande o pequeño, rico o pobre, santo o ruin, bello o feo, cada uno fué tratado como la más ideal de las criaturas, sin olvidar nunca su terrenal naturaleza. Nos damos cuenta que estamos cerca de lo que llamó Ramón Pérez de Ayala un sentido liberal del mundo, que, a fin de cuentas, no era otra cosa que la aplicación al arte de una política o de una economía dada. También el perspectivismo de Ortega y Gasset, sólo se originó como ampliación hasta una filosofía del universo de un punto de vista de la física moderna.

Con ánimo liberal o ánimo relativista, fundamentados sobre una evolución de la sensibilidad o sobre la cultura histórica o científica imperante, el novelista español de esta época expande sobre la tierra una visión humorística, insólita y a contrapelo. Lo liberal o lo relativo, para entender la sociedad humana y sus individuos o el debate entre espíritu y realidad, van siempre alojados dentro del humorismo. Este humorismo, como disposición anímica, estética o moral, entendido esto separadamente o como fusión total, creemos, se obtiene cuando se someten las figuras reales o inventadas o su clima a un tratamiento artístico que no es el que le corresponde. Hemos de tener en cuenta que cada individuo, por su alma esencial, nacida o hecha, merece una forma estética determinada. Hay figuras barrocas *a nativitate*, como las hay clásicas. Como las hay serias o cómicas. Si a una figura realista la tratamos por un procedimiento barroco, o al contrario, es posible que el humorismo brote. Este humorismo, situado en la fase del naturalismo ochocentista, parece rezumar el estoico escepticismo de la vida nacional. Este humorismo fué, dentro y fuera de la vida española, una huella de esperanza. Frente a las formas rígidas, atrabiliarias y duras de aquella historia, historia que viven en su infancia y juventud nuestros escritores, este humorismo llega a ser su contrario, su enemigo, su canto contristado y hasta el arma generosa de la redención.

"Clarín", es hoy, ya a estas alturas, el que percibimos realizando un más terso arte dentro de la novela naturalista española. Su obra marca el punto de equilibrio en la evolución del realismo europeo del relato hasta su saturación dentro ya del naturalismo. Él supo conciliar, como no se concilió en Francia, con Zola, el realismo psicológico de Flaubert, en sus exploraciones más cuidadas, con la teorética de la escuela de Medan, inspirada por la circunstancia científica y sociológica. No sabemos hasta qué punto la particularidad histórica es la que perece. Sí sabemos cómo la voluntad de forma de un novelista, en un tiempo, es lo que permanece, siendo el último asidero de su continuidad. La prosa de su época fué impersonal, inocua e inexpresiva. Tuvo color, elocuencia y sesuda madurez. Clarín supo, entre estas prosas masificadas, individualizar porciones importantes de materia. Un arte personal, insólito, en resumen, la presencia de una mano, ella y no otra, parece posarse, con insistencia, y también con temor, sobre las mil páginas de *La Regenta*.

* * *

No se podrá nunca dudar que *La Regenta* ha sido novela que cayó gravemente dentro del espacio naturalista. Todos aquellos elementos que fueron sus esencias temáticas y formales, los muestra la obra de "Clarín" con eficiencia jubilosa. El estudio escrupuloso del medio, los imperativos de la herencia, el mecanismo de la sociedad en su evolución integradora y progresiva, allí aparecen con energía. Es más, los tipos casi debieran agruparse en una clasificación cerrada determinista. Pero hemos también de admitir que "Clarín" se separa de las formas habituales del primer naturalismo francés, pesimista, "ortodoxo" y pesado, para lograr una narración más ligera, pintoresca y libre. La significación de *La Regenta* fué de una amplitud insopechada. A veces, quiso fundir en sus páginas, no el naturalismo académico, sino un naturalismo más vasto y vital, que abarcase su propio curso histórico, engullendo no sólo sus propias especificaciones sino también parte de todas las estructuras de la realidad ochocentista.

Con la Escuela de Medan ya una novela no podía valorarse espiritual y culturalmente a través únicamente de un héroe. Tal como se hizo en otros tiempos con Don Quijote, con Guzmán de Alfarache o con Tom Jones. El héroe aquí deja su puesto al medio, el suceso ilustre al hecho vulgar. Cuando en *La Regenta* queremos entresacar una valoración espiritual de su autor, de su sentido metafísico, etc., hemos de fijar la atención sobre Ana Ozores, la heroína del libro. Efectivamente, ella es la resultante del trabajo de una serie de fuerzas físico-biológicas que tejen la red de su espacio vital. Sobre ella, su creador descarga todas sus efusiones mentales. En la obra existe como una lucha, la de su autor por su heroína, que se libra con la intención de sacarla libre y sana de todas las acometidas. Aquí debemos ver el aliento y la huella de un último romanticismo literario.

En *La Regenta,* es Ana Ozores la que sobrevive, abandonando víctimas y víctimas de rica significación: el marido, preclaro caballero don Víctor de Quintanar, el don Juan de Vetusta, estéril y egoísta, y el atormentado canónigo don Fermín de Pas. Todos, menos la Regenta, quien a pesar de las crisis, de las caídas, de las desintegraciones, al final de la novela parece cerrar un paréntesis de errores "naturales", reincorporándose a una vida más justa y más feraz. Hay como una energía de la naturaleza que no quiere quebrarse. Y que no se quiebra, ni ante el amor senil y paternal de su marido, ni frente al amor narcisista del Don Juan burgués, ni ante el amor sacrílego de don Fermín de Pas. Todo lo rebasa.

Para llegar a esta última actitud de equilibrio clásico-realista, "Clarín" no ha tenido que echar mano de ningún recurso espiritualista, como Pérez Galdós, ponemos por caso ilustre. Del libro se desprende una confianza, a fuerza de ser intelectual, en las leyes de la Creación, en su propio derecho y en su inmutabilidad y justeza. La evolución mecánica y racionalista, nuestro novelista la ha trocado, todo por el amor de su heroína, en una inspiración suprema creadora, que toca ya el pragmatismo o el espiritualismo finisecular. Ana Ozores es una mujer, cuya pasividad y mundo cerrado de cultura se nos aparece espléndidamente autónomo. En Ana Ozores reposa, sobre su regazo, un sentido fino y concreto del universo, capaz de dar satisfacción a sus propias esperanzas, religiosas, morales o amorosas. Sin saberlo, ella es un complejo colectivo activísimo y hasta catalizador. En ella, la obra de la naturaleza permanece y sigue.

RAMON PEREZ DE AYALA

HUMANISMO Y HUMOR

En *Belarmino y Apolonio,* novela publicada en 1919, puede verse, sin más ayuda que los ojos del lector, cómo el escritor ha trabajado en una composición ajena a toda inmediata tradición. Parece adelantarse en el tiempo a aquellos métodos que nacieron en la Europa de la primera postguerra, en que personajes y acción los llegamos a conocer desde distintas posiciones psicológicas o espaciales. En el pasado siglo, este conocimiento emanaba siempre, de manera rígida o flexible, desde el alto sitial del novelista. En *Belarmino y Apolonio* existen entremezcladas dos narraciones: la de don Guillén, el canónigo, más lírica y empaquetada, que cae con insistencia sobre Apolonio y su mundo, y otra narración, la del novelista, que nos presenta la casa de huéspedes de Madrid y el ámbito de Belarmino en la vieja ciudad norteña de Pilares. Esta toma de vistas ambivalentes, esta ubicuidad crítica sobre los héroes, no la encontramos antes en nuestra literatura. Claro está, este procedimiento no había de ser tan amplio y feraz, y también tan natural, como el que más tarde se prodigó en la novela de Occidente. El origen entrañable de estas dos maneras es distinto: en Ramón Pérez de Ayala arranca acaso de una posición humorística, de una comprensibilidad humana liberal, de orden intelectual y de gran tradición nacional, y en los escritores continentales, de una sensibilidad estética, de un afán innovador de captar la vida en curso con más exactitud. Así vemos cómo en nuestro novelista, y motivado por su ascendencia y educación clásicas, los personajes se conservan inamovibles y unitarios en sus caracteres primarios, a pesar de la fluidez y dialéctica del procedimiento. En los impresionistas franceses e ingleses, los personajes se funden o se diluyen en el tiempo vivido, corporal y anímicamente.

Ramón Pérez de Ayala es escritor de forma escultórica y pétrea. Lo es su prosa y también su técnica. Estas naturalezas artísticas prefieren siempre buscar los tipos o, mejor, los arquetipos literarios de raíz tradicional, para trabajarlos con nueva mano y macerarlos con delectación. En *Belarmino y Apolonio* encontramos figuras como Novillo y Felicita, el padre Alesón, la Xuantipa, mujer de Belarmino, la duquesa desvergonzada y realista, el obispo provinciano y conformista, los padres dominicos y el francés dulcero Mr. Colignon, todos ellos caducos "clichés" de la vida y la novela y hasta del sainete españoles. Figuras ya bien metidas hasta el cuello de la literatura del ochocientos y reveladas repetidamente. Belarmino y Apolonio se sitúan en un plano realista, sin duda. Podemos asegurarles un antecesor ilustre en las genealogías de Galdós, Palacio Valdés o Eça de Queirós. Pero así como se disfrazaban los viejos héroes griegos o romanos en las tragedias neoclásicas francesas, así, y aun con menos esfuerzo, hemos de reconocer en el Pedro Infinito galdosiano, citado sólo por vía de ejemplo, al Belarmino de Pérez de Ayala. Con indagar este tránsito, testimoniamos ya la existencia de una frontera entre el realismo castizo y el nuevo realismo. En Apolonio, casi debemos decir, la caracterización de personaje de la Restauración se mantiene inconfundible. Personaje que ha sido trabajado con la misma simplicidad pasional o psicológica de sus abuelos ilustres. Personaje con sólo vistas al exterior y que en todas las situaciones del libro cae del mismo lado. Pero este personaje así construído necesita como antagonista a Belarmino. Ya que a toda esta novela, la vieja y la nueva, que se encuadran dentro de un realismo clásico, le era indispensable, no sólo el héroe sino su contrario, con sus funciones sustantivas de contraste, relieve y claroscuro, o, simplemente, de mera sombra. Con Belarmino, su autor ha logrado un libro de importancia humorística tan seria, que su aparición ha de consignarse como un atrevimiento. El humorismo de Pérez de Ayala ha de considerarse como muy distinto de ese otro que produjo figuras relevantes en la literatura del siglo pasado. Él eleva este humorismo, cuya raíz anímica en las dos versiones es igual, a otro plano más difícil, con una nueva dimensión, que no es la cuarta precisamente, pero sí una dimensión intelectual de oscura profundidad, que exige un lector adecuado, de fina catadura, avisado y hasta humanista. Belarmino no posee en su realización novelesca un análisis psicológico, a fondo, acendrado. Es posible encontrar todos estos elementos en Galdós, con extremosa perfección. Pero de momento, esta maestría no nos interesa.

En el nacimiento de Belarmino existe como una dificultad intelectual, un pecado original, que llega hasta el lector, su heredero legítimo. Un pecado que, en un novelista como Pérez de Ayala, tiene, en un exacto momento, su redención. Aquella dificultad no descansa en los métodos, sino en la personal concepción del héroe de Pilares. Realista es su círculo de vida, hasta castizo, la calle donde vive, la mujer que lo domina, el aire fosco y moral de su topografía española nata, todos los personajes que le rodean y hasta el artesanado zapateril que revive el sainete más regocijado. Pero su autor ha elevado a Belarmino

sobre lo cómico, lo asainetado y lo burlesco, escapando inclus
al humorismo sentimental o crítico.

Si no es un humorismo sentimental o crítico, llegaremos e
nuestras conclusiones a empadronarlo como un humorismo inte
lectual, único que nos queda en reserva. Más que intelectual
o bien como una variedad de éste, lo pudiéramos llamar: con
ceptista. No hay que olvidar que esta clase de humorismo est
insertado en una novela de realidades, con su tipificación ocho
centista. Tampoco tenemos que pensar mucho, por lo tanto, e
un Quevedo o en un Gracián, para no confundirnos demasiado
a pesar del reconocimiento de su punta moral siempre hincada
de su alegoría como vela de buen navegar. Pérez de Ayala er
un exacto hombre de su tiempo y su humorismo no participab
de ninguna de aquellas dimensiones: ética, alegórica o barroca
Este conceptismo es humanista y clásico, siendo especie qu
abunda en *Don Quijote* y en muchas figuras áureas, reconocien
do la distancia que existe entre un caballero andante y un za
patero de portal. Cuando llamamos conceptista al humorism
de Pérez de Ayala, intentamos separar, no confundir.

Así, lo podemos aislar del humorismo de Galdós o de "Cl
rín". En estos maestros, como en los viejos maestros clásicos,
los héroes humorísticos los vemos claros y discursivos en su c
tidianeidad vital, mientras su valor simbólico, cuando lo tiene
discurre oscuro y soterrado. En Belarmino, su vida sentiment
se muestra como un tópico grotesco, muy humano y en reliev
pero su vida intelectual o la de su individualidad estricta, nun
poseída de simbolismo, se nos aparece montada sobre un escorz
difícil y alambicado. Al mundo de estos contrarios hay que añ
dir su agudeza, un léxico demasiado alusivo o elíptico y has
una irrealidad de ingenio en oposición a su realidad vital. Bela
mino, en su composición y estilo, se erige como figura sin m

chos precedentes en nuestra literatura. Su humorismo, en algunos aspectos, lo creemos similar al de Pirandello, y uno y otro son productos de una sensibilidad artística en alto desarrollo de cultura y muy intelectualizada.

La primer cosa que salta a la vista es que Pérez de Ayala es uno de los novelistas más difíciles y osados que posee la literatura moderna española. Difícil lo mismo por su lenguaje y lo complicado de sus figuras que por su mundo intencional y conceptivo. Escritor altamente elaborado, producto de una gran historia de la novela, como ha sido la nuestra desde la Restauración, toda su obra merece una atención desusada y exigente. Uno de los primeros cuidados de la crítica sería estudiar su lenguaje, hecho deliberadamente y con el mayor tino para expresar una realidad humorística que, aun siendo tradicional, rebasa todo lo andado hasta llegar a conseguir un sonido extraordinariamente personal.

No estará de más enfrentarnos desde ahora con el estilo de nuestro novelista, estilo de humanista con propósito deliberado. Vamos a abrir una página cualquiera de su *Belarmino y Apolonio*. Dice así: "Desde la aldea se columbra la ciudad, caparazón que cubre una colina, como escamado peto de armadura sobre un torso yacente. Es armadura labrada de cobre y hierro, abollada ya, a trechos oro sucio, a trechos gris rojizo, a trechos verdinosa, de la corrosión de los años y de los óxidos. De un lado sale la torre de la catedral como lanza astillada, que aún se mantiene firme bajo la axila...", leemos en el capítulo octavo de este libro, y como inicial tema descriptivo de la ciudad de Pilares. Si pasamos de la descripción topográfica al diálogo de alta caracterización, don Guillén, en la misma novela, nos dirá: "Además los melodas litúrgicos, enamorados congojosos de la castidad, hacen a menudo grandes gestos de conjuro para ahuyentar las visiones impuras". Y si nos detenemos en la mera relación de los hechos, también en *Belarmino y Apolonio* aparecerá: "Buscábanse sin cesar Anselmo y Felicitas, vivía el uno para el otro, pero la Némesis antojadiza había herido de mudez a Anselmo y colocado entre los dos, además de esa barrera de silencio, un ancho valladar infranqueable, aunque de aire puro y transparente".

Aquí y allá vemos la incorporación de un estilo literario, con su personalidad incuestionable, y en donde imagen y humor van muy bien soldados. No lo podemos confundir ni con el de los escritores de la Restauración, con ninguno de ellos, ni aun con "Clarín", el más presuntuoso dentro del general estilo llano de aquellos maestros. Ningún literato del 98 sería capaz de escribir una página como la citada, por falta de una sensibilidad adecuada. Ni Valle-Inclán mismo, con su máscara de poeta modernista, que conoció bien el juego de las metáforas altisonantes. Ninguno de ellos intenta esta cobertura dramática o humorística de las cosas o de los sentimientos, a través de un lenguaje tan poco natural. Se puede decir que esta prosa de Pérez de Ayala no tiene un reconocido precedente, pero que está hecha sobre importantes vetas estilísticas de nuestra literatura, más antigua que moderna. Hemos dicho que es poco natural y también que es muy elaborada. Pero los estilos de Ricardo León y Ramón Gómez de la Serna también merecen esta caracterización y salta a la vista que ninguno se asemeja. Mejor debiéramos afirmar que la prosa de nuestro autor es de un "artificio natural" y la adecuada a un proceso selectivo y expresivo que va subiendo desde la Restauración, a través de la generación del 98. Pero esta subida se hizo por una vertiente distinta de la que se esperaba, no por aquella que habían abierto "Azorín" y Baroja.

De una manera general debemos decir que el estilo literario nos recuerda un poco el vuelo de las aves. No todas vuelan del mismo modo. Las hay de vuelo rápido, de vuelo a vela vibratorio, a remo, por deslizamiento. Aquella aptitud congénita, cada ave, según su buen saber y entender, la verifica sobre la marcha, desde su pequeño tesoro vital. El ave no sólo es capaz de estar suspensa en el aire, sino que además se traslada. El escritor necesita de esa suspensión y también de esa traslación. Para trasladarse, siguiendo el impulso de su pensamiento, describe, narra, analiza, dialoga y sitúa. Las palabras, en el espacio, van horadando el aire y realizando un tiempo simultáneo e irreversible. Estas maneras se van quedando grabadas en el espectador del vuelo de un ave, vivas en el cielo de una tarde transparente de verano, y también en el lector de una novela de Pérez de Ayala. No se puede decir que una de estas aves vuele mal y que las otras vuelen bien. Todo dependerá de nuestra mirada, reconociendo unas notas o caracterizaciones en aquel vuelo que nos acercarán hacia un estilo y nos retirarán de otro.

En este grupo de escritores que hemos señalado con exactitud, Pérez de Ayala, en su estilo literario, nos recuerda el vuelo a remo de las aves. En él no todo el estilo es igual o monocorde, como sucede en el vuelo por deslizamiento de Baroja. Tampoco es un vuelo a vela vibratorio como el de "Azorín". Es un estilo que nos descubre siempre un esfuerzo, un trabajo en la punta de su trayectoria, el más brillante, donde cae el acento, precedido y seguido por un valle estable y normal. El lector asiste al trabajo del remo de las alas, las cuales, apoyándose contra el aire, realizan el instante dramático que da el impulso. Sobre este impulso vive unos segundos el movimiento dado hasta esperar el otro impulso sucesivo, cuyo ciclo total irá creando el viaje. Este estilo es esforzado, brillante, trabajoso y de alto relieve. La palabra aparece cincelada en piedra, buscada y acoplada con fuerte tensión, estudiada y hasta golpeada para obtener el filo más agudo y el seno más coruscante.

En esta manera estilística existe una ascensión constante hacia un alejamiento del "escribo como hablo" de Juan de Valdés, ascensión que nos llega desde el realismo moderno novelesco, Galdós-Pereda-"Clarín", pasando por "Azorín"-Baroja-Valle Inclán, para terminar en Pérez de Ayala y Gabriel Miró. Las formas llanas del naturalismo ochocentista obtienen un grado de estilización en la generación del 98, incluso en Pío Baroja, a pesar de su descuidada gramática, hasta subir a una alta temperatura estilística con los últimos escritores citados. Sus distancias son equivalentes a las que van desde Santa Teresa a Fray Luis de León y al culteranismo. Estos ciclos literarios se nos aparecen con su cierto movimiento biológico y con carácter irreemplazable. Se presentan siempre en nuestras letras, como en la de todos los países, con las variaciones que supone el poseer epicentros normativos distintos. En España, ya sabemos, este epicentro no es clásico, a pesar de Cervantes y de Galdós, ponemos por caso.

Hemos de extender este estilo de Pérez de Ayala no sólo a las descripciones y a la narración propiamente novelesca, sino también a su composición, psicología, y humor o dramatismo. En su estilo esencial, y olvidándonos adrede de sus alardes clasicistas, de sus entrefondos antiguos y de su sentido de la preceptiva aristotélica, Pérez de Ayala rebasa todos estos círculos para caer en lo barroco, no escapando a esta significación su prurito realista que, al fin y al cabo, pertenece de hecho a la caracterología estética española.

VARIACIONES Y CONTENIDO

Pérez de Ayala ha sido escritor que en cada novela se nos viene encima con una nueva máscara. Una máscara esencial, sin duda. No hay en él un andar seguro y mantenido, fluyente, de natural crecimiento. En esto no se parece a sus antecesores, Pereda, Galdós o Baroja. De uno a otro libro, el mundo fenoménico novelesco cambia. Y con él, la técnica y la mano de obra. Todo esto lo acredita como uno de nuestros más ilustres humanistas, uno de los pocos que nos quedan, y de tal curiosidad intelectual, que lo mismo escribe poemas, que hace crítica de arte, de teatro o de toros, que redacta novelas, hace política y viaja por el mundo, todo a la mayor gloria de la "inteligentzia". Medir la distancia que separa a *A. M. D. G.* de *Troteras y danzaderas*, *Belarmino y Apolonio*, *Tigre Juan* y *Los trabajos de Urbano y Simona*, es tarea muy cuantiosa. El tono, la arquitectura y la caligrafía de Galdós y Baroja son siempre iguales. Varían los escenarios, los personajes, la acción y el motivo intencional, pero todo lo demás permanece. Novelistas que encontraron su artesanía propia y que la ejercitan sin dilación, naturalmente, con espontaneidad. Así escriben decenas de novelas, como el zapatero hace sus montones de zapatos o el gamo corre distancias por el prado. Pérez de Ayala escribe sus novelas, no diremos que con dificultad, pero sí con un arte excepcional, de extraordinaria invención. Unos escriben como el perro nada cuando lo arrojamos al agua. El otro se comporta a la manera del hombre cuando intenta nadar.

Troteras y danzaderas fué novela de crítica epocal y de vida española, que se asemeja, sin duda, a *A. M. D. G.* o a *Belarmino y Apolonio*. Pero las tres difieren notablemente. Mientras la segunda es un relato de contextura impresionista, personal, fugaz y redactado como si se caminara sobre la punta de los pies, *Belarmino y Apolonio* es narración lenta, de trabajados caracteres, de prosa espesa y humor humano. La primer novela, con distinto artificio que las otras dos, se constituye como relato, acción y vida moral de escritores, bailarinas, hampa literaria y teatralerías de un Madrid determinado y con su clave de época, y está escrita en parte y críticamente sobre el aire peculiar de la novela erótica del momento y con un reconocido naturalismo. Nuestro autor no pudo escapar a estas influencias. Él se sitúa entre unos y otros.

Esta novela erótica, cuyo desfile triunfal duró cerca de veinte años en nuestro país, tocó muy de cerca a Pérez de Ayala. Su posición con respecto a ella merecería una consideración. Nuestro autor se nos presenta como un liquidador adelantado de la especie, y su relación no va más lejos que la que existe entre el petróleo natural y los grandes animales marinos antediluvianos, en cuya descomposición se fraguó aquél a través de edades remotas. La sensibilidad de nuestro novelista, extratemporal por su clasicidad, no le permitía afincarse en este orden de cosas. Así nos es fácil observar que él sólo vivió de prestado con relación al género erótico, con un cierto mimetismo epocal, y únicamente encuadrado en aquel panorama por su asunto, tipos y descripciones. Teófilo Pajares, el poeta mediocre, que desde la provincia viene a la conquista de Madrid, y su amigo Guzmán, escéptico y cultivado; Rosina, la tonadillera desvergonzada, y Verónica, la bailarina apasionada y honesta, la madre del poeta con su melodrama a cuestas, los "extras" de la casa de huéspedes, los del Círculo de Bellas Artes, los de entre bambalinas y los de la prostitución, todas estas figuras o figurones tejidos con unos amores frustrados, unas anécdotas con clave y una cierta picaresca sensual, dan a esta novela una etiqueta inconfundible. Pérez de Ayala, ante este material humano, toma posiciones: unas veces, una posición a lo Quevedo, satírica y desdeñosa, otras, una posición de humanista, comprensiva y estudiosa —recordemos la experiencia Desdémona-Verónica, la visita a los prostíbulos con la virgen provinciana, etc.—, y, por último, una posición divertida y hasta pagana, a la manera del Arcipreste de Hita. No debemos olvidar que en el fondo de todo esto existe una simpatía, como la del hombre de la calle de su tiempo, que estimaba que esta novela erótica, adobada con una buena literatura, constituía el arte vivo, "realista", de una época importante. La historia de la madre del poeta, la caída de Márgara, el decurso espiritual de Verónica, son temas todos tratados seriamente por el autor. Pero Ramón Pérez de Ayala era incapaz de mantenerse abajo, sobre la calle y sobre una narración ligera, por muy dramática que fuera. El ascendía en seguida a su personal plano de movimientos, a una lucubración superior, y que alcanzaba hasta una metafísica del pecado, de la carne, de los instintos o de una moral.

Troteras y danzaderas tiene de todo y es posible criticarla desde distintos sitios. Con respecto a la novela erótica, Pérez de Ayala adoptó un punto de vista similar al de Cervantes con relación a los libros de caballerías. A pesar del título de la obra, nunca nos atrevimos a pensar que nuestro autor mirase aquel mundo con los ojos del Arcipreste, ya que su sensibilidad y su formación, tan intelectuales, se lo hubieran impedido. A veces, Pérez de Ayala se nos presenta como un Aldous Huxley, adelantado en el tiempo, ya que *Contrapunto* posee temas y variaciones muy semejantes a los de *Troteras y danzaderas,* reconociendo las diferencias de clima y moral. La manera de llegar los dos novelistas a la novela les acercaba, por su sentido de deporte, de experiencia y de problema. Hasta su formación humanista, que alimentaba el nacimiento del ojo crítico o satírico.

Con la publicación de *Tigre Juan* y *El curandero de su honra,* sus dos últimas grandes novelas, Pérez de Ayala reincidía con más vigor y acritud sobre las formas de *Belarmino y Apolonio.* Es decir, que hay otro regreso o una continuidad en la creación de caracteres, entendidos éstos como un comportamiento moral bien alineado sobre una trayectoria psicológica. La novela se ha hecho más sencilla, a fuerza de estilización y despojamiento. La clasicidad de la figura sobresaliente parece sacada de una comedia de Molière y como trabajada sobre el arte del teatro.

El mismo tema, tema del honor, ha de suponerse arrancado de *El médico de su honra,* y se revela por su humor y comprensión humanos, como si hubiera sido extraído desde la tragedia española por las manos de Molière. *Tigre Juan* vive dentro de la genealogía de su antecesor Belarmino. No tanto como un carácter literario, sino por la manera como su autor lo observa y lo trabaja. El primer libro cae dentro de un tiempo lento, de presentación y de análisis individual fisionómico. Tigre Juan asume toda la responsabilidad de la obra y se mueve como un primer actor que da quehacer a todos los personajes. La novela queda compuesta con el máximo rigor intelectual, con el discurso más racional. Colás, el hijo adoptivo, donde Tigre Juan se proyecta sentimental y moralmente, Vespasiano, contrafigura de Don Juan, graciosa maqueta teórica de una biología del Burlador, Herminia, la mujer de Tigre Juan, tan esencialmente femenina, y doña Iluminada, que nos recuerda a una Herminia en su fase tardía, ya malograda, y que actúa un poco al modo de un *Deus ex-machina* del acontecer novelesco, todos estos elementos se ajustan intelectualmente para marcar la magnífica acción y alimentar la savia dramática. Todo se adecua aquí para amasar un realismo clásico incuestionable, donde lo teatral, la pasión esquematizada y el decurso moral se presentan limpios y acerados. Es posible que, para un lector actual, todo esto sea de extraordinario artificio. Siempre nos sentimos ante esta novela como si estuviéramos sentados en una primera fila de butacas.

Pérez de Ayala se luce por su estilo repujado, y su arte de novelista lo traduce espléndidamente a través de una actitud partidista personal, de un lirismo poemático, de un humorismo subjetivo y entrañable. Nuestro escritor ya abandona la omnisciencia de los maestros ochocentistas, ganando contemporaneidad y formas de singular relativismo. La verdad es que él nunca dejó de ser el autor de *A. M. D. G.*, su primera novela. Su espíritu crítico y hasta satírico, de escritor español que vive en circunstancias históricas dadas, reaparece en *Tigre Juan*. Ya no es una sociedad determinada, ni una institución política o religiosa, el blanco de sus censuras. Es todo un contenido moral, un tejido biológico fundamental del ser español que se abre sobre dos tópicos, Don Juan y el honor, sobre los que Pérez de Ayala incide su crítica. Estimamos que rebasa aquella crítica ochocentista de mirada histórica y liberal, llegando hasta un pragmatismo de alta calidad realista. A veces, nos recuerda a Galdós cuando trata el tema de la casta y de la herencia, en su pervivencia medieval de *El abuelo*. Pero el autor de *Tigre Juan* sobrepuja esta situación, modernizándola y dándole un tono de tragicomedia.

En nuestra novela aparece la voluntad incontenible de trabajar el carácter y la acción dentro de un cierto molde preceptista. A esto hay que añadir el deseo de incorporar al relato el último debate sobre Don Juan, que enriqueció con importantes descubrimientos la crítica española. Esta pugna se manifiesta en el diálogo rebuscado y significativo, sobre una cierta realidad artificiosa. Esta realidad se hace arrebatada en la segunda parte y hasta inconsistente, y se produce dentro de unos cuadros escenográficos que lucen sus aires de maqueta ilustre, con osamentas poderosas a lo Unamuno, pero ausentes de buena sedimentación psicológica. Así, la huída de Herminia al prostíbulo de Pilares, su regreso a la casa, el frustrado suicidio de Tigre Juan y la paternidad copiosa del héroe. El capítulo que expresa cómo fluyen las vidas de Tigre Juan y Herminia, separadas pero paralelamente discurriendo, no llega a representar plásticamente el ideal contenido, convirtiéndose en acción y discurso lo que debiera ser poemática presencia.

A pesar de todo, *Tigre Juan* se salva siempre por la altura de sus preocupaciones, por el estilo literario muy personal y por su sabor de tragicomedia, tan castizo, y se erige como una de las más bellas novelas de este tiempo. Nosotros seguimos prefiriendo *A. M. D. G.*, la novela primeriza e incierta, donde se mantiene la trayectoria de la generación del 98, impresionista y sensitiva. Sin caracteres, con retratos hechos al lápiz, sin acción, con mínima anécdota y emotiva. Sin barroquismo estilista, dotada de una narración que casi no describe ni analiza. *A. M. D. G.* tiene una fragancia y una sutileza que no es fácil encontrar en nuestra literatura.

SITUACIÓN Y SINGLADURA

Al llegar aquí, a *A. M. D. G.*, que es por donde debíamos haber empezado, pues se trata de su primera novela seria, nos damos cuenta de que en este estudio falta la demarcación literaria de Pérez de Ayala.

Cuando nuestro autor comienza a escribir, ya una generación

se había puesto a hacerlo con personalidad extraordinaria. Baroja, "Azorín" y Valle-Inclán tenían lanzados libros fundamentales, que nos indicaban la naturaleza de su arte, el índice de problemas que les afectaban y el espíritu de su crítica, y hasta su forma específica. Esta generación había crecido en enemistad y como oposición a la que le precedía. No tanto en el mundo de las ideas cuanto en su morfología. No cabe duda de que los escritores de la Regencia establecieron una novela crítica, realista y clasificadora de la vida española. Se escribió contra una serie de cosas. Estas mismas cosas fueron atacadas por los nuevos artistas, y sólo varió la posición filosófica o vital. La incompatibilidad entre unos y otros nació sobre la manera de cómo el realismo, que tenía que expresar aquella vida española, había de entenderse. Importaba sobre todo la índole del arte que se manejaba, que debía ser lo suficientemente capaz para aprehender con viveza e integridad el mundo circundante. La situación española se presentaba equidistante de la reacción antinaturalista francesa y de la trayectoria inglesa de postguerra, la que encabezaba Virginia Woolf frente a Galsworthy. El debate parecía abarcar no sólo a los elementos ideológicos, sino también a los elementos formales. No se trataba únicamente de una situación política literaria, caso de Francia, ni de una situación deshumanizada y gratuita, caso de Inglaterra. Se participaba de las dos. Lo cierto es que nuestros escritores, los novelistas a quienes aludimos aquí, Baroja, "Azorín" y Valle-Inclán, empezaron a componer novelas de distinta manera a los viejos maestros. Fué un viraje en redondo. Una literatura impresionista nace y es fácil caracterizarla por el subjetivismo del relato, por la levedad o sutileza del análisis, por el acuarelismo descriptivo, aun teniendo bien en cuenta las distancias extraordinarias que existen entre unos y otros, en sus ideas, temas y composición. Esta generación del 98, efectivamente, lanza un nuevo estilo. Un estilo para cada uno, personal e intransferible, frente al estilo llano y comunal de sus progenitores.

Era de esperar que cuando estos novelistas fueran camino de la madurez y de la consagración, los otros, los más jóvenes, los que iban apareciendo en los primeros años del siglo, engrosaran aquellas formas para constituir un frente común de trabajo. Este fenómeno es frecuente en la historia de las artes. Pero, en España, no sucede así. Por lo menos, en este caso, con el grupo de escritores que sigue a la generación del 98. Nos referimos concretamente a Pérez de Ayala, Gabriel Miró y Gómez de la Serna, sin aludir a Felipe Trigo y a Ricardo León, con su tipología excepcional, que se manifiestan por el mismo tiempo.

Los tres escritores indicados se separan de sus predecesores, aun cuando se puedan admitir unas ciertas paralelas de identidad. Se mantiene el estilo personal y el mundo de vivencias estéticas. Pero los tres caen bajo un signo barroco, como los anteriores cayeron dentro de una literatura impresionista. "Azorín", Baroja y Valle-Inclán sugerían las cosas y los hechos y se expresaban siempre a través de líneas finas y con manchas leves de acuarela. Una situación o un paisaje no alcanzó nunca el empaque y la reiteración plástica del cuadro de caballete. Se hacían novelas con colores planos o con brochazos dispersos. Las figuras, aun extraordinarias, no pasaban, dentro de su expresividad, del esbozo, del rastro fugitivo, del arte ligero y alusivo.

Miró, Pérez de Ayala y Gómez de la Serna, trabajan todos sus novelas en un círculo de aproximadas dimensiones. Este se mide sobre el barroco expresionista del maestro de la greguería, alargado hasta el barroco poemático y escultórico de Miró, pasando por el barroco realista de Pérez de Ayala. Las fuentes de iniciación son diversas en cada uno de ellos. Pero siempre sorprende que el estilo esté, en todo momento, trabajado a mano, apareciendo como amasado o repujado, con su alto relieve, fraguado sobre una reiteración retórica —de una manera de retórica, se entiende, pero retórica al fin—, y dotado de poderosa pesadez sensorial y eminentemente antinarrativo. La composición novelesca traba fuertes individuaciones, con tendencia al arquetipo. Estas figuras, muy limitadas en su quehacer y necesidad, están hechas con materias tangibles de primer orden, pero sobresalen por lo unilateral o por lo inconmovible. Su vía formativa nos recuerda aquella piedrecita o mata de arbusto sobre la que el viento del desierto, al tropezar, mientras traza evoluciones y pierde velocidad, va depositando sus granos sueltos de arena a lo largo de las horas y eleva un montículo, primero, y luego una loma.

Todos estos novelistas manejan una cierta escenografía barroca, con sus círculos envolventes emocionales y una concentración ofensiva sobre sus héroes, cuya textura estática es inconfundible. Existe un tiempo premioso en estos escritores, como si el tiempo estuviese sentado. Así se nos aparecen *El Obispo leproso, Trigre Juan* o *El Acueducto de Segovia,* libros todos de gran efectismo y todos dotados de una perspectiva dramática o humorística acrisolada y embetunada.

Pérez de Ayala, con sus claros antecedentes ochocentistas, se expresa en un barroco realista modernizado, puesto al día. Efectivamente, resucitó una escuela de trabajo que ya había entrado en las academias. Acción, caracteres y pasión, con su moral evolucionista, fueron presentados con gran humor e inteligencia. Pérez de Ayala cayó sobre aquel realismo con un cierto afán reivindicador. Fué como uno de aquellos satélites que, en las primeras edades de la tierra, al precipitarse sobre ésta, provocaron un considerable incremento de su masa, haciendo posible la exis-

tencia de aquel saurio volador, que en las actuales circunstancia
de la atmósfera no se hubiera concebido.

Vistas así las cosas, estos tres novelistas, de cierta manera
entorpecen la evolución natural de la generación del 98, la úni
ca fuerza legítima de este período histórico. Hay que reconocer
los como peligrosos carlistas, amigos de guerrillas y pronuncia
mientos. Pero ya sabemos que en España, este estado de cosa
ha producido espléndidas páginas nacionales de independencia
líricas o plásticas. Pérez de Ayala, como Gabriel Miró o Góme
de la Serna, todos han permanecido solos en su singladura. Ba
rrocos por naturaleza, adversarios de toda continuidad, recuerda
a esas islas sospechosas que durante un momento emergen sobr
el mar y luego esconden sus crestas, asombrando por su salvaj
individualidad. Con estos tres hombres no pudo nunca pensars
en un nuevo clasicismo, similar al que se produjo en la literatur
francesa, especialmente en la novela, cuando terminó la primer
gran guerra. Parece como si un retorno al clasicismo fuer
siempre difícil en España, por métodos de sedimentación y ma
durez. Esta situación nos afirma que para el español las forma
barrocas son las más fáciles y llevaderas, aunque no las má
estables.

A veces pensamos si este estado de anarquía de nuestra no
vela, con la ruptura de un crecimiento literario natural, no h
sido el origen del largo paréntesis de desgana y tontería que he
mos padecido durante más de un lustro. Pero no debemos dete
nernos en esta historia vieja, sino ocuparnos de los valores extra
ordinarios de nuestro novelista. Pérez de Ayala fué siempr
escritor de vivas preocupaciones formales que llenaban no sól
su prosa, sino también la composición, la arquitectura y hasta l
morfología del libro. Pasados los años, aún se puede aprende
y gozar con muchas cosas de sus novelas. Ya dijimos cómo *Be-*

larmino y Apolonio, a pesar de sus elementos ochocentistas y barrocos, se adelantaba en el tiempo a importantes descubrimientos de la novela europea.

Recordemos que el libro comienza con un canto apologético de las casas de huéspedes españolas, desentrañando su historia, su filosofía y su valor dentro de la sociedad. Llega don Guillén, el Canónigo, orador de la Capilla Real en las ceremonias de la Semana Santa, uno de los héroes de la novela. De una parte, aparece la narración de los sucesos, con sus comentarios, que nos llega a través de don Guillén, mientras, por otra, el relato sigue su curso independiente. A veces, estos dos tiempos del libro se entrecruzan y no sabemos dónde situarnos para deslindar el camino objetivo de aquel personalísimo don Guillén. Ciertas escenas de *Belarmino y Apolonio,* incluso las más fundamentales, son expresadas hasta dos veces y los planos se superponen, arrastrando sentimientos y vivencias distintas.

Estas preocupaciones de Pérez de Ayala dejan su lastre teorético para convertirse en materia novelesca entrañable. El problema del tiempo, mejor dicho, el tiempo como problema, que tan poderosa inquietud estética manifiesta en toda la literatura europea de esta época, hace mella en nuestro novelista, quien con su arte lleva a cabo importantes experiencias en muchas de sus obras. En *Belarmino y Apolonio,* casi al empezar la lectura, nos tropezamos con la Rúa Ruera, la más notable arteria urbana de Pilares, donde vive el héroe, y nos es presentada, no por el autor o por don Guillén, sino por otros dos personajes, transeúntes y contradictorios, quienes nos describen la calle desde dos visiones distintas. Brota como una visión diafenomenal de las cosas y de los individuos, oposición y debate que va a parar a una visión completa y viva. Se puede decir que esta visión no es más exacta en la novela de Pérez de Ayala, pero sí más viva, a pesar de lo difuso de la misma. La expresividad de lo representado nos acucia y nos arrebata. Como hemos dicho, esta visión fenomenal no llega únicamente a los objetos y a los estados, sino que traspasa esta realización para alojarse en el espíritu de los personajes. Al terminar el libro, no sabemos positivamente cómo es Belarmino. Desde un ángulo psicológico, entendido a la manera tradicional, se ha perdido caracterización. Belarmino no es el héroe construído por el mismo barro creador, trabajado por una misma mano. Hay sobre él, caídas, muchas manos que han intentado desentrañarlo, cogiéndolo y aupándolo hasta nuestra consideración. Existe como un relativismo en la concepción del personaje. Un relativismo adrede, intencionado, recurso imponderable que nos lleva al supuesto mejor conocimiento de las personas o de las cosas. La visión humorística y liberal de Pérez de Ayala es posible que arranque de esta manera de trabajar sus seres de ficción. Todo esto nos indica la alta postura intelectual de nuestro autor.

Resumiendo la naturaleza o la posición estética y moral de nuestro artista, se pueden decir muchas cosas. Sorprende, primero, el valor de ensayo que tienen sus novelas, o cómo las formas del ensayo contemporáneo se han entremetido en ellas. No creemos que por esto sus novelas dejen de serlo. Indica, simplemente, el afán de nuestro escritor de tratar el "género" desde un punto de vista problemático, de crecimiento o de crisis, y el reconocimiento de la necesidad que existía de revitalizarlo con elementos extranovelescos, como en otro tiempo se hizo con la historia o con la psicología. Su situación era difícil, no por falta de instrumentos teoréticos adecuados, sino por la contextura material de su prosa, de su prosa inventada, tan poco propicia a la narración tradicional, continua y bien empastada. De todas maneras, Ramón Pérez de Ayala llevó a cabo sus experiencias y ahí están con su aguerrida voz y su buena voluntad de reincorporarse a las inquietudes europeas del momento. Estos deseos innovadores encontraron, por otra parte, un buen vehículo operante en el sentido humorístico de nuestro novelista, tan personal y humano. Toda su obra está exudando un fundamental humorismo, consustancial con su visión del mundo. Hasta su prosa, largamente elaborada y barroca a su modo, un poco vuelta al revés, no se concibe sino desde este ángulo de comprensión. Él no describe, no narra ni compone sin que una vena gruesa del humor lo riegue todo.

Todas las importantes figuras creadas por Ramón Pérez de Ayala han de entenderse así. Belarmino y Apolonio, Tigre Juan y Herminia, Urbano y Simona, y los otros muchos personajes de sus novelas, están concebidos, estudiados y expresados humorísticamente. Pero el mayor atrevimiento de nuestro autor no es sólo éste. Al fin y al cabo, la literatura española está plagada de criaturas situadas dentro de este orden vital de cosas, desde Cervantes a Galdós. Más difícil de encontrar es la carga repleta de humor de la misma prosa, de tal manera que no llegamos nunca a saber si ese humorismo trasciende de sus héroes, hasta teñir ambiente, moral y escritura, o si es la escritura el principio de su creación artística. Fluyendo desde aquella prosa, todo lo invade un ancho río de humor. El estudio de esta prosa lo creemos muy importante y su investigación nos daría muchas sorpresas y extrañas realidades.

Ramón Pérez de Ayala ha tenido graves preocupaciones estéticas a lo largo de toda su obra. Es precisamente esto lo que le coloca al lado, con dignidad, de los buenos novelistas occidentales de su época, los que anteceden y siguen a la primera guerra mundial. Su preocupación por el tiempo se manifiesta muy claramente en *Belarmino y Apolonio* y en *El curandero de su honra*. En nuestro escritor, éste aparece siempre en forma teorética, no en forma continua y esencial como en Marcel Proust, tan natural y ajena a todo discurso intelectual. Esta preocupación en el novelista se traduce en su voluntad de establecer un tiempo vivido para todos los personajes, distinto del tiempo físico, y en verificar un tiempo general de conciliación entre los mismos. La ambivalencia de las figuras y la visión diofenomenal de las cosas son otros puntos ofensivos de su inquietud trascendental, que ya hemos puesto de relieve. Además, no debemos olvidar, entre sus preocupaciones más fuertes, esa su manera crítica de enjuiciar las costumbres, la tradición y los héroes españoles, tan necesaria a toda buena novela. Esta crítica tuvo en Pérez de Ayala casi un espacial sentido ontológico, con su categoría de ensayo, y un poco separado de la historia y de la moral como norma. Todos estos elementos apuntados han hecho de nuestro novelista una figura singular, cuyos libros se esperaban siempre —en cada libro se nos aparecía con una nueva máscara y con un nuevo valor— con inusitado interés en su tiempo. Pero Ramón Pérez de Ayala dejó de escribir de la noche a la mañana. Hace veinte años que no escribe una novela. Le nacieron otros desvelos y cuidados, y con éstos su gran vena de humor tradicional y revitalizador se cegó. Es verdad que el humor casi ha desaparecido del área de la novela europea, pero es difícil que desaparezca totalmente de la novela española. Nos ha quedado un humor negro, liso y corrosivo, que supone una radical ruptura con el humor barrocamente empastado, brillante y de amplio y vario cromatismo, que fué el que inventó y cuidó el autor de *Belarmino y Apolonio* a través de dos o tres obras ejemplares.

OTRA VEZ GABRIEL MIRO

NOVELA Y ESTILO

Alguna vez hemos ya indicado que nuestro ciclo naturalista de la novela del ochocientos, de Alarcón a Galdós, careció de un estilo literario. Todos aquellos escritores se expresaron muy bien sin tener la noción de eso que se llama estilo. Es más, esa manera o cosa, nunca se les presentó como algo objetivo, ni se lanzaron a la tarea de alumbrarlo en lo escondido de su personalidad. Esta situación es común no sólo a los novelistas españoles, sino a todas las generaciones de novelistas europeos, lo mismo ingleses, de Dickens a Hardy, que franceses, de Balzac a Zola, si separamos el insólito paréntesis de Stendhal y de Flaubert. Fuera de esta generalización no quedan, de ninguna manera, ni Dostoieswki ni Tolstoi. Todos escribían dentro de unas formas simples, coloquiales, comunes. Al fin y al cabo, estas formas se han constituído en estilo. Pero lo que queremos decir es que sus problemas y sus preocupaciones fueron sólo temáticos, ideológicos, históricos y psicológicos o morales. Todo lo más llegaban hasta los valores ontológicos de la realidad. Se escribía en el tono llano de la calle. Este tono, esta medida y este ritmo pertenecían a una clase social, la de la burguesía más progresiva, políticos medianos, comerciantes, burócratas, rentistas y los que lucían el certificado de una profesión liberal. Cuando de estilo literario se trataba no iban sino hasta el énfasis romántico. Todo esto quiere afirmar que aquel estilo nunca fué considerado como una forma estética o como una fábrica de arte. Fué una escritura impersonal, de orden democrático. Tanto como el que le había de suceder era personalísimo y de inspiración jerárquica. La voz de estos escritores se emitió siempre con la voz natural de nuestra expresividad corriente. Educar esa voz, elaborar otra voz o ya sólo modular un canto elemental, llegó a ser empresa que no inquietó nunca a los viejos maestros.

Con el estilo viene la retórica, sin duda. No esa retórica de que abominó siempre Pío Baroja, que es un especial argot retórico que él odia y que nosotros también odiamos. Objeto académico inventado para dar margen al nacimiento de la antirretórica, que, al fin y al cabo, siempre ha sido un estilo y una retórica. Cuando hablamos de estilo y retórica queremos expresar que la palabra escrita viene a ser como una piedra que hemos de trabajar, pulimentar y, en definitiva, formar, aun cuando sólo sea para conseguir esa piedra simple del borde de los caminos que en su anonimato y en su significación impersonal se ha hecho bella por la voluntad conjugada de la geología, de la física y del tiempo. Los novelistas del ochocientos son irreconocibles en sus formas y en su mera literatura. Su estilo carga sobre otros lados del edificio artístico, héroes, hechos o ideas. Un personaje de Galdós es pronto identificado, aun leyendo con los ojos cerrados. Una página de Galdós, la sinfonía de palabras redactadas, pronto podrá ser confundida con otra de Alarcón o con otra de Palacio Valdés, aun leyendo con los ojos abiertos.

La llamada generación del 98 y sus epígonos, aparte de otras muchas cosas, lanzó una ofensiva terrible para cercar y capturar un estilo. Todos los héroes de "Azorín" o de Baroja e, incluso los de Valle Inclán parecen emparentarse en su espíritu y en sus hechos. Lo que es inconfundible en todo momento es su estilo literario. Cada cual inventó una forma para su piedra. Hemos de afirmar que antes de la aparición de este grupo personalista ya una retórica y hasta un estilo habían saltado, con su salto poderoso de caballo desbocado, en el paisaje literario. Blasco Ibáñez escribió con una retórica, cuyos gastados caracteres son bien conocidos. El orbe de las cosas fué presentado con una ornamentación plástica que no tenía precedentes españoles en el ochocientos. Después, la generación siguiente pudo con más facilidad, allanado el camino, darse con fuerza a la creación de formas literarias. Estas formas culminaron en Gabriel Miró.

Hemos de admitir que estilo y novela, por lo menos en España, no son consustanciales. Se debe afirmar que a mayor estilo, menor novela. Así, en nuestro siglo veinte, el novelista más novelista, Pío Baroja, es quien anda más lejos de un estilo literario. Y, precisamente, quien crea el estilo más estilo, Gabriel Miró, es el menos novelista de todos. Un estilo en España, al menos un estilo importante, no se concibe sino adherido a una expresión barroca. La novela hay que entenderla constantemente en su función frente al lector, intentando intuir qué intereses sirve y cómo los sirve. Todos sabemos que la novela fué un objeto creado por y para la burguesía occidental. Un objeto occidental por los cuatro costados. Cuando los burgueses se terminen, si es que se terminan algún día, y con los burgueses los comerciantes, los políticos y las profesiones liberales, los empleados y las mujeres de su casa, la novela habrá terminado también para regresar a otra cosa, sea a la épica o a la riña de gallos. Algunas formas del barroco en la novela tienen una vida muy perecedera. Su realidad sólo ha valido como notable experiencia, como punto de partida para que la verdadera novela, hecho realista o impresionista, se expansione. Todo esto lo hemos visto desde las famosas invenciones del barroco español hasta el *Ulises*, de Joyce, y la novela expresionista alemana. (Del expresionismo norteamericano habría mucho que hablar.) Meter en un mismo saco a *Don Quijote de la Mancha*, la picaresca y Madame de Lafayette, como intentan los historiadores últimos del barroco, es una empresa muy atrevida, donde se confunde el natural crecimiento del género, cualquiera que sea su estética, y la estética misma.

Hay una incompatibilidad entre ese barroco *sui generis* y la novela. Por eso a Gabriel Miró no lo reconocemos como novelista, sino sólo en parte. Antes de que llegue la forma barroca y su prosa específica, ya nuestro escritor ha erigido su existencia barroca ante el mundo. A él no se le ha colgado lo barroco, con más o menos gracia, como los muchachos cuelgan el rabo a la cometa que lanzan al cielo. Todos los preceptistas de la novela reconocen que el alma del novelista pondera hacia las cosas. Antes que nada, el novelista es el hombre que busca, por instinto o vocación, un plano de proyección singular entre las cosas y él. Aquella situación puede variar, pero estamos seguros de que nunca llegaremos a escribir una buena novela si las cosas que están fuera del novelista, por una especial actitud del artista, de pronto se encontrasen dentro del novelista mismo, convertidas en lírica vivencia. No se puede ser gran novelista sin antes haber comprendido el mundo en su total objetividad, sometiéndolo y manteniéndolo a distancia. Esta distancia se convertirá, ya en la obra de arte, en fluencia narrativa, en descripción impersonal, en análisis desinteresado, es decir, en una serie de notas adyacentes a este arte, que facilitan su lectura y corrigen toda la hostilidad que dificulta la penetración pacífica en el reducto individual del lector, que es por sí otro mundo en colisión natural con el que llega.

Estamos hablando de formas estéticas y de técnicas, no de las ideas metafísicas o políticas del artista ni de la psicología ni de la moral. Un novelista barroco como Gabriel Miró, por su propio barroquismo, es el novelista que no allana nuestro camino de lector. Es más, que lo obstaculiza colocando piedras maravillosamente talladas y árboles de peligrosa y exhaustiva sombra, que agotan nuestra curiosidad e impiden todo buen tránsito. Como poeta, como pintor, como artífice, Gabriel Miró no tiene rival. Debido a un original instinto, las cosas, la realidad y los hombres son totalmente ocupados por nuestro novelista. Les substrae toda libertad, contradiciendo la natural manera de vivir. En esta clase de literatura, de una parte está el artista, con su invención y, de otra, el mundo de afuera. La persona barroca, como la expresionista, así que aprehende una realidad dada, la ocupa, la lleva a sí para penetrarla, macerarla y reducirla dinámicamente en el ámbito de su propia conciencia. Aquella realidad queda agotada para una buena objetivación novelesca. Esa vivencia femenina del barroco, que no lo parece contradictoriamente, se comporta a la manera de la teresita del campo que devora a su macho después de la boda. Lo que impide toda normal verificación no es la falta de una fuerza activa, sino que ésta no fluye y pasa, y sólo sabe quemarse en su propio tiempo inventado. Este espíritu de concentración de Gabriel Miró hace que sus novelas siempre las admiremos rendidos y no sepamos gozarlas ligeros al pasar.

A los hombres de mi tiempo nos pasaba esto. Esto no quiere decir que Gabriel Miró no tuviera su actualidad. Sobre el año 1930 aún nos apasionaban las *Figuras de la Pasión del Señor,* las memorias de Sigüenza y aun *El humo dormido*. La generación que ha seguido, tampoco se ha interesado por nuestro escritor. Hace poco leíamos en la revista *Insula* a José Luis Cano, el poeta y crítico literario, y éste nos decía que ya los hombres de su tiempo tampoco estimaban a Gabriel Miró, que no les seducía por muchos motivos. Aparte de otros, el estilo no encajaba en los gustos actuales, debido a los nuevos derroteros por donde había entrado la novela. Y tiene razón nuestro crítico. Y no sólo el estilo, sino todo lo demás. La literatura de hoy vive sobre un mundo opuesto al del autor de *Nuestro padre San Daniel,* por tantos y tantos motivos. Claro está, nada de esto atañe a su personalidad extraordinaria ni a su trascendencia en el futuro. Siempre se debe decir que el arte de Gabriel Miró es un arte que satisface de manera momentánea pero con acabada plenitud. No es un arte continuo y sostenido. En el recinto de la prosa todo lo hecho con un refinado cuidado, con un ansia de inmortalidad, lo trabajado a conciencia y con un gusto depurado, es siempre más perecedero, al menos de momento, que lo escrito de modo fácil, fugaz y circunstancialmente.

El barroco especial de Gabriel Miró, esta manera de ser y de estar, queremos entenderlo de forma simple y casi coloquial, tal como lo percibimos en el lenguaje corriente cuando deseamos expresar bajo esta denominación una cosa o una persona. Esta palabra la usamos sin dificultad y con bastante exactitud, sin pararnos a pensar en su sentido alambicado. El arte y la literatura barrocos, el vocablo procede de este mundo cultural, han sido de tal modo amplios y hondos, que ya antes de poseer aquel vocablo sabíamos lo que quería decir, a qué aludía y qué encasillaba. Nos bastaba su enunciado para hacerlo nuestro. Con claridad lo trasponíamos a cualquier otro orden de la vida, de la naturaleza y del espíritu. Podíamos hablar de árboles barrocos, de piedras barrocas, de ademanes barrocos, de melodías barrocas, de zapatos barrocos y hasta de animales barrocos. Sin ahondar más y más, nos atenemos, en principio, a hablar del estilo y de la conducta estética de Gabriel Miró. Por esto nos atrevemos a decir que nos parecen barrocos las figuras de nuestro novelista, las cosas y los paisajes, la composición literaria y hasta los elementos esenciales de su existencia moral. Todo se debería analizar concienzudamente desde el superior plano de la crítica literaria. Por ahora no nos interesa. Y también alargar este análisis hasta esos otros ingredientes de su arte, su sentido del espacio y del tiempo en su obra, la posibilidad de su mensaje y la naturaleza de la crisis angustiosa que se debatió en su alma, quebrándola y, al mismo tiempo, endureciéndola para ulteriores fines. Queremos, pues, entender a Gabriel Miró, lisa y llanamente, como a un artista barroco, tal como creemos que lo entiende todo el mundo.

Este barroco de Gabriel Miró no es un barroco cualquiera. Tiene su significación, su personalidad. Salta a la vista su mínimum de artificiosidad. Aquel estilo da siempre una sensación de artificio, por su manera elíptica, por su voluntad ornamental, por su gusto de superar o enmascarar la realidad. No sabemos por qué la lectura de nuestro novelista, aun cuando siempre sometido a su condición primera, se nos aparece como más natural, más fluída y empastada. Es posible que esto se origine por la influencia que sobre el autor de *Años y Leguas* haya tenido la escuela realista del ochocientos, o por el más vivo contacto que él sostuvo con la naturaleza, con el campo y la vida rural, y por la cercanía del hombre, del árbol o del río, de la montaña y del aire levantino, tan coherentemente fundido a su paisaje. Este ruralismo es el que lo aparta de ser un Marcel Proust o una Virginia Woolf, escritores de ciudades burguesas y de tan elaborado artificio intelectual. Acaso con una similar mente, Gabriel Miró se quedó situado al otro lado y por fuera de las demarcaciones ciudadanas, apareciendo su escritura teñida por esa circunstancia tan vigente e irreemplazable de su existencia. Hemos de reconocer que donde más barroquismo encontramos en la obra de nuestro autor es en sus novelas, especialmente en las últimas. Cuando surge Sigüenza, cuando traza su libro de memorias o compone *El humo dormido,* aquellas formas de transposición y repletas de claroscuro, ceden ante la presión acolchada del paisaje. Nace entonces el espíritu contemplativo gozador y humilde del más ilustre héroe que inventó el autor de *Nuestro padre San Daniel,* que nunca supo que era él mismo.

PAISAJE Y COMPOSICIÓN

Leyendo *Años y Leguas,* que no es una novela, se perciben todas las constantes de las novelas de Gabriel Miró. Estas estampas de la vida levantina no son cuadros generadores de novelas. Los héroes de *Años y Leguas* son el agua, un castillo, un cementerio, una familia de luto, un cantarero, un camino, pueblos evocadores, un barranco y una tarde. Y sus personajes, los aldeanos y señores, son simplemente meros resonadores de la meditación del artista, transeúnte lírico o metafísico del alma de las cosas. Todo en Gabriel Miró se convierte en paisaje y el paisaje en estampa. Nuestra literatura, a partir de Blasco Ibáñez, sin olvidar a Pereda o a "Clarín", con otro estilo o intención, ha insertado en la novela un paisaje literario. Con este paisaje se ha inventado también una plástica, también literaria. Pero hemos de detenernos para delimitar el sentido de estos paisajes que van desde el autor de *Cañas y barro* hasta Gómez de la Serna, pasando por Gabriel Miró. Son ellos los primeros que trabajan el paisaje como un hecho independiente, con valor autónomo de color y dibujo. Los tres introducen en la novela española una a manera de pintura que la enriquece y que, al menos, la separa del espacio físico-social de la época naturalista, que sólo valía como habitáculo o perspectiva de sus personajes. El proceso de información de este paisaje es curioso. Blasco Ibáñez, todavía dentro del ochocientos, a fuerza de materias colorantes, imágenes y ruda pigmentación, lo va destacando idealmente desde su plano de observación artesana, debilitando todos los otros elementos de la novela. El libro aquí ya tiene una categoría de paisaje con figuras humanas al fondo. La tela con su marco hace su aparición en nuestra literatura. De la estampa se pasará al grabado y desde éste llegaremos a la escultopintura a través del arte superior de Gabriel Miró. Él creará un paisaje como relieve. Efectivamente, el paisaje ha adquirido nuevas dimensiones al convertirse en meditación personal, en monólogo o en cántico, se ha provisto de cuerpos insospechados, cuyo crecimiento inusitado aniquila otros muchos componentes novelescos. En nuestro escritor, lo particular y lo concreto se pierden ante lo lírico y abstracto. En *Agua del pueblo*, en *Barranco Ifach* o en *La Tarde* la dinámica concreción del paisaje se ha desvaído. El agua sólo ha llegado a ser una reflexión sobre el agua, y la fluencia poética descargará sobre el agua de fuente, sobre el agua de bernegal o sobre el agua de pueblo, dispersándose en sugestivas abstracciones. El barranco Ifach únicamente lo veremos como entidad y hecho geológico. Y una tarde de Callosa, Altea o Polop, lugares levantinos, se convertirá en la tarde, con todas las resonancias que este acontecer de la naturaleza aviva en el corazón del poeta. Toda la vida de Gabriel Miró se trasunta en paisaje, y este paisaje, ante nuestros ojos, va pasando de estampa a relieve a fuerza de ahondar la tórcula. Gómez de la Serna llegará a crear un paisaje de toda una novela. El paisaje aquí es sólo la secreción objetiva de un artista que todo lo inventa, los héroes y las cosas. Recordemos el paisaje del Acueducto de Segovia, el paisaje goyesco de litografía del Madrid de *La Nardo* o el paisaje del Nápoles sentimental de *La mujer de ámbar*. El secreto de nuestro autor estriba en que descubrió a tiempo que se puede hacer, desde el mundo de sus vivencias y de sus descubrimientos, trasposiciones adecuadas hacia fuera, lo objetivo o la historia, en vivas concreciones cuya identificación real queda en manos del novelista.

Se debe decir que, en la novela española, la pintura del paisaje ha precedido al bajorrelieve o a la misma escultura. Y ha sucedido así de manera contraria a como se ha realizado en la evolución de las artes. En la estética de Gabriel Miró podemos hablar de escultopintura y no de bajorrelieve. Éste fué siempre un elemento decorativo, hecho que no se da en nuestro escritor, ya que su paisaje vale como cuadro autóctono, que empieza y termina en sí mismo, hasta observarlo y gozarlo en su limitación como unidad rigurosa de su personal plástica, cromatismo y luminosidad. Al fin y al cabo, Gabriel Miró ha obtenido esta escultopintura presionado por dos preocupaciones vivísimas: de una parte, la de conceder una mayor expresión a la realidad, expresión que sólo se logra desentendiéndose de la propia representación y apurando esa realidad como regocijo interior, y, de otra parte, aparece su personal voluntad de forma de raíz táctil, como de alfarero levantino, que pedía a gritos un trabajo sobre planos diversos de materia, única manera de satisfacer su curiosidad y su congoja.

Él llegó hasta este arte por un amor excesivo de la realidad, para quemarse en ella. Si la escultopintura es hoy una abstracción, todos sabemos que a ella se ha llegado por un afán irremediable e inquisitivo de esa realidad, con el sólo fin de concederle una mayor independencia. Cuando se ha traspuesto al universo literario, caso Gabriel Miró, en seguida surgió su carácter poemático, abandonándose todo estilo narrativo. Todos los elementos de sus libros se convierten en cosas, en el sentido más trascendental de la palabra, y se nos presentan dotados de un misticismo acendrado. Es posible que éstos tengan un origen naturalista. Los hombres, las mujeres, los sucesos, las pasiones o los objetos, todos estos elementos novelescos no se contentan con vivir sobre el plano de una dimensión realista. Poco a poco, a fuerza de trabajo y de manos, todos van irguiéndose desde su primera condición plana, adquiriendo con facilidad un relieve hasta lograr un segundo, tercero o cuarto plano de vida conceptual y su volumen y cuerpo indiscutibles. Su sentimiento del universo convierte todos estos mundos en cosas, y nos recuerda mucho a esos pintores de naturalezas muertas o de bodegones, que cuando hacen retratos convierten a sus retratados en esas mismas cosas que ellos han pintado siempre. Esta manera de hacer o de entender la novela se comprueba mejor cuando pasamos de los paisajes propiamente dichos, de los interiores o de los retratos de sus personajes, al plano más difícil de los estados de ánimo o de la moral teórica o práctica. Esta trasposición de lo concreto a lo imponderable la lleva a cabo Gabriel Miró con los mismos procedimientos y técnica que gasta en la verificación de las cosas dadas, vistas o soñadas. La castidad de la hija de don Daniel, el hermético sentimiento del nuevo Obispo o el ascetismo disciplinario y cruel del Padre Bellod surgen de momento dentro de una materia corporizada, ajena a toda representación discursiva, alegórica o dialéctica, como si esos estados del espíritu se traspasaran a una realidad quieta de cosa esculpida, presente y sensible a los ojos, trabajados con la misma técnica con que se han trabajado los árboles del huerto, la torre de la iglesia o los viejos sillones de un salón. El proceso formativo o de representación de aquellos estados, en otras épocas de la novela española, se estructuraban a través de los hechos de los personajes o a fuerza de una tendida meditación sobre ellos, directa o indirectamente sugerida. Una descarga lírica de gran profusión plástica, lanzada por el novelista en función de un tiempo personal y barroco, incorpora de pronto cualquier sentimiento o situación anímica, y lo eleva o lo rebaja a la categoría de cosa.

Hemos de reconocer que este tiempo barroco de Gabriel Miró no es el mismo que el tiempo de los grandes maestros áureos. Una estética y una moral producen este comportamiento espiritual, encauzado hacia un humor negro y hacia una sátira entrañable, que está muy lejos del de Quevedo, no sólo por su sentido del mundo y su cansancio de la historia, sino por una nueva crisis del alma. Gabriel Miró, ante la ciudad y el hombre españoles, ante su moral y su estado social no se comporta a la manera reformista de los escritores nacionales del ochocientos. Se aisla y se retuerce, quemándose estoicamente con un cierto sino bíblico. Desde allí, desde su propia hoguera, en una hora oportuna, aventará las cenizas. Estos turbios signos barrocos los encontraremos con facilidad en todos sus libros, en figuras, sucesos y en tiempo y espacio. Así su conceptismo vital, su desasosiego espiritual, su sentido de la libertad dentro de un ascetismo disciplinario del mejor estilo, su hipérbaton acusado de la composición más que de la caligrafía, el verbalismo imaginero y su singular sentido del tiempo humano. Sabido es cuán diferente se nos aparece este tiempo barroco si lo relacionamos con los otros tiempos históricos. Aquel tiempo se mantiene en Gabriel Miró y se manifiesta al considerar la vida como actual siempre, haciendo de cada instante aislado un momento de iluminación y plenitud. Esto lo observamos en su valoración de la novela como estampas en relieve, sucesivas y discontinuas al mismo tiempo. Barroco no sólo en el sentido real de este tiempo, sino en la peculiar representación de los sucesos. En *Nuestro padre San Daniel* hay escenas inolvidables que acusan esa manera estética: la matanza de las ratas de la Parroquia, decretada y llevada a cabo por el Padre Bellod, el capítulo del aparecido, cuando Cararrajada se presenta por primera vez a Paulina y la visita al arrabal de San Ginés por Don Magín, rodeado por aquellos informes restos humanos de la ciudad levítica, legitimista y levantina de Oleza, valorada en toda su grandeza y servidumbre.

En sus dos novelas más importantes, *El Obispo leproso* y *Nuestro padre San Daniel,* Gabriel Miró sigue siendo en parte un heredero de los hombres de la Restauración. Frente a la vida española, él adopta un mismo sentimiento crítico, en forma de sátira, contra el viejo clericalismo y los viejos estamentos anquilosados. Pero la coincidencia no pasa de esto. La naturaleza de su mundo estético es distinta y también su reacción moral. Aparece con nuestro autor una cierta conducta estoica y hasta una indiferencia frente a la historia. En primer término se complace en zaherir y censurar, pero una vez conseguida esta satisfacción de un prurito intelectual, se queda en suspenso como un humo dormido. Esta teoría del humo dormido acerca su arte a su ética. Este humo que se para y se duerme entre su memoria y la realidad, y desde donde él recobra su pasado, que no lo cree suyo pero que le pertenece, le sirve a nuestro novelista para percibir el cansancio del paisaje, de la vida, de la acción. Él lo ha dicho muchas veces: todo se desgasta y acaba, mas el hombre permanece. Este consuelo no será muy duradero porque a continuación añade: el hombre permanece pero no Sigüenza. "De las cosas creadas, de la naturaleza nos valemos para afirmar nuestra independencia y nuestra libertad". Esta independencia y esta libertad no le sirven sino para reconocer que todo es así por nuestro concepto, por nuestro recuerdo y por nuestra lírica. Dice esto, pero él sabe también que no sucede así. Todo es viejo y virgen. Todo seguirá viviendo: "El valle desde el viejo camino, en las horas buenas de la mañana, era lo mismo que en aquel tiempo, lo mismo que en todos los tiempos que han de venir, y, por lo tanto, ya era otro valle sin nosotros". El humo dormido, al suspender su ascensión, fija una inoperante y entrañable melancolía.

Este humo dormido que justifica todos los libros de Sigüenza, no nos sirve para poner en su sitio a sus dos grandes novelas: *Nuestro padre San Daniel* y *El Obispo leproso*. En esta última, el humo dormido se ha convertido en una gran nube enrojecida y arrebatada, fluyendo con descompasado movimiento. Este movimiento de su memoria va disponiendo toda la composición de la novela, donde aparecen figuras como María Fulgencia y Pablo, con su cierto relieve "modernista", no habitual en Gabriel Miró. Se les conoce muy bien, de manera directa, y sus amores pueden pertenecer a cualquier relato realista. En cambio, todos los otros siguen manteniéndose dentro del claroscuro peculiar de su autor. El Obispo, Don Magín, Don Álvaro, Paulina y hasta Monseñor Salom, encuadrados entre salas enmohecidas, conventos recatados y fiestas de Corpus y Semana Santa. Quisiéramos saber qué moral se desprende de todos estos hechos, cuál la contextura intencional del libro. En *El Obispo leproso,* el novelista sostiene una gran objetividad crítica, separándose de sus héroes, contemplándolos con una cierta desgana impasible. Su amor y su pasión se intrincan sólo en la obra de arte, en su consecución y en su realidad. La gran nube enrojecida y arrebatada vuelve a concentrarse, afilándose y aquietándose como un humo dormido en lo que atañe a la moral del libro. La melancolía lo tiñe todo, de abajo arriba, y

GABRIEL MIRO

RAMON PEREZ DE AYALA EN SU BIBLIOTECA

un cansancio y una cierta fatalidad atenúan todos los automatismos de la vida en curso. Parece como si el mundo estuviera puesto allí para gozarlo y no para interpretarlo, dejado a la buena de Dios.

Todo esto nos recuerda a Sigüenza, el gran héroe sosegado de Gabriel Miró. A veces nos asalta la curiosidad de saber qué hace Sigüenza, qué piensa Sigüenza, qué quiere Sigüenza. Hay momentos en que nos parece que Sigüenza no hace, ni piensa, ni quiere nada. A Sigüenza casi no lo conocemos. No se nos presenta como un retrato o como un personaje, ni como una estatua o meramente como un dibujo. Sigüenza es él. Es fundamental, para su posible comprensión, intuir que está visiblemente rodeado de las cosas y comprendido en ellas. Gabriel Miró nos ha dicho que su héroe se sentirá a sí mismo como si fuese otro y que ese otro es Sigüenza hasta sin querer. Él es joven, pero parece muy viejo por su extraordinario sentido para comprender el dolor de los hombres, la belleza de la naturaleza y la incertidumbre de nuestra vida. Por su sabiduría natural o por su tino nos recuerda al labriego español o levantino, por su formación intelectual al amante de los libros y al filósofo mediterráneo. Realmente, él es un hombre que va pasando por la vida un poco ascéticamente y otro poco gozosamente.

Sigüenza anda por el campo, visita a sus viejos amigos, se sienta a la sombra de un árbol frondoso, y mira y escucha. Habla poco, y lo que habla lo expresa con el mayor sosiego y consideración. La mayoría de las veces sólo se contenta con ratificar lo que otros afirman y repetir lo ya conocido. En esto no se parece a Antonio Azorín ni a Mairena. Tiene algo de estos héroes, pero él es él. Leyendo el libro de Sigüenza nos damos cuenta de que la única manera de fijar su biografía es ir fijando todo el mundo de sus movimientos, que no son sus actos ni sus ideas. El movimiento de sus ojos, que sigue alegremente el vuelo de una nube o de un pájaro. El movimiento de sus labios, que apenas bisbisean, dándole la razón a Gasparo, su camarada rural. El movimiento de sus manos, que se posan cálidamente sobre la cabeza de un niño. El movimiento de sus pies, que, despacio y con sosiego, recorren las huertas, lon bancales y las orillas del río. Y el movimiento de su cuerpo, trasunto de su alma. Acogedor, apacible, misericordioso. Sigüenza pregunta y pregunta. Pocas veces responde. Él busca y no halla. Su filosofía se perfila cuando llega a verse destacado de sí mismo, solo, remoto también de sí mismo, mirándose y esperándose.

MORAL Y CONTROVERSIA

El mundo de temas de Gabriel Miró es también barroco. Es más, con gusto se queda anclado en este mundo, él, que podía haber llegado hasta el expresionismo europeo, tan vigente en la novela de su tiempo. De cierta manera, su barroco es una versión española de esta forma estética. Sus predilecciones marchan por esa línea curva de los grandes maestros del setecientos. Se complace en una esfera de vida, descoyuntada, dolorida y enferma, como entresacada del Antiguo Testamento, el libro de Job, meditada y puesta de relieve por un místico actual. Todas sus páginas, por las que desfilan desde el obispo leproso hasta el deforme Cararrajada, sus héroes amados, se asientan en una alta y redonda escenografía, clerical y religiosa a su vez, con su paisaje cálido y su ciudad y su liturgia cargados de los más vivos resplandores. Allá en su pensamiento, Gabriel Miró pudo concebir un *Nuestro padre San Daniel* con una picardía intencional y con un afán crítico que revelaba la condición humana de un pueblo levítico y carlista. Efectivamente, hay algo de esto. El mundo de ideas del novelista acaso no esté lejos del de "Clarín" con *La Regenta*, del de Galdós con *Gloria* o del de Blasco Ibáñez con *La Catedral*. *Nuestro padre San Daniel* es, al fin y al cabo, la última cuenta brillante de ese collar anticlerical de la novela española, a quien sólo le faltó para coronarse una narración de Ramón Gómez de la Serna, con el obispo más barroco de todos ellos y con la catedral más catedral. Pero ninguna de las novelas anteriores llegó a producirse con la retórica, el esplendor y el relieve plástico que Gabriel Miró da a sus libros. Él estaba ya lejos de la lucha de ideas ochocentistas, del naturalismo malintencionado o de la narración clásico-académica. Más desinteresado o gratuito en su espíritu, más lírico en su mirar y más vivo en su sensibilidad, aun dentro de una crítica poderosa de la cuestión que afecta a las costumbres religiosas o a la índole política de una ciudad, siempre lo hemos de apreciar por el sentido creador y mágico de otros aspectos de la vida mística o de la caridad. Ya dijimos que algunas de las obras de nuestro novelista nos recuerdan en su temática a las ya citadas, sus héroes y sus paisajes. Pero el sentimiento de este mundo de cosas y la técnica usada para su realización artística han cambiado totalmente, pues existe con exactitud hasta un ilusionismo luminoso y un tenebrismo de composición, cuyo origen no es difícil de localizar.

El capítulo tercero de *Nuestro padre San Daniel* resume las bellezas y limitaciones de este barroco novelesco. La novela exige una realidad que ha de conllevar el espíritu atento del lector. La novela necesita pasar y fluir, y no detenerse y reposar. Nunca hay manera de establecer una conciliación dialéctica, sobre un libro de Gabriel Miró, entre la narración que transcurre en el tiempo y los personajes que nos enajenan. Encontramos allí la falta de un cañamazo psicológico o de vida como historia. Este cañamazo ha de estar urdido por tres o cuatro elementos indispensables: actos, diálogo, sucesos e intenciones. La historia la resuelve siempre nuestro autor como un hecho descriptivo. Los actos se convierten en estampas. Y el diálogo se petrifica o queda plasmado en una actitud de retrato. Por ejemplo, en la novela citada, Paulina, sobre la página cien y siguientes, se nos aparece como queriendo preparar el despliegue de ese cañamazo personal de su conocimiento. Pero no sucede así. Al final queda en nuestras manos un universo atemporal lírico de las más ricas sugestiones, que vale como una gran obra de arte. A Paulina la vemos entonces detenida en su cárcel poética y aquietada en su altorrelieve, diciéndonos el milagro de su transfiguración.

En nuestra crítica literaria se ha hablado mucho de las relaciones de Gabriel Miró con Marcel Proust y con "Azorín". Con el segundo no hemos percibido nunca ningún punto de contacto, salvo la proximidad de los lugares de su nacimiento y la identidad geográfica de sus novelas. Con Marcel Proust tampoco, a pesar de su morosidad y de sus puntos de apoyo sobre el trabajo de la memoria creadora. El autor de *Por el camino de Swann* es un novelista entero, dotado de adecuados instrumentos analíticos y narrativos. Marcel Proust llevó a cabo una tarea sorprendente: la de inventariar una sociedad y una época, de la misma manera que lo habían hecho Balzac y Zola. Ha de considerársele como el término de un largo proceso novelesco, muy ceñido y metódico, donde sólo van cambiando los héroes y el clima cultural, sometidos y revelados por nuevos procedimientos de trabajo estético. El cañamazo narrativo permanece en Marcel Proust, como también el sentido de la vida como historia, aposentado en el impresionista fluir de la memoria despierta.

Nuestro Gabriel Miró no es tampoco un aislado en España,

como escribió un día Jorge Guillén. El autor de *Años y Leguas* está en su sitio, coronando el alud barroco, lo llamaremos así, que se nos vino encima al terminar el siglo y años siguientes. Guillermo Díaz Plaja nos ha dicho varias veces que lo barroco es la constante fija sobresaliente de las formas artísticas españolas. Gabriel Miró forma con Unamuno, con Pérez de Ayala, con una porción importante de Valle Inclán, con Ricardo León y con Gómez de la Serna el equipo más ofensivo y bien capacitado para la destrucción del baluarte del naturalismo clásico, imperante en el siglo pasado. Creemos que Baroja y "Azorín" son los únicos aislados, con su estética impresionista, en esta promoción de escritores que cultivan todas las formas del barroco, del arqueológico al novísimo, con su aliento expresionista, y del ontológico al conceptista. El problema así planteado sólo se refiere en principio a la voluntad formal, quedando las preocupaciones morales en una cierta situación excéntrica. Gabriel Miró se aparta con mucho del orbe intelectual de sus antepasados e incluso del de sus contemporáneos. De él brota un espléndido amor por las cosas, por el mundo "natural", por los hombres. Es generosidad y alivio, amparados por un paréntesis de desasosiego y otro de quietismo incuestionable. Misticismo y fatalidad se dan la mano con un cierto pragmatismo vitalista. Y una metafísica de la predestinación se acoge a un singular dualismo, quebrado en ese momento en que nuestro novelista aprehende el sentido de la naturaleza, de los seres y de Dios. La presencia de la Biblia es poderosa en su mente y en su sentimiento. Pero no olvidemos que junto a Job siempre nos encontramos, en las páginas de Gabriel Miró, con Salomón, con el ánimo gozoso de algunos Profetas y con el agua viva de los Salmos.

Por ejemplo, en *Nuestro padre San Daniel* se puede ver, por una parte, una moral de temperatura quietista, donde se mitiga el gran vaho mediterráneo de su personalidad y, por otra, una moral nerviosa y energética que, difusamente, nos llega a través de Paulina, en la escena final del libro. Es curioso observar cómo allí aparecen en pugna dos clanes clericales de la mejor tradición, y cuyo antagonismo estalla, junto a una riada, en una rebelión que alcanza a lo grotesco, con la última misión de Carrajada, tan adecuada al estilo de Solana. La intención crítica es visible en cuanto nos enfrentamos con los hechos como un fenómeno social. Pero siempre los individuos se salvan, incluso en su religiosidad y en su ética. El barroquismo no le abandona nunca, por su procedimiento como por el material empleado. Rasgos gruesos, amontonados, macroscópicos, que recuerdan las buenas tallas levantinas. Gran policromía, donde sobre un fondo pardo o negro de sucesos o figuras, destacan los más elementales colores violentos, amarillos, azules y rojos, dispuestos todos en esencial escenografía, no buscaba adrede, sino hallada como esencial valor de las cosas. En nuestra literatura nadie ha sabido manejar el claroscuro como Gabriel Miró. Sobre una narración lisa es difícil obtenerlo. En cambio, sobre un tiempo alineado en fugaces y brillantes momentos instantáneos, es posible realizarlo aprovechando el contraste entre la plenitud y el vacío. Este vacío carga de soledad la forma artística de Gabriel Miró, pero, asimismo, lo funde con una esplendorosa comunidad humana, con su gran proliferación vital.

No estaría de más establecer unas diferencias notables entre esos novelistas españoles que han reproducido un tema similar a este de *Nuestro padre San Daniel:* la vida de los pueblos viejos peninsulares, alejados de los grandes centros urbanos y recogidos en esa coyuntura histórica de fuerzas encontradas, las que conservan y las que innovan, disputándose difícilmente una voluntad política de dominio. Este tema y este paisaje espiritual y geográfico, de tan fuerte caracterización en el pasado siglo y en la época más sosegada de la Restauración, han constituído una preocupación vivísima de nuestros mejores escritores, cuyo afán insatisfecho de entender a España los ha llevado a dar sentido a esas raíces de la nacionalidad. Todos se han puesto al trabajo con pasión y generosidad. Cada cual ha querido dar al tema su proyección sentimental, su conocimiento y su moral, pero cada cual lo ha resuelto de distinta manera. Y frente a cada solución, también cada cual ha cogido su camino. El tema ha permanecido. Cuando la generación del 98, con su individualismo soberbio y su lírica interpretación de los hombres, de la historia y de las cosas, se lanzó al trabajo, bien se pudo pensar que aquel tema se había enquistado debajo de otras preocupaciones metafísicas o estéticas. Pero no fué así. Más tarde, con Gabriel Miró se debió pensar lo mismo. Pero tampoco sucedió como lo pensábamos. El tema y su ámbito volvían una y otra vez a imantar curiosidad y ánimos.

Así nos encontramos cómo "Clarín", en *La Regenta* y en su Vetusta, la vieja ciudad norteña, nos describe y presenta esos mismos temas que cincuenta años más tarde Gabriel Miró nos describirá y presentará en Oleza con su *Nuestro padre San Daniel*. Y cómo a mitad del camino, Pío Baroja, en su *Mayorazgo de Labraz,* nos describe y nos presenta otra vieja ciudad española, con su misma alma y su mismo ámbito. Casi se pudiera afirmar que la voluntad de forma de cada uno de estos novelistas se ha adecuado a una resolución moral e histórica de este tema perenne. De todos es sabido cómo el antagonismo central de estos pueblos ha sido siempre, en primer término, la lucha por el poder político en una época de crisis de la estructuración rural y burguesa de nuestra sociedad española y, después, la adaptación dialéctica de esta realidad irreversible al hombre de nuestros días, cuyo supremo ejercicio fué siempre hacer lo que le vino en gana. No nos interesa sobre qué lado, en esta contienda social, han caído cada uno de los escritores citados. Nos interesan sólo sus posiciones estéticas y morales frente a ese mundo en crisis. Así vemos cómo "Clarín" adopta en seguida una máscara distante y satírica, a través de su realismo naturalista, para enjuiciar la vida de su amada ciudad de Vetusta. Su actitud es la de aquel hombre al que antes que otra cosa le interesa el conocimiento de los hechos. La descripción y la técnica de la novela europea de su tiempo le servirán espléndidamente. Él, en el fondo, tiene sus ideas sobre el paisaje espiritual de su ciudad, pero mantiene en principio una impasibilidad acogedora, la propia de un árbitro de la lucha y del que sabe conservar las reglas del juego. Su intención va hasta querer corregir las costumbres, sólo presentándolas, como en la comedia clásica. La novela tendrá un sentido histórico indiscutible, y habrá siempre en el artista una voluntad de saber cómo es España. Su preocupación didáctica es grande, su fichero magnífico.

Baroja es el novelista que, al incidir su atención sobre estos temas, se comportará de manera contraria o, al menos, de manera muy distinta de como se comportó "Clarín". Baroja hará comparecer también a estos quietos pueblos de nuestro país, pero nunca por el gusto o la voluntad crítica de conocerlos en su historia o en sus problemas dialécticos de cultura. Irá hasta ellos movido por un afán divagatorio, con su snobismo inveterado, zahiriéndolos líricamente. Nos los mostrará en forma de acuarela o de dibujo a línea, sobre un plano de cierto turismo literario, a manera de ensayo, donde lo importante será siempre la aventura del hombre, de él como contrafigura, mirado en su más estricta subjetividad. No cabe duda de que en sus novelas aparece el antagonismo de este hombre frente a una realidad opresora. Pero Baroja es un vagabundo de las ideas, un melancólico, un artista impresionista, donde la historia se desfleca y se deshace para convertirse en pura vivencia. A veces lo creemos un ser estadístico, pero en seguida nos damos cuenta de que sólo tenemos a la vista un poeta frustrado. Cargado de contradicciones, como todos los individuos de su generación, no hablamos aquí de ideologías, hay momentos, y son muchos, en que no pasa de ser un escritor panfletario. Existen otras ocasiones en las que únicamente deja correr un diletantismo corrosivo y antirretórico, teñido fuertemente de sentimentalismo. En *La sensualidad pervertida* y en otras muchas obras, conocemos varios pueblos como la Vetusta de "Clarín": Amazabal, Villazar, Mota del Ebro, pero nunca los conoceremos ni en su sentido épico, ni en su sentido histórico, sino como cosa presente, actualísima, dándose. Esos pueblos no irán creciendo poco a poco a fuerza de caracterización, estudio y sistema descriptivo. Crecerán de repente y, con su pincel de acuarela, los descubrirá de manera fugaz y aeriforme. Cuando las fuerzas ocultas y sociales de estos pueblos se ponen en colisión, como en el Castroduro de *César o nada,* será siempre en función del héroe, como perspectiva de su aventura personal, en la que el novelista tomará parte, concediendo a diestro y siniestro premios y castigos, honores y títulos, apasionada y desapaciblemente.

Pío Baroja, como "Clarín" y como, más tarde, Gabriel Miró, ejercerá su crítica sobre todos estos pueblos. Esto es indudable. Es posible que todos hayan escrito como reacción frente a un estado de cosas. Pero existe una diferencia esencial. Mientras "Clarín" cree en el hombre, al menos en ese hombre liberal de su tiempo, y respeta la historia, queriendo para sus pueblos un crecimiento y una solución dialéctica, Baroja sólo se contentará con quemarlos a todos hasta llorar su melancolía sobre las piedras calcinadas. A su héroe, energético y repleto de una nueva moral terrible, le bastará una de esas piedras para entonar su canto de despedida. Gabriel Miró, por su parte, se complace en la historia, en el pasado, como un presente instantáneo y pleno. "Clarín", como Galdós y Palacio Valdés, capta la historia de su novela desde un hoy objetivo, seguro, y hasta normativo que le sirve de tiempo ideal y de distancia arbitral. Baroja quisiera deshacer ese hoy, creando una historia muy de ayer con elementos de mañana, los muy particularmente suyos. Mientras Gabriel Miró mueve su emplazamiento hacia una historia totalmente pasada, para aislarse en su hoy. Desde este reducto enciende, como iluminaciones instantáneas y discontinuas, el espectral y maravilloso magnesio de su fantasía y de su memoria. Llega entonces el momento en que la alusión, la elipsis y la imagen se nos aparecen como extraordinarios instrumentos de trabajo retrospectivo.

La figura del Obispo leproso seguirá siendo el máximo hallazgo de Gabriel Miró. Máximo en densidad ética y máximo en tratamiento estético. Este Obispo no tiene el valor de un retrato, no es una exposición psicológica ni un carácter de tragedia clásica. La técnica espléndida de nuestro autor se muestra aquí entre cauta y expresivísima, y su trabajo de composición es un alarde de arte contemporáneo. El método alusivo cobra en este momento todo su sentido. Casi nunca vemos al dolorido Obispo leproso. Dos o tres cortos instantes a lo largo de todo el relato. Pero desde el principio hasta el final del libro, él constituye la figura singular que conmueve a Oleza, que la inquieta o que la apacigua, pesando sobre él todo suceso, sentimiento o acción. Sólo conocemos, a través de los demás personajes, las esperanzas renacidas de sus fieles o la murmuración de sus enemigos. En Gabriel Miró nos encontramos, con su método alusivo genuino, dentro de un sistema de cosas muy de la estética moderna, y, al mismo tiempo, por sus materiales y por su sentido histórico nos sentimos como insertos en un recinto viejísimo, que huele a alcanfor y a manzanas arrugadas. Aquella alusión es como una cárcel que separase la novela de sus personajes, encerrándolos y cargándolos de un hermético misterio. Los carga de expresividad pero, al instante, nos los aleja, escondiéndolos en un mundo mágico, lírico y atemporal.

Siempre se podrá uno preguntar si Gabriel Miró, en el área de sus novelas, nos dejó algún mensaje, profético o no, o si su mensaje fué sólo un hecho estético. Es difícil contestar de manera simple. Nadie debe dudar de su mensaje estético. A través de él, un universo nuevo de formas creció y se nos presentó de modo inusitado. El campo y el hombre rural español entraron con un relieve extraordinario en nuestro ámbito cultural, no como simple apoyo del habitante de la ciudad, sino con todos los derechos y una completa autonomía. No se le idealizó dentro de un estilo romántico o naturalista. Se le justificó dentro de su medio, con su sabiduría y su moral, su personal dialéctica y su real existencia. De cierta manera, se le somete a un cierto perspectivismo, el ajustado a las preocupaciones estéticas de su tiempo. Gabriel Miró se aparta de la posición de superior jerarquía en que se colocaba el novelista de la época de la Restauración, con su humor comprensivo y su intento de inteligibilidad total humana. El autor de *Nuestro padre San Daniel* queda de hecho más bien situado sobre el mundo de sus personajes, del lado de éstos, que sobre el omnisciente mundo del creador. El artista parece un personaje más, uno de tantos, que desde aquel adentro de sus relatos mira hacia afuera. Esta posición es importantísima en el decurso de la novela contemporánea española. Gabriel Miró no trae una nueva moral, pero sí una cierta moral primitiva, la del hombre rural con respecto al de la ciudad, por lo tanto nueva, nueva por el poco uso que en los últimos tiempos se hacía de ella bajo la presión de la historia, del pragmatismo y de todos los imperativos ochocentistas. Él parecía siempre estar ungido por la revelación bíblica, pero no por los Libros de los Profetas ni por el de los Reyes, ni acaso por el Libro de Job, a pesar de todo lo dicho, sino por los Salmos de David, por el Eclesiastés y por el Evangelio de San Lucas.

RAMON GOMEZ DE LA SERNA

SITUACIÓN RETROSPECTIVA

Entre la primera guerra mundial y la guerra española, Ramón Gómez de la Serna fué el escritor que ocupó mejor posición en nuestras relaciones internacionales. Cuando queríamos exhibir en los pugilatos europeos o americanos un nombre nuestro, necesariamente teníamos que echar mano de él. En las capitales occidentales, él aparecía como uno de esos grandes descubridores de formas estéticas contemporáneas, el único que había trabajado con seriedad aspectos originales de la novela de aquel tiempo. Fué el artista español que se paseó más brillantemente por París, Londres o Berlín, que lució las más arriesgadas corbatas y recibió los más distinguidos abrazos. Las grandes revistas literarias del momento publicaban sus pequeñas novelas, sus ensayos sugestivos y sus biografías más atrevidas. Entre aquellos años su presencia tuvo siempre mayor importancia en el extranjero que la de Unamuno o la de Ortega, y no admitía comparación con la de ninguno de los novelistas más modernos.

Pero ya en 1935, los más jóvenes apenas si deteníamos la atención en el autor de *El Rastro*. Su mundo de belleza llegaba hasta nosotros con extraños olores de ropa vieja guardada entre manzanas. Su herencia no nos traía ningún mensaje. Era la suya una herencia que él mismo, con un egoísmo admirable, había de ir dilapidando. Era la herencia propia de quien había creado su aire para respirar y su alimento para vivir y hasta su paso para transitar. A nadie debía nada.

Para ratificar esta perspectiva pudiéramos precisar algunos momentos de la vida literaria de Ramón Gómez de la Serna. Era el hombre solo que nunca soltó ninguna amarra para atracarse a cualquier dique que lo contuviera. Buscarle antecedentes es una tarea muy difícil, porque en todo momento fué el creador valioso de sí mismo. Pertenece históricamente al grupo de escritores surgidos hacia 1908, heterogéneo, ecléctico e impreciso. Él es un personaje que entra en esa generación casualmente, pero que vuelve a salir por la primera puerta, lanzándose a la calle con paso apresurado. No realiza ningún contacto con los escritores ofensivos de aquel tiempo, ni con los ya consagrados, portadores de importantes mensajes. Más tarde, en una segunda escapada hacia un núcleo social artístico más denso, entra con donaire, en la hora de la trasguerra, en el movimiento ultraísta, de tanta resonancia en nuestra historia literaria. Entra también aquí, pero se escapa otra vez por una de esas puertas abiertas al campo, sin ningún rasguño que mostrar en su cuerpo. Por último, en la ofensiva general de 1925, a todo lo largo de nuestras líneas líricas y fronteras del ensayo, sobre una nueva actitud estética y metafísica ante el mundo, Ramón se alista un poco a regañadientes, presta su colaboración dilatada en revistas y cafés, se siente un poco hermano mayor y crea una cátedra, más o menos callejera, con público seguro. Nuestro autor, de todas maneras, en estos tres momentos apuntados, es nuestro Charles Chaplin, el hombre permanentemente salvado, hasta nuevo aviso. En el proceso de la cinematografía, Charlot es el artista que ha permanecido siempre. Es posible que no represente una continuidad trascendente, pero él es una continuidad de sí mismo, con la que hay que contar repetidamente desde cualquier pantalla que se le mire.

Ramón Gómez de la Serna ha poseído el secreto de permanecer. Ha estado siempre en presencia de toda nuestra historia literaria, tan agitada y tan distinta en lo que va de siglo. En todo momento se nos ha aparecido joven e innovador, graciosamente, y sin participar en verdad de la juventud e innovación de los que llegan. De nuestros grandes escritores de este siglo, él se aparta insolidariamente y por él no pasan las estaciones ni las mudas. Tenemos que preguntarnos de qué espíritu está dotado, en qué forma ha cristalizado y cuál es la cédula de su identidad para que a todos sitios haya llegado con ese paso franco, decisivo y conquistador. Lo mismo lo vemos en *Tableros,* en *Revista de Occidente* y en *Cruz y Raya,* para citar tres focos importantes de cultura española. Pudiéramos decir, de manera elemental, que Ramón se ha salvado por el repetido estilo en que se enfrenta con la vida. Este estilo no es una forma ni un imponderable ni una irradiación espiritual ni ningún no sé qué. Es, con sencillez dicho, un objeto, casi pudiéramos afirmar, fisiológicamente, un órgano. Que no nos atrevemos a determinar, por el momento, su nombre. Pero es tan objeto como la tinta negra del calamar, la perla de la ostra o el colmillo del elefante. Este objeto aloja en su centro vital un humor que, ante las excitaciones del exterior, se echa afuera y cae sobre las cosas, las personas, las ciudades, haciéndolas confusas e irreconocibles. Cosas, personas y ciudades van dejando de tener sus nombres, de ser quienes eran, para convertirse en seres insospechados. Este humor, que lo embadurna todo y que descubre resortes ocultos de gracia insuperable, nos recuerda ese cielo azul en la hora de la llegada de la golondrina emigradora. Todo el cielo llega a convertirse en una gigantesca golondrina.

Ramón Gómez de la Serna ha sido un escritor próximo a la generación del 98. Pertenece de hecho a su inmediata fecundación tardía. Pero nuestro autor no tuvo nada que ver con aquella herencia. Él se situó al otro lado del plano inclinado. El valor disolvente o creador de la citada generación, no lo toma en cuenta nuestro novelista, ni sus posiciones morales, estéticas o históricas. Le es ajeno el camino abierto por Baroja, "Azorín" o Valle Inclán. Frente a la austeridad, formas elementales, realismo plástico primitivo, mística profana y sensibilidad impresionista, Ramón sólo significa suntuosidad, derroche de fuerzas imaginativas, barroquismo, oscuridad y hasta un cierto amoralismo vital. Hemos de insistir en nuestro propósito de no tocar exactamente sino el campo de la novela, considerándolo, a pesar de su atractiva personalidad para ampliar todos los ruidos del arte contemporáneo, sólo como novelista.

La novela grande de Ramón Gómez de la Serna es el ejemplar más valioso de la planta crasa en España. Es difícil aplicarle cualquier teoría biológica que configure su evolución. Brotó espontáneamente sobre un paisaje sediento, entre piedras de canto y estratos agotados. Sin antecedentes en que apoyarse, por natural disposición, esta chumbera creció, alojando todo el futuro de su manutención con agobiadora furia. Sus hojas, repletas de carne verde y de dulce agua, se desenvolvieron con feracidad. Estas hojas se fueron insertando unas en otras, con un cierto gusto arbitrario, hasta contaminar todo el paisaje seco. Un triunfo vital de opulencia, de suficiencia en su grave aislamiento, ha sido la novela de Ramón Gómez de la Serna, cuando en España ya no existía la posibilidad del humorismo frente a las formas sucias y cómicas de la chabacanería. Su obra, como cualquier buen nopal de aquel tiempo, vivió sobre un disparatado dualismo: ser una planta agresiva, hostil, de masas proliferantes, que nace en

RAMON PEREZ DE AYALA CON SUS NIÑOS

RAMON GOMEZ DE LA SERNA

todos los sitios, impersonal e indiferenciada, y que de pronto sabe convertirse en esa otra planta que mantiene su mundo quebrado de verdes oscuros y agujas larguísimas, colocada en su maceta junto a la ventana apaisada del nuevo edificio funcional. La novela de Ramón corre de un extremo a otro, como la savia de este vegetal craso.

También hemos de advertir que esta novela se ha vestido, cuando la primavera asoma, de las flores más cursis: amarillos muy tenues, azules clarísimos, rosados de arco iris. Esta nota de cursilería, a veces insistente, fué siempre exótica y se constituyó como la única manera de estar fuera de moda, de ser una antimoda. Este creador insobornable de su orbe novelesco, tan acabado, quedó reducido y cercado como la misma hoja crasa de la chumbera. Estas formas eran expresión de un fuerte individualismo. La flor cursi en la planta de moda, lo cursi era lo no vigente próximo, ha de verse como una aspiración sentimental, un absceso romántico de sabroso fruto, una especie de aventura que nos sorprende, como nos sorprende lo cursi de Charlot, con su penetrante contemporaneidad salvada de su humorismo esencial.

Su técnica novelesca es siempre una e indivisible. Es lo permanente. En una novela están encerradas sus treinta novelas siguientes. Un personaje llega a ser la célula generadora de todos los personajes sucesivos. No basta con dejar caer al azar un pedazo de hoja de chumbera para que, al poco tiempo, de entre todas las piedras circundantes, con bárbara igualdad, surja una montaña cubierta de estos jinetes vegetales. Antes de Salvador Dalí, ya nuestro escritor había traído al campo de la literatura un recuerdo acusado por el "modern style", por toda la cursilería delirante del "modern style". Al transeúnte de la novela contemporánea, acaso no llegue a interesarle esta forma gravemente sino como justificación de una actividad del espíritu. Cuando Ramón trabaja un personaje, una situación o un objeto cualquiera, aparece siempre un gusto reiterado por acumular una materia superflua que va deshaciendo sus elementos primigenios, convirtiéndolos en personaje, situación u objeto equívoco o arbitrario. Pero al final todo se salva al abrir su creador las barrocas fuentes de su humor.

Frente a la generación del 98, con su repetida sequedad ibérica en los mejores y su preocupación por el gran dibujo o por la leve acuarela, Ramón se nos presenta como un escritor carnoso y exuberante. Su literatura es casi una proyección estética de su persona, con su cara redonda, que de perfil nos recuerda un portugués sentimental, con su tranquilidad reposada de gallina sobre los huevos, con sus escorzos exóticos de domador de circo, con su insustituíble corbata de lunares, que presiente una fina voz de tenor, con sus grandes ojos, sus grandes labios y su gran nariz de hechicero máximo de Pombo. Allí se nos aparece rodeado de agua por todas partes, de la incondicionalidad de sus amigos. Es sorprendente que este hombre no haya sido capaz de formar una escuela, una dirección artística, y sólo una disciplina de saneamiento intelectual. Es un aislado, repetimos. Así como abandona la calle, el café o el teatro y regresa a su casa, nos damos cuenta de que se inserta en su verdadero clan cultural, expansivo y acogedor, irradiando las luces más tibias, perdiéndose entre los objetos más difíciles: pipas, paraguas, cabezas de animales disecados, sillas que acreditan la historia del mueble, loros del Brasil, colecciones de botellas de cuadro cubista, zapatos, piedras baratas y caras, fonógrafos 1900, retratos de canzonetistas del barrio. Dentro de este maravilloso rastro, Ramón se convierte en la caja de resonancia de más alta inspiración.

En nuestra literatura ha sido nuestro escritor postexpresionista más puro. También expresionista a su manera, ya que su humorismo siempre lo ha trabajado de manera pasional. Los hallazgos impresionistas de Baroja, "Azorín" y del mismo Valle-Inclán, aligeraron nuestra novela de peso cromático y de peso humano, haciendo posible un vuelo más sutil y hasta el cambio de altura propicio para mejor ver el mundo. Estos hallazgos sufrieron un violento encuentro cuando al volver la esquina del siglo apareció Ramón Gómez de la Serna. Se volvió a adquirir una nueva pesantez, hasta planear cerca de tierra, donde habían de sufrir una nueva intervención. El autor de *La quinta de Palmira* no tanto buscó como encontró. Y una vez encontrado ya el objeto, el pobre destino de este objeto se perdió al ser incorporado entre los dedos de prestidigitador de Ramón Gómez de la Serna. Este objeto daba lo mismo que fuese el protagonista de una novela grande, una situación sentimental o el paisaje con el Vesubio al fondo. El objeto quedaba asido fuertemente a la mesa de trabajo, como queda asido el trozo de madera a la prensa del carpintero. Allí comenzaba una tarea honda de penetración, debida a la astucia de ese berbiquí aventurero que iba taladrando el pedazo de pino hasta conseguir el hueso sabroso de un conocimiento total. Cuando terminaba su trabajo de berbiquí y cepillo, la madera ya no existía. Quedaban las virutas, que fueron cayendo y volando, insistentes e innumerables, con sus alas barrocas. La imagen en Ramón es siempre un despojo, el resultado de desvestir un objeto, que es lo contrario de la imagen lírica. La mayoría de las veces no llegamos a una intuición clara de ese objeto; es más, nos perdemos en él como nos perderíamos en un suelo lleno de virutas.

Estas tareas acusan en nuestro escritor una genealogía expresionista. Al fin y al cabo, él no conoció la primera gran guerra sino por los periódicos. Pero no cabe duda que es nuestro gran novelista de esa trasguerra. Él inventó esa forma estética para uso nacional, sincronizada a la antena más alta de París. Pudo haber sido nuestro Apollinaire, como quería Delaunay. Es más, a él le hubiera gustado serlo, pero para esto hubiese necesitado vestir el uniforme azul del ejército francés. La verdad es que más que un expresionista, Ramón fué siempre, desde una vertiente formal y ontológica, un realista mágico, un deformador del mundo que busca un lecho donde yacer, tumbado al sol inventado de su ingenuidad y de su humor rosa lúgubre. Ni la desesperación ni las crisis ni el dolor fueron ingredientes de su literatura. Era el escritor de un pueblo que quiso ser feliz en unas circunstancias dadas. Pero que no lo fué. Su natural postura excéntrica, con relación a las preocupaciones vitales de nuestro país, lo hicieron caer cerca de un realismo mágico incuestionable.

ARBITRARIEDAD, HUMOR, IMAGEN

La arbitrariedad, nota destacada de cualquier rico tiempo de incertidumbre, y expresión de que se quiere huir de él, ha sido el elemento más poderoso y constructivo de la novela de Ramón Gómez de la Serna. No tanto por lo que supone su aparición en el concierto de las letras españolas, sino por haber sabido incorporarse a lo mejor de la novela europea. Es difícil intuir cómo un género tan cargado de normas como éste, llegó en las manos de nuestro autor a deshacerse de todo su lastre clásico, desbaratándose hasta crear un nuevo cuerpo estético. Supone una gran sangre fría la realización de esta suerte inconocible. Hasta aquí, hasta Ramón, en España, por ejemplo, la novela fué amontonando a lo largo de su historia algunos notables cambios de curso, interrupciones temporales apreciables, distintas concepciones del mundo, temperaturas desiguales pero no excesivas, la forma de acercarse a la realidad o de alejarse, una matizada estructuración de los personajes que los hacía diversos según las diversas voluntades de arte, pero en todo esto siempre quedó algo seguro, señero y fijo que nos decía que las terribles leyes tradicionales se mantenían en este organismo vivo. Solamente recordamos como un precedente magnífico la aparición de *Los trabajos de Persiles y Segismunda,* de Cervantes, caso óptimo de arbitrariedad novelesca.

Lo arbitrario en Ramón es tan "natural" como la manera de andar de Charlot. La primera condición necesaria para verificar lo arbitrario es, sin duda, el encontrarse dentro de un paisaje de libertad. Nuestro novelista nos lo ha expresado en su capítulo "novelismo", de su famoso libro *Ismos,* de 1930. "Para vivir y extraviarme en mis novelas, escribiré, porque los polidreísmos del mundo y sus combinaciones libres me encantan por su diversidad insupuesta", y añade para preparar la llegada de su arbitrariedad: "en mis novelas vamos a las afueras más respirables del vivir. La novela debe ser el sitio ideal en que unos cuantos sintamos la libertad". Hemos de fijarnos en estas manifestaciones con seriedad. De una parte, la novela es algo que está fuera de la vida corriente, de la posible historia, y en ella no se presupone ninguna relación con la realidad, como es notorio en el resto de los novelistas, y, por otra parte, en esta situación excéntrica es donde la libertad, para unos pocos, tiene sentido.

Esta idea de lo arbitrario tiene un exacto uso entre las gentes, la que manipulan con soltura y seguridad. No es fácil decir qué cosa es lo arbitrario. Podemos llegar hasta allí, negativamente. Lo arbitrario es algo que no está sometido a las leyes de la causalidad psicológica, histórica o física. Escritores del alarde aventurero y reformista de "Azorín", Gide y Joyce no han perdido de vista nunca, en última instancia, las leyes causales de la novela. Ramón es un caso. A veces ha sentido temor de su empresa y ha escrito, disculpándose, en *Ismos:* "Lo arbitrario debe portarse con naturalidad, teniendo en cuenta que la naturalidad cambia según las épocas y la naturalidad de estos días no es de ninguna manera la de anteayer". No sabemos exactamente si esta arbitrariedad de Ramón nos aclara la pista para desembocar sobre otros elementos constitutivos de su arte. Creemos sinceramente que estos valores en nuestro autor son anteriores a todo conocimiento de las literaturas de vanguardia y a la injerencia de los métodos renovadores del género. Sus novelas acusan con facilidad una ausencia genial de moralismo y hasta de moral, de psicología causal, la que se usaba hasta entonces, y de ese historicismo que pesó tanto desde su origen en estas obras de arte. Esta manera de entender las cosas hace que cada libro de Ramón participe de una suerte de liberación, al soltar lastre para dar un más gracioso vuelo a la nave. Su campo de experiencias es más puro, más propicio a toda verdadera aventura.

Leyendo sus novelas seguimos ignorando la concepción que del mundo tiene formada Ramón. Lo mismo nos sucede con su moral. Hasta con los materiales de su construcción nos sucede de igual modo. Sólo llega a interesarnos su artesanía y la exploración que realiza en el más antiguo filón del género: la aventura porque sí. Los personajes no tienen historia, no forman parte de un mecanismo biológico o psicológico. En un momento de sus vidas quedan sorprendidos por su autor y él los viste de aventura y ventura. Levantan al andar aquella realidad que es precisamente la que está fuera de nuestra realidad vecina. Sus héroes se fabrican con suficiencia ellos mismos y habitan un mundo a propósito. Quedan fuera de la historia corriente y pueden alojarse en cualquier latitud geográfica y en cualquier hora de un reloj político.

Su humorismo es otro ingrediente importante del arte de Ramón Gómez de la Serna. Más que ingrediente es la linfa esencial donde viajan sus grandes novelas. El autor de *El Circo* nos ha hablado largamente sobre su humorismo en diversas obras. No sólo nos ha dado una definición, mil definiciones, sino que nos ha regalado otros tantos ensayos de interpretación. Pudiera haber escrito todo un libro sobre materia tan flúida y vasta. Él se reconoce en una línea, dentro de la literatura española, que va desde el Arcipreste de Hita hasta Silverio Lanza, su genial antecesor, pasando por Rojas y *La Celestina,* Cervantes, Quevedo, Gracián, Larra, etc., etc. Reconoce la amplitud y riqueza de este humorismo nacional, que culmina en la plástica de Goya. Y nos llega a decir que elementos vivos del humorismo son lo grotesco, el sarcasmo, lo bufo, lo patético y lo épico-burlesco, pero que nunca entran en su estructura ni el chiste ni el retruécano, ni la tomadura de pelo, ni el choteo ni la burla. Con unos ingredientes o con otros, da lo mismo, la verdad es que el humorismo de Ramón se ha constituído en su concepción personal del mundo. Este humorismo, como se ha reconocido muchas veces, más que otra cosa es un auténtico humor, en el sentido fisiológico y clásico de la palabra, donde el novelista nada a gusto, sabiéndolo esencial elemento de su vida.

Su aparición se intrinca muy bien en el proceso de nuestra novela moderna, si nos olvidamos de muchas cosas. Es muy difícil aplicarle cualquier teoría más o menos hegeliana sobre el humorismo, como forma estética de descomposición romántica, haciendo coincidir su existencia con el final del gran ciclo novelesco de la Restauración. Ante Ramón, y mirando hacia atrás, se presentaba un enorme macizo orográfico, cuyos estratos más lejanos no pasaban de los cincuenta años. Quisiéramos o no, habíamos de soportar tan pesada presencia. Aquel macizo amenazaba con obturar todos los horizontes próximos, porque para Ramón, este sistema de montañas, desde Alarcón y Pereda hasta su propio nacimiento, se había convertido en un amenazador mundo de formas pétreas. Por toda esta novela amontonada, y sobre sus vertientes, corrían unos estrechísimos caminos que llevaban las aguas de la aventura. Por mil agujeros dispersos en la roca respiraba, más o menos idealmente, la fantasía creadora de los españoles de la meseta.

El reconocimiento de este mundo de cosas es la partida de nacimiento de Ramón Gómez de la Serna. No sabemos hasta qué punto él se sintió vinculado y como presunto heredero de aquella existencia. Daba la impresión que ésta iba a descomponerse en el orbe grande de sus novelas, viniendo a ser como una resignación creadora. Como ha escrito, no con exactitud, Waldo Frank, puede también considerársele como el tránsito del sueño a la vigilia, de la generación dormida a la generación despierta. El ojo que comienza a despertar, percibiendo el sueño ido. Pero aquí la duda nos asalta. Su humorismo no ha sido nunca disolvente, cáustico, eliminador, resentido, ácido o herético. Su humorismo siempre hemos de verlo con su gran vena acogedora, constructiva, solidaria. En él no podemos atisbar ni a Quevedo ni a Gracián. Esto no obliga a pensar que este humorismo es sólo un ponerse de espaldas a un mundo periclitado. Él lo ha dotado de los suficientes materiales para edificarse un albergue, en el cruce de todas las rutas, un albergue feliz un poco fuera del mundo, pero capaz de aglutinar muchos de los restos de éste con un deseo conciliatorio, enriqueciéndolo de las más extrañas irrealidades.

Este humorismo es inespacial e intemporal. De cierta manera

viola las leyes del humorismo tradicional, alimentado constantemente de un estar contra alguien o contra algo, esquivado o escondido. El clásico lo hemos entendido siempre como una posición vital frente a la realidad circundante, posición defensiva que expresa insolidaridad, apatía, resentimiento, todo fundido con un cierto amor huído o tímido que supone innumerables compromisos. Hasta este momento, todos los humorismos españoles, tan surtidos y policromados por distintas intenciones, fueron frutos intelectuales de primera calidad. Su raíz discursiva es difícil negarla. Ramón se sitúa dentro de otro estilo vital, mágico, lírico y cohesivo, que no tiene precedentes de ninguna índole, ni en nuestra nación ni en Europa. Su humorismo, con él nace y con él termina. Ha sido una isla independiente y cercada de mar por todas partes, que ha causado asombro a todos los exploradores de tierras vírgenes. Esa isla quedará ahí, en medio de las aguas, dispuesta a ser redescubierta, en un futuro próximo, pasados estos tiempos tan poco propicios. Comprendemos que Ramón haya nacido a la literatura cuando nació, pero nada más. A pesar de todos sus razonamientos para justificarse de su insólita aparición, buscando un cobijadero donde descansar, las artes de su tiempo, aparte del realismo mágico, poco tienen que ver con él, salvo algún caso que otro malogrado. Ni aun en Francia, ni un Apollinaire ni un Cocteau ni un Jarry se acercan a su maravilloso observatorio de la vida lejana.

Penetrar en el mundo de imágenes del autor de *Pombo* es como andar con los ojos abiertos por entre las aguas coloreadas de un mar tropical, buscando aquella sorprendente flora y fauna. Formar un catálogo de ellas pudiera servir de tarea para un gran especialista. Su imagen es como la ola del mar. Hay que dejarse llevar por su ritmo, por su andadura. Hay que abandonar toda captación de valor. Hay que sumirse entre ellas, bajo y sobre ellas, dejándonos ir. Estas olas y estas imágenes son buenas, malas, regulares, de tal o cual dimensión. Leer una novela de Ramón es anegarse en este mundo de imágenes, perder toda libertad, pues a esto equivale el desatamiento de todo lo exterior. Es la gran aventura, la novela cien por cien, ese dejarse mecer sobre las olas y sobre esas medias conchas de nácar que son las imágenes de Ramón Gómez de la Serna. Este universo va enfilado contra las formas directas, naturales o simples, y liberadas de todo artificio, de muchos hombres importantes de la generación predecesora, tal como lo vemos en Baroja y "Azorín". Así como en su humorismo es contradictorio encontrar precedentes, en su artesanía de imágenes no es difícil tropezar en nuestra literatura magníficos ejemplos, que lo afianzan y lo revalidan en todos los tiempos. Claro está que la imagen de nuestro autor no es cualquier imagen.

En sus novelas, esta imagen no cae del lado de las personas con la misma fuerza que dentro de las cosas. Cojamos tres novelas, *La quinta de Palmira, El secreto del Acueducto* y *La mujer de ámbar,* muestras de su más tardía producción. En seguida apreciaremos que aquel calor propio para empollar los personajes del relato, se transfiere con rapidez a uno, dos o tres objetos más o menos inanimados, que se constituyen en los primeros planos vivos del libro. Al principio, unas líneas de arquitectura sinuosa se van dibujando. Éstas pueden ser la residencia de Palmira en la sentimental costa portuguesa, el acueducto de Segovia o el Vesubio en su diversas postales panorámicas de *La mujer de ámbar*. Más tarde, todos estos objetos irán llenando su cuerpo a través de un espléndido proceso metabólico, con sus imágenes acumuladas, insistentes, reiteradas y prolíficas, hasta encontrarnos con unas cosas de tan amplia conexión, tan inéditas y renacidas, que la mayor aventura novelesca del libro es su pro-

›io reconocimiento. De esta manera se establece una verdadera ›ersecución entre el lector y esa imagen múltiple que corre lesbocada. Al término de esta carrera por los más atrabiliarios :aminos, no encontramos nunca ningún acueducto clásico, ni iingún Vesubio en erupción, ni ninguna quinta atesoradora de nisterios románticos. Encontramos otras cosas, mil veces recrea-las y resurgidas entre las gruesas gotas de agua de su humor.

Con este mundo de imágenes de Ramón se nos plantea siem-›re un serio problema de conocimiento. Nos quedamos en la luda de si ese conocimiento, en tanto que proceso creador, es ıcumulativo o eliminativo. Al llegar aquí no sabemos si las :osas llegan a nuestra posesión porque les lanzamos al rostro odos los piropos de nuestra simpatía, con un cierto impudor, ellenándolas, ya que están vacías, o si, por el contrario, debemos lesvestirlas al tiempo que vamos separando de ellas propiedades, ıdjetivos, caracterizaciones, en suma, imágenes. Al estudiar la magen de Ramón caben todas las consideraciones, desde las es-uetamente artísticas hasta las metafísicas, sin olvidar las psico-ógicas. Esta imagen puede servirnos para levantar los más es-›léndidos juegos estéticos, para confrontar las nuevas teorías obre la memoria creadora o para explorar los dispositivos aními-os de la belleza. También para percibir las enfermedades de la antasía, los posibles "ripios" de la imagen, nuevo absceso de la iteratura contemporánea, tan insoportable como el viejo ripio le la versificación, o las enfermedades de la sensibilidad cuando sta se traba en un punto y repite una y mil veces la melodía nusical bien prevista y sabida que nos embarga y adormece. No lebemos pedir a nuestro autor una criba seria para seleccionar os granos de sus imágenes. Es impropio pedir esta disciplina a ın inventor como Ramón. Él, afortunadamente, no es un hom-›re de escuela o de academia, donde el mundo de ideas o re-

presentaciones queda sometido de antemano a un trabajo d
fricción depurador. A él hay que admitirlo en su totalidad. E
un producto original de nuestro individualismo un poco feroz
No nos queda otro remedio sino admitir su presencia y recoge
su herencia.

Uno de los libros que más nos han sorprendido por la calida
y cantidad de sus imágenes es *El torero Caracho*. No sabemo
de qué año es esta novela. En ella vemos hasta qué límites, e
el espacio del libro, puede desenvolverse la barroca imagen d
Ramón, sin que el libro deje de ser novela. El pintoresquismo d
esta obra está muy lejos del pintoresquismo de Baroja, po
ejemplo, o del de Galdós. Es un pintoresquismo barroco d
hornacina o de retablo. A Ramón tenemos que estimarlo com
uno de los últimos imagineros españoles. Ante la inactualida
histórica de la madera, que ha huído otra vez a los bosques
a las máquinas de papel, nuestro autor ha aprovechado, mental
mente, la técnica del imaginero con otros materiales y la h
puesto otra vez en servicio. En este arte, lo plástico y lo psico
lógico se producen de una manera extremista y a fondo sobr
un espacio bien acotado, al que se acondiciona bien lo escultó
rico. En *El torero Caracho* se sigue la misma tarea con sus fi
guras. Sus héroes valen por su estampa, por su primera vista.

La literatura contemporánea ha sido muy rica en toreros,
se deben citar cuatro o cinco nombres de la mayor estimación
Es posible que el primero de todos fuese el de *Sangre y arena,* d
Blasco Ibáñez. Después hemos visto una buena cosecha, co
escritores de las más diversas nacionalidades. Ramón, que toc
los más extraños seres, había de enfrentarse necesariamente co
un torero de verdad, queremos decir, con el más convenciona
de todos. En esta novela nos damos cuenta hasta dónde llega l
altura de vuelo de su arte y la limitación de su barroquism

imaginero. Esta novela, que es bien corta, cumple como una corrida de toros buena. La lidia de un toro ha de sorprender por su brevedad, nervio en punta y dramatismo rápido. No se puede soportar esta lidia sino sólo en un plano mínimo de tiempo. Es lo contrario de la tragedia griega y de la sinfonía clásica. Vale como una buena pintura que ha de imponerse desde la primera mirada o como la hornacina barroca que arrastra en un segundo toda la fe. Ramón ha sabido entrever esto con sagacidad y donaire. Con su instrumento de trabajo, la greguería veloz y tajante en este caso, expresiva y sugestiva como un piropo o un refrán, nuestro autor ha llegado a escribir las más bellas páginas de toros y toreros. Todos los elementos de construcción son tópicos, sus situaciones sabidas, los héroes, los de siempre. Sobre todos ellos empieza la gubia a trabajar diestra y graciosamente. Las virutas van cayendo por todas partes, amontonándose en reductos cerrados. No sabemos si las figuras y los hechos han quedado vestidos o desnudos. Lo cierto es que todo se ha sucedido en un abrir y cerrar de ojos, sobre un arte instantáneo por su tiempo y bien tallado por su espacio.

EL LIBRO DE LAS CONFESIONES

Nunca pudimos pensar que Ramón Gómez de la Serna escribiese un libro de confesiones. No sabemos por qué. A un escritor tan seguro de sí mismo, de tanta continuidad estética, tan sumido en su orbe de formas inventadas como el nuestro, le era imposible expresar la historia de su vida de otra manera que no fuese la suya. Y, claro está, su literatura, que sirvió para tantas cosas, nunca la creíamos idónea para, de la noche a la mañana y ya bien maduro, contarnos el estado de su conciencia y las vicisitudes de su moral. Esto exigía otro tipo de arte y, por lo tanto, otra mentalidad, o al contrario. Pensábamos que su alegría y su reiterado juego eran elementos anímicos incompatibles con los secretos de una confesión. En su obra no habíamos visto entrar nunca el monólogo de una revelación dramática seria. Esto no quiere decir que su arte de greguerías fuese en todo momento sólo un arte fenoménico, frívolo o meramente lúdico. No. Todo arte presta su servicio, tiene un fin. Y el de Ramón lo ha cumplido debidamente. No se trataba de su capacidad de penetrar en los recintos más interiores de la persona, sino de la manera de esta penetración. Nuestro autor fué el hombre que se echó siempre fuera, en busca de las cosas, para reconvenirlas e imantarlas. En la confesión hay que permanecer dentro, y tenía que ser muy difícil para él, desde esa situación, verse con profundidad a sí mismo. Siempre nos queda el recurso de pensar que cada cual hace el libro que le viene en gana. Y que sus confesiones no tenían por qué parecerse ni a las de San Agustín ni a las de Rousseau, el fuego y el hielo de la sinceridad interior y del anhelo de verdad.

Este ensayo sobre Ramón no puede acabar bien, si antes de terminarlo no abrimos su último libro, el libro de las confesiones, *Automoribundia*, publicado en Buenos Aires en 1948. Es éste un libro como otro cualquiera de su autor, cuando no debiera serlo. Él mismo reconoce que es el libro de cómo ha ido muriendo un hombre. "Y es que el escritor al ir escribiendo sobre el mundo y sus aventuras se va suicidando." En él se nos abre el capítulo de los pecados que, según el creador de la greguería, no han sido muchos, por lo menos aquellos que hasta estas alturas han permanecido bien conservados en su memoria. Esperamos que los verdaderos pecados, los más serios y los más cargados de riesgos para la salvación, sean motivo de otras menorias más sinceras y menos comprometidas. *Automoribundia* :s un libro muy visto desde fuera, como si el autor se hubiera :scapado de sí mismo, por temor a no se sabe qué andanzas, y /a desde fuera se hubiese puesto a pintar una persona ajena, ın prójimo cualquiera, que daba la extraña casualidad de ser :l propio Ramón. Su arte ha sido uno de los más espléndidos ırtes transeúntes que hemos conocido. Pero a este arte le faltó ın infierno interior para su sacrificio, al que no llega nunca ste arte lúdico.

Sin duda, nuestra mente está llena de tópicos más o menos lustres. Una autobiografía la hemos creído siempre como aquel ibro clave que se separa de los otros del escritor y que, o nos la una bofetada, o nos llena de vergüenza. No debiera ser nunca :l libro que se repite. Aun realizándolo con la misma arcilla de ıs obras precedentes, en él tiene que aparecer un orbe de confe-ión, de intimidad, de contrición, de humildad, de arrepenti-niento o aun de soberbia, todo arrebatado por un deseo :reprimible de alcanzar la mayor cantidad posible de verdad. En uestro caso, aun la misma confesión religiosa no deja de ser una reguería, es decir, una metáfora más o menos arbitraria y bella, scasa de emoción humana y de ascética trascendencia. No que-emos decir que esta confesión deje de tener un valor espiritual ndiscutible, sino que la greguería no sirve para muchas cosas, y ıucho menos para restaurar este mundo de vivencias superiores el hombre.

Automoribundia, como gran parte del arte de Ramón, tiene na gran presencia de escaparate. Un escaparate con magnífica uminación, aderezado por la más exuberante fantasía, con la ıás viva suntuosidad, y donde, en el exacto punto medio de su spacio, siempre se nos aparece un héroe como exposición y ense-anza, como espejo y lección, como generosidad humana y como imperio. Esto nos demuestra hasta dónde llega el arte cordial expansivo y conciliador de nuestro autor, tan distinto del de lo otros novelistas españoles. En aquel escaparate, el héroe se mir y es mirado, acusando que sus trajes están hechos por el mism sastre, por la misma tela, aguja e hilo. Hemos de reconocer qu este escaparate se salva por el humor con que está puesto, por e donaire singular de su facha y por el atrabiliario ingenio de s confección. Aquel humor, que tantas personas humildes ha reha bilitado, no nos esclarece ni la persona ni los ambientes ni l historia, elementos todos muy importantes para cualquier aut biografía. Nos los valoriza de nuevo, enmascarándolos. Al er mascararlos les ofrece una nueva personalidad, una inédita cre ción, con un cierto objetivismo monstruoso que hace que tod una obra, hechos, personas y cosas reviertan en puras y mágica cosas, proceso que nos recuerda mucho la manera de cómo er tendió los sucesos, los héroes y los paisajes el "Realismo Mágico europeo.

El "tempo" de este libro, tan abundante y carnoso, se ha c observar y gustar siempre en función de su prosa. Se ha dich muchas veces de las concomitancias que existen entre Ramó y Quevedo. Es posible que haya en esta prosa ingredientes c gran semejanza con la de nuestro clásico. Pero los espíritus sc tan dispares que a primera vista no los podemos reconocer. Qu vedo fué un hombre de un humor negro y revulsivo, y s moral predicativa quedó inserta en su obra de manera angu tiada y muy humana. Ramón, en este sentido, es su antípod geográfica y hasta metafísicamente considerado. La literatu de Quevedo es dura, ofensiva, a veces inaccesible, pero siemp hiriente y sacadora de quicio. En *Automoribundia* se percil cómo su prosa es de estira y encoge, y dentro de ella vam como subiendo por una de esas montañas cubiertas de un pi granujiento de piedra pómez. Como esta piedra es su estilo, que nos pule pero que también nos desgasta. De aquí la necesidad del descanso en tan largos o cortos viajes, da lo mismo. Siempre los creeremos largos. Hay que apreciarlos por trozos, con estación de reposo. Es difícil encontrar en estos altos climas de creación ese aire bonancible, que es como un exudado, que nos penetre y envuelva y nos anime al buen viaje, por escabrosa que sea la tierra que pisamos. Tampoco llega ese viento huracanado que nos arrastra y nos pone en vilo. Pocas veces entre el estilo de Ramón y el lector se establece esa fusión o conversión que nos saca fuera de nosotros.

En su generación, la de nuestro autor, y en sus nexos con otros grupos artísticos, él, en todo momento, fué un mundo aparte. Se ha dicho con razón que ha sido un planeta errabundo y excéntrico de todo sistema generacional. Pedro Salinas ha podido escribir que Ramón va hablando solo por el mundo. El es él y nada más, y creo que lo demás poco le importa. "Hay que divertirse", ha expresado muchas veces nuestro ilustre escritor. y para divertirse no hay que pararse. Con su innata cualidad de juglar moderno, con su andar errante y divertido, con su insolaridad intachable, con su universo de ideas estéticas inventadas y con su extraordinaria exultación, Ramón ha realizado muchas cosas importantes en la literatura española. Precisamente, sobre aquellas actitudes vitales de su personalidad fué posible su gran labor desratizadora del arte nacional y su inserción poderosa en Europa. Pero estas mismas actitudes han supuesto también la desvalorización de anchos círculos de la persona humana, religiosos, metafísicos, morales y políticos. Ramón ha vivido exilado de todos ellos. De ahí su falta de emoción, de ideas, de encrucijadas éticas. Su concepción del universo es gratuitamente estética. La lectura de *Automoribundia* causa penosa tristeza en cualquier español de este tiempo. Una vida tan agitada como la nuestra resbala sobre su piel untuosa, de ella escapa y de ella reniega. No debemos olvidar que cuando nace la generación del 98, nuestro escritor tiene diez años. Desde ese momento hasta el de hoy, él ha mantenido ininterrumpidamente una misma conducta vital, enajenada de toda inserción histórica y de todo compromiso moral. La primera guerra, la formación de nuevos equipos españoles, la dictadura de Primo de Rivera y su acabamiento, la República y la guerra 1936-39. En vano se intente buscar algo íntimo en este libro que comentamos; un grito, una revelación, una herida, que pongan de manifiesto los grandes dolores de España, su incertidumbre cultural o su angustia metafísica. Nada parece atañerle. Siente como una repugnancia hacia ese mundo de ideas, crisis o hechos, que le distraen de su propia y específica tarea estética.

Hay que reconocer que Ramón sigue siendo fiel a sí mismo. Mientras otros han cambiado, él se mantiene sobre la trayectoria primera, y su unidad con su peculiar sombra es incuestionable. Su naturaleza y sus sentimientos, sobre cuya índole veraz nadie debe dudar, aun cuando hoy los creamos inactuales o inoperantes, están bien expresados en sus libros y en su canto reiterado. Pertenece a ese linaje de artistas cuyo sentido de la historia o del hombre está fundido con una forma estética. Es a través de este estilo, escudriñándolo o golpeándolo, como podemos llegar a enterarnos de la ley de su pensamiento, de la emoción de su corazón, de su conducta moral. Artistas hechos para una gran época de reposo, que sirven para atender a las necesidades de la gente de "loisir", y que caen muy bien en una corte, dentro de un despotismo ilustrado o en una sociedad distinguida. Ellos son ya corte y distinción.

A estas alturas se debe explicar cómo la figura de Ramón va

quedando entre paréntesis, en espera de otro tiempo más adecuado. Ante la situación del mundo, dígase lo que se quiera, la literatura se ha ido tiñendo de otras preocupaciones, de otras ideas, de otra realidad. A un imperio ha sucedido otro imperio. La literatura es hoy esencialmente moral, drama y compromiso. Ha dejado de ser metáfora, juego y gratuidad. Lo que sucede con Ramón en España, sucede con Virginia Woolf en Inglaterra y con Paul Valéry en Francia. El mismo André Gide fué artista que sufrió oscuridades lamentables. Pero también hemos de reconocer que André Gide fué un hombre de valores morales inexplorados y veleidosos. Efectivamente, él inventó lo gratuito en el arte y en el acto puro, pero al mismo tiempo no dejó nunca de comprometerse, al menos en sus últimos veinte años, en muchísimas cosas que apasionan a los hombres. Su clasicismo no se nos aparece como un clasicismo cualquiera, y su estilo no deja de ser vivo, pues está recubierto de un hormiguero innumerable de ideas combativas. André Gide es un caso típico de discontinuidad y hasta de confusión, pero dentro de su mundo de contradicciones y verdades a medias hay siempre una vida alerta que interesa y atrae.

Ramón Gómez de la Serna supone una continuidad inveterada. En su *Automoribundia* prosigue estirando el "chicle" entretenido de su estética personal. Nos gustaría que a estas alturas él nos hubiera abierto otra caja de sorpresas. Pero no ha sido así, naturalmente. Es un hombre íntegro que de cierta manera se ha cubierto de una belleza inmortal. Hoy podemos recordar todavía como extraordinarios hallazgos a muchos de sus personajes: el matarife, el doctor inverosímil, el incongruente, el caballero del hongo gris, la mujer de ámbar, todos vistos y oídos desde una vertiente insólita y fantasmagórica, y que sorprenden más por su valor inventivo que por su interior, más por su arbitrariedad irreconocible que por su humana resonancia, más por sus aventuras feracísimas que por su proyección sentimental. Todos estos personajes pudieron ser héroes de Dostoiewski. Pero Ramón los cogió en ese instante mismo anterior a su encarnación metafísica y moral. No todos los escritores han de hacer igual tarea. Cada cual ha de limitar su demarcación. Lo único que sucede es que esta demarcación unas veces se convierte en zona fronteriza de riesgos y combatividad, y, otras, se queda muy lejos de las líneas ofensivas y responsables, sobre un punto inocuo hoy, pero, acaso, extremadamente operante mañana.

INTRODUCCION A LA NOVELA ACTUAL

I

ESPAÑA Y EUROPA

La historia puede servir para muchas cosas. No sabemos hasta qué punto se le debe prestar atención. De todas maneras, siempre hay que tenerla en cuenta, para bien o para mal. Esta historia literaria española nos afirma, especialmente la de nuestra novela, que una vez que los hombres de este país han dirimido sus diferencias, sus conflictos y su soberbia, de modo bélico o no, pero contundentemente, sobre el período de paz que sucede a la guerra, el espíritu creador hispano siempre fué capaz de levantar graves y magníficas obras. Todo esto tiene que verificarse en ese tiempo segundo de crisis, el que sigue al primero de carácter ofensivo y eliminatorio, voluntarioso y ofuscado. Sobre este remanso de paz, sobre esa llanura que deja la ola a su regreso, sobre esa ira que va decreciendo y que nos deja ya ver con lucidez, los españoles han inventado y han descubierto valores inmortales en las artes y en las letras. No se debe de ningún modo dejar que la paz se haga estable y que se disfrute de una calma chicha, porque, entonces, como no somos un pueblo de seria continuidad histórica, esa misma felicidad termina con nuestra buena voluntad reparadora.

Cuando terminó nuestra guerra civil, todos los que seguíamos la actividad de nuestra literatura pensábamos que algo importante tenía que producirse. Los antecedentes eran buenos, óptimos. El término de las contiendas entre carlistas y liberales del siglo XIX, que se inaugura con la Restauración política, nos dió una generación espléndida de escritores, especialmente novelistas, que llevaron a cabo una de las tareas más próceres que en nuestro país se conoce. Hemos de advertir que esta literatura no fué una literatura de evasión, de divertimiento, de paz. De cierto modo, fué una literatura de guerra, independientemente comprometida. De Pereda a "Clarín", todos estos hombres intentaron saber de forma crítica y honda la naturaleza del ser español, las razones fundamentales de su existencia, el dolor noble de su vida. Esto nos indica hasta dónde nosotros somos distintos de los otros ilustres países de Europa, gente que gusta de echar pronto agua al fuego. Después del desastre del 98, con la pérdida de las colonias y la liquidación de nuestro imperio, una nueva crisis moral prepara una nuevo descubrimiento estético e intelectual en nuestra patria, tan importante como el anterior. Las preguntas de los filósofos, la intelección de esta condición humana, el debate de nuestra conciencia contristada originan un gran período creador. Pero los hechos no quedan aquí detenidos. Más tarde, después de terminada la primera conflagración mundial, el desasosiego social y las enfermedades políticas arrastran, instaurada la dictadura del general Primo de Rivera, otro audaz renacimiento de la cultura nacional. Ante todos estos precedentes históricos había de pensarse que, con el final de nuestra guerra, pronto una nueva generación estaba en camino de emprender sus peligrosas tareas.

Todos estos períodos de crecimiento han ido acompañados de cambios de forma, de inéditas interpretaciones del mundo, de una nueva voluntad moral, de originales sentimientos religiosos y de un distinto conocimiento de España. Claro está, el lector también fué variando con la aparición de distintos usos y costumbres. Ya sabemos que el lector de novelas es el hombre burgués por excelencia. Las clases más pobres leen muy poco y lo que leen está sacado de los detritus que leen los burgueses. Asimismo, en literatura existe una clase novelesca que tiene una cierta correspondencia con la clase social. Ya hemos dicho que si las revoluciones políticas algún día terminan con la burguesía, proletarizándose todo el mundo, entonces la novela dejará de existir. Sólo sobrevivirá si las revoluciones, al caminar hacia su estabilización y su paz, al ir abriendo la mano de la libertad, van al mismo tiempo aburguesándose. Recordemos que en Europa la Reforma terminó con el teatro y con el género novelesco. Establecida la convivencia con el otro Occidente, el protestante, ya fundido con un estado universal de valores, regresó a la novela y al teatro. Lo que no cabe duda es que un cierto aburguesamiento, en el mejor y peor sentido de la palabra, hace posible la novela. Esta burguesía se transforma también, ya que cada guerra o cada crisis destruye o cancela una parte de la misma, y ofrece a la otra parte, o a otros sectores o estamentos, nuevas posibilidades de acción. El derrotado, generalmente, se enquista, se enmascara o se evade. El victorioso intenta estructurar formas de vida, de acción, de arte. El estilo que se avecina ha de servir, pues, a un lector recién hecho, o el lector nuevo ha de adaptarse al estilo inventado, ya da lo mismo. Lo cierto es que la mutación se verifica inexorablemente.

Además, no se puede desdeñar la influencia del exterior. Es difícil que en literatura se mantenga una rigurosa autonomía.

Un pueblo, un escritor, mejor, es capaz de crear una forma, unas ideas. Pero esta forma y esta idea no llegan así como así. Necesitan de incitaciones, de peligros, de celo. Dígase lo que se quiera, era muy difícil que en España nuestros novelistas se pusieran a escribir como Mateo Alemán, Alarcón o Ricardo León, después de acabada la guerra civil, por muy tradicionalista que se sea. Tampoco como Cervantes, Galdós o Baroja. Esto era imposible. Teníamos nuestro propio tesoro, aparte del insobornable nervio hacedor individual, pero nos hacían falta incitaciones muy poderosas. Éstas llegan desde diversos sitios. Recordemos el naturalismo francés y los escritores de nuestra Restauración. Las formas del relato y de la sensibilidad europea y la obra de Baroja y "Azorín", aun cuando, bien es verdad, estos últimos se adelantaron en mucho a las invenciones de París o Londres. También el Occidente, sobre esa fecha en que terminaba nuestra guerra, padecía una crisis poderosa. En 1939 ya se podía afirmar que el pensamiento informador de la novela había cambiado totalmente, que el arte de entre las dos contiendas había sido liquidado y que el signo estético que lo estructuró dejaba ya paso a superiores preocupaciones morales y metafísicas, necesariamente religiosas y sociales, que antes se mantenían en segundo término. No debemos olvidar que España ha sabido siempre dar a estas incitaciones extranjeras una soberbia respuesta. Así sucedió en tiempos de Galdós, la Pardo Bazán y "Clarín". Volvió a suceder con la generación del 98. Todo este proceso cultural lo ha expresado muy bien Arnold J. Toynbee cuando nos dice que el crecimiento de una civilización o de un arte se determina no sólo por la contestación que se da a un estímulo cualquiera, sino que a su vez esta respuesta es como una nueva incitación que exige del que la provoca una nueva respuesta. Como el naturalismo en el siglo XIX o el creacionismo bergsoniano o el realismo personal del 98, también el existencialismo, que anidó entre los escombros y las huellas de la segunda guerra mundial, daba sobre España su terrible aldabonazo. Los hechos físicos y morales eran iguales, aunque las situaciones humanas fueran distintas. De todos modos, la expectación crecía y ese repliegue del alma española hacia su irreconocible y genial adentro, en un acto singular de angustia y contrición, se estaba verificando muy denodadamente.

La autodeterminación no es casi nunca feraz en arte. Tenemos necesidad del afuera, de la incitación hiriente o contradictoria. Casi se puede decir que cualquiera es buena, siempre que el proceso espiritual autónomo se verifique. Ocurre algo así como lo que ocurrió con la fabricación de la loza. En el siglo XVIII, la situación de las arcillas en Inglaterra imponía al fabricante el lugar de su elaboración. Pasado el tiempo, una vez que se transfirió el dominio de la naturaleza al hombre y las comunicaciones se hicieron fáciles, ya las fábricas se establecieron en cualquier sitio. La arcilla seguía a la loza como la novela de hoy persigue al pensamiento existencialista por todos los rincones del mundo. Hay que reconocer que la posición de nuestros escritores en esta coyuntura temporal ha sido heroica. Por diversos conductos se les ha querido disuadir de esta influencia. Pero, de cierto modo, este pensamiento y esta moral están tan espontáneamente fundidos con la Europa de hoy, son tan su propia carne y su personal alma, que no podemos quitárnoslos de encima, a pesar de las muy explicables y adversas circunstancias. Su amplitud es indiscutible. Desde cualquier lado que se le mire hay que contar con estas ideas, con esta conducta y con esta creencia. Desde el lado religioso, el más delicado, el que más duele, hasta el mundo católico o protestante ha respondido de manera muy brillante, infiltrando y absorbiendo gran parte de esta nueva meditación humana. El existencialismo ateo es sólo una parte en este universo, sin duda lo que corresponde al diablo en este universo de Dios. La verdad es que nos encontrábamos en aquella posición incierta en que se encontraban los novelistas españoles, asediados por peligrosas incitaciones.

Sabido es que después de la generación del 98 y de los pequeños maestros subsiguientes hasta Ramón Gómez de la Serna, separada la excrecencia del relato erótico que feneció antes de la República, nuestra novela únicamente había tenido dos figuras importantes: Benjamín Jarnés, que llena una época excepcional y excéntrica, y Ramón J. Sender. Se había producido una ruptura expresiva muy difícil de llenar. Pero esta ruptura, en los pueblos de gran tradición como el nuestro, aunque discontinua, es siempre fecunda, simplemente porque somos un país de grandes "absolutos". Esta denominación de Reynold, que aplica a importantes pueblos europeos, nos va muy bien. En estos países se pasa con vigor, fácil y violentamente, del frío al calor, del Este al Oeste, de lo negro a lo blanco. Por esto no llegamos a entender bien a naciones como Francia, donde una inseguridad política tan frecuente y a veces tan hondamente convulsiva no va acompañada de una inseguridad literaria. Es más, la novela de hoy se suelda con la novela de ayer y allí, desde el Romanticismo, se nos ofrece, sobre una irreversible continuidad, una lámina sin grietas, cohesiva y fluente, bien empastada. Es sugestivo observar cómo la novela de la primera guerra se funde con la de la segunda a través de figuras tan significativas como Bernanos y André Malraux. En nuestra situación, y después de la ruptura que antes apuntamos, hecho un silencio desolador, lo decisivo era saber cómo las porciones dispersas iban a mantener su vida y crecimiento y cómo nuestra naturaleza había de responder a tantas incitaciones extranjeras e interiores. Teníamos confianza porque desde la época de los libros de Caballerías supimos replicar con originalidad y osadía. Nos recuerdan los historiadores de literatura que Ribaldo, un héroe de aquel tiempo dorado, aun viviendo en la línea del arte caballeresco, ya se comportó como un héroe español, con una cierta filosofía práctica, expresada en sentencias, y la mujer, la que nosotros inventamos para ilustrar estas obras, perdió poco a poco su misterio entre diabólico y divino, tan característico entre las figuras femeninas nórdicas, hasta entrar por el arco duro de nuestra realidad.

Cuando los novelistas españoles se pusieron a trabajar, ya toda Europa había hecho lo mismo bajo el imperativo moral del "engagement". Esto no era nuevo, pero al menos ahora se ponía de moda. Se terminaba con todo relato gratuito, con toda clase de evasiones. El hombre y el novelista estaban condenados a cumplir compromisos éticos y metafísicos inaplazables. No importaba tanto la forma de esta literatura como el orden de sus ideas políticas y el abandono de todo relativismo histórico. En esta encrucijada de nuestro tiempo, el hombre es sólo una situación existencial, se nos decía, pero la verdad es que era muy difícil apreciar dónde empezaba la novela "engagé" y la novela de propaganda. La diferencia se reducía muy delicadamente a saber cuál era la disposición del espíritu del artista: si era libre, producía una clase de novelas, y si no, si estaba manumitido por un partido o por un credo, comunista o fascista, y aun cuando estuviese determinado por sus personales sentimientos, entonces producía otra clase de novela. Guillermo de Torre, en su sugestivo libro *Valoración literaria del existencialismo,* nos ha descrito muy bien este clima postbélico de la restauración intelectual europea. En el caso de España, no se presentaba ningún contratiempo a primera vista. Es cierto que en segundo término aparecían muchos muros que escalar. De cierta manera, toda la novela española, la mejor, siempre estuvo comprometida. Del *Lazarillo* a Cervantes, de Quevedo a la picaresca, de Alarcón a Baroja, hubo en toda época una intención política, lo mismo en el teatro que en la novela, artes contaminadas por excelencia, una voluntad superior de no saber separar realidad e individuo, un trasudado más o menos amplio o húmedo de nuestra existencia social, de nuestra negación o afirmación del mundo circundante. El mismo Menéndez y Pelayo al hablar de *Tirante el Blanco,* el conocido libro de caballerías, nos dice que a pesar de la nomenclatura y de los tópicos idealistas muy al uso que en aquél aparecen, desde las personas hasta las aventuras, en seguida se pueden reconocer en sus páginas las preocupaciones que aquejaban a todos los españoles mediterráneos de este tiempo: la suerte de Roger de Flor, el socorro de Rodas, la competencia mercantil de los genoveses, el poderío de los turcos o el dominio de la costa africana. Ahora bien, tenemos que justipreciar que todos estos compromisos no los concibe el español sin una voluntad de forma, sin un estilo, sin un sentido estético, hecho primero e imperativo de acusar la individualidad irreductible y la vida como totalidad evidente. Esto lo vemos muy claro en escritores como "Azorín", tan desinteresado y puro, pero que en sus dos grandes novelas, *La voluntad* y *Antonio Azorín,* sabe aunar una crítica real de los pueblos levantinos, amable pero terminante, con el descubrimiento sensacional de una narración personalísima.

Pero volvamos a la novela europea de este tiempo. R. M. Alberès en *La rebelión de los escritores de hoy,* al enjuiciar lo que él denomina la literatura prometeica de esta época, expresa que sus dos notas fundamentales son: la sátira de una sociedad farisaica y el sentido metafísico del hombre en el mundo. Tenemos que decir que esta caracterización no es sólo válida para la novela francesa, sino que se debe aplicar a todo el mundo. La literatura italiana y su pintoresco neorrealismo, al menos en sus mejores ejemplares, lo acredita así. La literatura inglesa, a través de Graham Greene, Evelyn Waugh, Cyrill Conolly, George Orwell y Walter Baxter, nos dice la naturaleza de sus compromisos y la crítica dura de su sociedad. La verdad es que estos dos principios reguladores de nuestra novela no son nuevos en el mundo. Son tan viejos como *Don Quijote de la Mancha,* raíz primera y última de toda la novelería. Estos elementos generadores de todo buen relato occidental se han revelado más imprescindibles debido a la situación grave de nuestro universo. De cierta manera éste los ha producido. La pérdida de libertad política y personal ha desatado al fariseo que todos llevamos dentro. Una cortina de mentiras, de tópicos y de cómoda injusticia cubre nuestras vidas, anegándolas. La crítica espontánea o independiente, que supone siempre el uso de una libertad digna, hasta en otros tiempos que no son sólo los del liberalismo europeo, actuaba como correctora, como principio catártico de gran poder, como acto testimonial incuestionable. La novela no puede desprenderse de este espíritu crítico necesario, si no dejaría de existir. Esto lo saben todos. Lo sabía muy bien Ortega y Gasset cuando escribió las *Meditaciones del Quijote,* y nos afirmaba la condición tragicómica de la novela y la necesidad de un humor aristofanesco, coincidiendo con Flaubert.

Ningún héroe novelesco ha sido sometido a más feroz crítica que el actual. El héroe de Malraux, el de Bernanos, éste es verdaderamente implacable, el de Camus, el de Greene, el de Lagerkvist, el de Moravia. Todos estos héroes fueron de manera muy crítica tratados para horadar los terribles muros del fariseísmo. No había otro remedio sino desgarrar aquellas cortinas de humo y las escandalosas máscaras hasta alcanzar la verdad primera del hombre, su desgraciada condición y el exilio permanente de su Paraíso. Esta crítica, que instauró noblemente Cervantes, ha ido cambiando con el tiempo. Hay mucha distancia entre aquel liberal humor de nuestro gran maestro y el humor negro de hoy, con su crítica impertinente pero necesaria. Antes, los héroes eran azotados por las circunstancias y su creador los sometía a inexorables contradicciones. Pero el novelista de ahora, arrancando de su emotividad personal, muy fundida con la propia figura creada, entra a saco en el último rincón de la conciencia, con ánimo de dictador —extraña paradoja— para desalojar la última cobertura histórica, su asiento social, y con la voluntad expresa de encontrar algún día a ese hombre desnudo, la criatura de Dios. Este procedimiento, que primeramente llevaron a cabo los grandes novelistas católicos de nuestra época, lo usan también hasta los ateos como Jean Paul Sartre, con otros fines, claro está. Esta crítica es, sin duda, absolutista, y se opone claramente a la vieja crítica liberal, que llega hasta la segunda guerra mundial, bien enmarcada dentro del relativismo histórico que tanta feracidad y brillantez dió a las letras europeas. El orden crítico de los más modernos no lo entienden esos escritores que ejercieron sus disciplinas antes de 1940. Por ejemplo, Julien Benda no reconoce en *La condición humana,* de André Malraux, una observación de la vida, un juicio sobre ella, una actividad objetiva. Sólo reconoce en ella la sensibilidad del autor, una cuestión subjetiva que únicamente nos habla de André Malraux. Y, claro está, todos sabemos que no es así, aun siendo un poco como Julien Benda dice. Efectivamente, la raíz y el tallo hundidos en la subjetividad del héroe moderno, no niegan la realidad exterior, sino que la subvierten o desdeñan, y sus razones políticas tendrán. Hemos de decir que esta crítica, tan ajena a lo objetivo, ha generado a este héroe real de hoy. Hay como una incompatibilidad entre la crítica y lo subjetivo, que viene a ser muy parecida a la que existe entre la realidad física y la ciencia teorética actual de la misma. Pero, creemos que, a estas alturas, nadie podrá dudar de la bomba de cobalto.

También el sentido metafísico de la presencia del hombre en el mundo, que se reconoce como otro descubrimiento de la novela actual, tampoco lo es. Nuestra herencia literaria nos afirma que un bastidor metafísico fué siempre necesario cuando se trató de inventar cualquier obra de importancia en este género de cosas. Este bastidor ha presentado diversas estructuras. Pero su realidad ha sido incuestionable. Unas veces pesó más la carga moral o psicológica de los individuos o de la sociedad que otras. Hubo momentos en que lo sociológico lo arrastró todo. De todas maneras, el sentido metafísico es posible encontrarlo a lo largo del tiempo con facilidad. La filosofía imperante ha respaldado en todo momento la vida perenne o trascendental de la novela, aun en la época del positivismo decimonónico. La verdad es que en estos días la metafísica ha invadido escandalosamente todos los rincones del género, surgiendo en primer término con desafiante cariz. La metafísica ha tenido que sustituir lo que en la lejana Europa representaba la aventura, o lo que más tarde representó la historia, o, mucho más cerca de nosotros, la psicología. La novela tuvo que echar mano a lo largo de su vida de un ingrediente misterioso, fundamento de toda novelería, que la soportara y que alimentara la curiosidad de los lectores. Hoy se han juntado, difícil pero ferazmente, el hilo multicolor de la aventura y el otro hilo gris perla e imponderable de la metafísica. Desde el instante en que el destino del hombre ha sido puesto en entredicho y se le sometió a discusión, entrando en una verdadera problemática —angustia, desesperanza y trascendencia—, la metafísica se ha soldado con la aventura y con la suerte de este ser desgraciado. Estrechamente juntos nos los encontramos en todas partes.

Esta novela tuvo que inventar su héroe. El héroe estaba solo, abandonado por la sociedad, por la historia, por la naturaleza. De nuevo tenía que forjarse su propio destino con el sudor de su frente o con su meditación reiterada, y tenía que llamar a gritos a su Creador para que lo sacara de este "valle de lágrimas". En esta existencia dramática no podía vivir sino dentro de situaciones-límites, tal como las entiende Jaspers. La novela actual no ha hecho otra cosa que presentarnos a este hombre en ese momento decisivo en que quiere pasar de una soledad inaguantable, donde lo habían replegado, hacia una realidad trascendente de solidaridad y esperanza. Esto se llama en André Malraux la recuperación de la dignidad humana mediante una convivencia imposible, conciencia trágica del pecado de Bernanos, infierno redentor del hombre acosado en Graham Greene, tomarse la justicia por su mano en Camilo José Cela y riesgo de no reconocer a su Dios en Per Lagerkvist. Toda esta literatura es "naturalmente" metafísica. A la realidad más dura, inhóspita y cruel que haya inventado la novela en toda su historia, se une una voluntad superior de esclarecer la existencia, de descubrir verdades que están por encima de toda experiencia. Todo esto se ha trabajado sobre un tiempo subjetivo de la mayor originalidad, que no tiene nada que ver con el del pasado, y que se ha convertido en un presente absoluto. Por este motivo, la aventura del relato contemporáneo no se parece en nada a la de otras épocas. Es la aventura de un momento existencial, que no es un momento de la continuidad histórica, sino "la perturbación de toda medida continua, aquélla en que la eternidad penetra en el tiempo", ha expresado lúcidamente Sören Kierkegaard.

Para realizar esta aventura del hombre contemporáneo inserto en su destino, de este hombre heroico o trágico como nunca conoció otro la historia, el novelista actual ha compuesto un bastidor *sui generis* para sostener su metafísica. Este bastidor no se parece al de Cervantes ni al de Dostoiewski ni al de Marcel Proust. La realidad del bastidor era clara y bien presente en todos estos escritores. De cierta manera, el bastidor lo ponía el novelista desde fuera, aun en el caso de Marcel Proust, muy trabado desde un punto de superior visión jerárquica. Quedaban así separadas la acción propiamente dicha, la del libro, y la meditación del artista. El bastidor de hoy casi ha desaparecido y está encajado en la íntima materia novelesca, en la existencia del héroe, y se rezuma a través de todos sus actos. La mayoría de las veces estos actos no esclarecen nada sino muy remotamente. El bastidor, en lugar de ser un cuerpo duro e impenetrable, tan duro e impenetrable como la madera, el cristal o el cemento que va a soportar, se ha convertido en un elemento líquido y escurridizo. Ante esta falta de fronteras, de límites discriminatorios, de anegamiento en la subjetividad, la metafísica se nos escapa absurdamente, de la misma forma que se nos escapa el agua del cesto que con ella queremos llenar. Muy bien ha expresado Jean Paul Sartre que, antes, el artista se consideraba situado en un punto *gamma* de reposo absoluto, como fuera de la historia, desde donde se creía juzgar las cosas en verdad.

Vemos esto con claridad, nos referimos a nuestra propia explicación, en *El extranjero,* de Albert Camus, en *El poder y la gloria,* de Graham Greene, y en *Barrabás,* de Per Lagerkvist. La acción de sus metafísicas no es contundente, discursiva o metódica. Su acción es a distancia porque huye de todo privilegio intelectual. Era mucho más fácil determinar estos valores en las novelas escritas en tiempo pasado que dilucidarlos hoy en nuestras novelas escritas en tiempo presente. Las teorías del tiempo actual han sabido descubrir en el relato contemporáneo la existencia entremezclada de conciencias lúcidas y medio en sombras, sin dar a ninguna un derecho inapelable, y la de "seres que jamás podrán decidir desde dentro si los cambios de sus destinos son consecuencia de sus esfuerzos, de sus faltas o del curso del universo". Es esta una literatura inacabada como la misma realidad presente, escrita sobre la marcha de los acontecimientos y, de cierta manera, desesperanzada. Se ha hablado mucho de que la técnica y la letra de este arte son indiferentes, dada la importancia que ha adquirido el mundo moral o metafísico. Pero nosotros no lo creemos así, al menos rígidamente. En efecto, hay una larga distancia hasta la novela formal e impresionista de entre las dos guerras. Antes prevalecía la obra por su personal continente, por su belleza rara e intransferible o sorprendente, por su idea casi ininteligible. En nuestros días las cosas han cambiado mucho. Pero la verdad es que el héroe actual, para manifestarse cumplidamente, también ha necesitado construir su propio aire, su realidad inmediata, su forma, su perspectiva y hasta su adentro sin sentido.

Albert Camus, que a pesar de todo es el más clásico de los escritores subversivos de esta hora, en *El hombre rebelde,* inicia un alegato del mejor estilo para afirmarnos que la novela no es nada más que la corrección que nosotros hacemos del mundo de la realidad, como máximo acto revolucionario del hombre. En ella, la acción encuentra su forma, las palabras finales son pronunciadas y los seres hallan a los seres. De hecho, el artista no hace sino transformar la realidad, creando sobre la misma una unidad superior. Es gracioso darse cuenta de cómo Albert Camus coincide aquí con un escritor tan lejano como André Maurois, que ha escrito algo muy semejante. Lo cierto es que al fin al cabo todos son franceses. No nos parecen mal estas ideas, las no hacen sino justificar un orden clásico. Lo que pasa que las estimamos inoportunas y equívocas para interpretar la ovela de hoy. Ya sabemos que ésta se asienta más en el univer- subjetivo que en el universo de afuera. Es más, desde el lentro irreconocible y oscuro ella se lanza contra la realidad, no ara reformarla, sino para resistirla. De ahí la urgencia de soste- erse en el castillo. Este castillo, como imagen, se puede reco- ocer al mismo tiempo en Santa Teresa y en Kafka, místicos uy distantes, pero que expresan muy bien lo que queremos ecir. La anterior teoría de Albert Camus, que no sirve ni para xplicar *El extranjero,* le va bien a otra literatura, no a la actual. a experiencia existencial, la del hombre que está arrojado en el undo, no preconiza un sistema de reformas, ni el de la realidad tampoco el del arte de la novela. Su grandeza, buena o mala, triba en seguir siendo como se es en sí mismo, lejos de toda ea de progreso, condenado en su libertad y en su esperanza, igual que el Padre José de *El poder y la gloria,* cargado con peso de sus pecados y viviendo de la ignorancia de su reden- ón.

La novela moderna para subsistir ha tenido que inventar, no nto inventar como ajustarse a su personal condición, un mo- ólogo y una prosa idóneos. Cualquier libro de ahora que cae nuestras manos, los más representativos, es sólo un monólogo, que corresponde a Prometeo. Pudiéramos calificar este monó- go de meditación, lírica o cantada, pero no nos atrevemos si nemos en cuenta el uso especioso que de estas palabras se ha echo en los años anteriores. Diremos mejor, el monólogo-testi- onio. Hay muchas maneras de quejarnos. Desde Calderón a acine y desde éste a Dostoiewski va un largo trayecto, y no enos largo el que llega hasta Kafka. El monólogo ha sido un

arma poderosa de expresión a lo largo del tiempo. Nos parec
que nunca ha sido tan monólogo como ahora, hecho debido
que también nunca estuvo el hombre tan solo como ahora. Lc
monólogos anteriores fueron siempre una confesión y la mayorí
de las veces un acto de contrición. Durante el monólogo, desd
el momento en que se iniciaba, un largo paréntesis se abría a l
largo de la obra. Existía un tiempo que precedía al monólogo
otro que aparecía al cerrarse aquél. Así, hemos de considerar l
voz de Hamlet o la de Segismundo, los largos monólogos c
Racine y hasta la palabra de Raskolnikoff y la del *Ulises* c
Joyce. Desde el monólogo-confesión hasta el monólogo interi
del autor irlandés va un largo trecho. Todos vienen a ser com
la "cadenza" del concierto de piano y orquesta. Este monólog
es original, autóctono, personal. Dígase hacia fuera, como el c
los grandes héroes barrocos, o dígase hacia adentro, como el c
los grandes héroes simbolistas, da lo mismo. En todos los cas
los hemos de entender como un simple y expresivo "aparte". I
vida del personaje es su monólogo, más otros actos de tan
importancia como éste. Cuando llegamos a Kafka se produce u
cambio notable, irritante. En el mundo del protagonista de *I
Castillo,* la soledad es tan agobiante, tan avasalladora, tan int
rior, que el monólogo se hace la única forma posible que e
cuentra K. para manifestarse. Ya toda la novela es un puro
genuino monólogo. De tal manera es así, que no nos damos cue
ta de que estamos frente a un monólogo permanente, sino cua
do nos separamos de ella, buscando una perspectiva adecuada,
la que nos obliga nuestro propio plano vital. Como hemos dich
este monólogo queda fundido con la total materia novelesc
Desde que entramos en el relato nos informamos que asistim
al testimonio de la existencia de un héroe que no vocifera,
medita, ni se arrepiente, sino que expresa con la voz monocord

ɔrda y blanca de un documental, la situación dada en que se ncuentra arrojado. Reconocemos que esta voz es la voz del ombre que se siente perdido, que casi no tiene fuerzas para re- ıcorporarse y al que su Dios ha condenado. También tenemos ue reconocer que desde esa voz miserable y cansina, de crisis bsoluta, nos ha de llegar un nuevo sentido de la vida.

Esta novela, de este modo descrita, ha necesitado asimismo e una prosa adecuada. Ya hemos dicho que todos han advertido n esta prosa un cierto anonimato, una indiferenciación personal, n coloquialismo masivo. No nos parece exacta esta apreciación. ocas veces la prosa europea, la de Camus, la de Greene, la de Cela, se ha cargado de mayor intención, de más energía, de nás expresividad. Es una prosa de un "absolutismo" muy signi- cativo, tensa, acuciante, llena de apremio. de un ritmo duro y el, dotada de una andadura narrativa agobiadora. Es una prosa ealista, sin duda, que no se parece en nada a la prosa que flo- eció al final de la primera guerra mundial. Prosa personal, cui- ada, impresionista, con una cierta laxitud morosa, con fácil continuada estructura, y que hallamos lo mismo en Francia —Proust, Gide, Giraudoux—, en Inglaterra —Virginia Woolf, Huxley, Aldington—, o en España —Valle-Inclán, Miró, Gó- nez de la Serna—. La de hoy se caracteriza por su tensión má- ima y por su intencionalidad dura. Esta prosa se ha descubierto n esa búsqueda desesperada de una realidad más realidad, que a conducido necesariamente a un cierto énfasis. El afán de una alabra más certera para reproducir cualquier clase de realidad, a escrito Huizinga, lleva en todo momento a la exageración. Este énfasis de que hablamos es el revés del énfasis barroco, pero nfasis al fin. Esto nos lleva a considerar qué tipo de naturalismo s el que se lleva en nuestros días. Si establecemos relaciones con os naturalismos anteriores, percibiremos cuán distintos son unos y otros. El del siglo pasado nació de un amor a lo natural, a la naturalidad, y el actual posiblemente ha surgido de una ira insostenible frente a esa misma naturalidad.

Todo esto se ve muy claro en los aspectos que el amor ofrece en la novela moderna. Un primer hecho importante es que este amor, tan fundamental en los relatos de otros tiempos, ha pasado a segundo plano. Es el mismo plano en que el amor está colocado en nuestra sociedad como resultado de la crisis de la civilización contemporánea, ha escrito muy bien Pierre Henri Simon. Efectivamente, este amor no se intenta idealizarlo, al contrario, se le somete a las más duras pruebas, a una simple necesidad biológica o animal, y se le aleja de toda consideración moral o sentimental. Nunca ha estado la novela más distante de la pornografía que la novela actual. Lejos del erotismo burgués y farisaico del siglo XIX, y lejos también del otro más peligroso quizá, el erotismo aristocrático del setecientos. Se ha de reconocer que en nuestros días el sentimiento de distancia entre hombre y mujer se ha desvanecido y que poco a poco se han ido suprimiendo los ritos de la aproximación. Sólo se busca de manera exhaustiva el ayuntamiento y el final tópico fugaz y realista. Todo esto se busca como una liberación. Toda esta novela expresa el mundo amoroso de modo directo, crudo, testimonial. Pero todos también convendrán en afirmar que nunca tuvo este amor el sentido de vacío, de decepción y de soledad con que tropezamos en la literatura de hoy. Este amor así entendido es peculiar de toda la novela de Europa y América, de toda aquella que no está dirigida. Aun en España encontramos magníficos ejemplos: el amor de Pascual Duarte, el de Lola, espejo oscuro, el de Carmen y Angel Aguado de *Las últimas horas,* y se patentiza con lucidez en los más modernos libros aparecidos: *La colmena, La ciudad perdida* y *Juego de manos.* Se puede pensar, a la vista de esta situación amorosa, que si los hombres no estuvieran poseídos de una naturaleza que de cierta manera les obliga, ya éstos habrían abandonado el amor como cualquier sentimiento indeseable, corrompido e inútil. Desdeñadas todas las formas de amor que conocimos en la novela tradicional, desde el pagano al naturalista, desde el amor lúdico hasta el amor pecado, nos damos cuenta qué ansia de amor absoluto padecen los héroes modernos, si nos fijamos en su fugacidad, en su cansancio y en su miserabilidad. La posición del hombre novelesco es, en este aspecto, verdaderamente dramática y ha adquirido una profundidad personal desconocida hasta este momento. Casi todos nuestros artistas actuales siguen aferrados a esa bandera combativa que un día de extraña lucidez enarbolara André Malraux en *La condición humana*. Para cubrir el vacío de su soledad terrena, el hombre busca al amor y busca a la mujer. Pero la insatisfacción metafísica no se colma con la hartura de su apetito. Necesita de otra creencia, de otra voluntad, para establecer una solidaridad humana y una condición viril de la persona. Sin duda, todo esto así exhibido nos indica hasta qué punto es éste un amor de crisis. La manera de tratar este amor a veces nos recuerda la manera bíblica, otras la indiferencia estoica, en muchos casos nos obliga a una honda contrición o a descansar blandamente en la seda de las esperanzas.

Reconocemos que este amor visto por los existencialistas franceses oficiales, que son pocos, dígase lo que se quiera, acaso no tenga salvación, moralmente hablando. Pero si nos detenemos en el cuadro general de la literatura occidental, percibimos que el modo de presentar este amor ofrece una realidad muy distinta. En la mayoría de estos novelistas sigue poseyendo el amor una fuerza ancestral y una consideración ética. Ahora bien, éstas no afloran debido a una especial situación, encontrándose aquél como castigado, en rehenes o como exilado de su tradicional autonomía. La llamada novela existencialista, Jean Paul Sartre o Simone de Beauvoir, acaso tenga menos importancia que la que asegura su propia propaganda. Su caducidad manifiesta nos dice hasta dónde fué sólo el exponente de un momento político, el de la resistencia francesa. El amor, tal como nos lo presentan Graham Greene, Evelyn Waugh o Cyril Conolly en Inglaterra, Albert Camus, Luc Estang o Hervé Bazin en Francia, los relatos neorealistas italianos, sin olvidar los maestros norteamericanos más jóvenes, a partir de *El camino del tabaco,* nos indica hasta qué punto el camino erótico ha pasado a segundo término en la consideración humana. Su sequedad de ceniza, su significación efímera, su convertibilidad metafísica, su desintegración pagana, todo esto afirma que por hoy este amor ha quedado entre paréntesis, como en cuarentena, y entre compresas de hielo.

La intelección de este amor en la novela moderna nos lleva a un extremo interesante de esta cuestión general. Sabido es que muchos aspectos de este amor así tratado aparecieron por primera vez en la novela católica francesa. François Mauriac, George Bernanos y Julien Green, más tardíamente, y mucho antes del existencialismo vulgar, compusieron las telas más negras del amor-pasión o del amor-pecado que se puede imaginar. De cierta manera, ellos pusieron la primera piedra. Lo que más tarde siguió no dejó de ser una variación, unas variaciones sobre un tema bien conocido crudamente. Es verdad que los escritores posteriores, ante la naturaleza sexual del hombre, pusieron una nota intensa de paganía, de desenfado, de gratuidad. Sobre todo aquello que para los católicos era sólo pecado. Pero unos y otros volvían a encontrarse en los resultados, en el punto final: insatisfacción, asco y desesperanza. Todos también han incidido de manera violenta y denunciadora sobre la concupiscencia, la crueldad, la mentira y la avaricia erótica, siendo sus observadores más implacables. Robert de Traz ha afirmado que lo mismo Mauriac que Bernanos se manifestaron siempre como antiburgueses y como enemigos acérrimos de las convenciones morales y sociales. La situación de estos novelistas es fácil de entender: como católicos se han separado del mundo actual francés, del estado de cosas establecido por una burguesía que se ausentó de la Iglesia y que ha fundamentado un laicismo oficial. Desde su orden cristiano, apasionadamente y con virulencia, han atacado aquellos reductos con todas las armas. Han construído una novela negra de la más alta calidad y han huído de ese clericalismo empalagoso de Saint-Sulpice que había inundado toda la tierra, incluso España, con su mentalidad y su arte de pacotilla. Hay que pensar que estos libros de Mauriac, Bernanos y Green, más que para los católicos sirven de lectura a los enemigos religiosos. De cierto modo se ha tenido que desplegar una gran tarea desde la oposición, presentando un estilo literario y una caligrafía de acento crítico, irascible y resolutivo.

Hace poco hemos leído un artículo de José Luis R. Aranguren en *Cuadernos Hispanoamericanos,* sobre las razones por que no hay novela católica en España, del mayor interés. Nos damos cuenta de que la situación de una novela católica en nuestro país es muy diferente de la que se puede dar en Inglaterra, en Francia o en Alemania. En seguida se percibe una inversión completa de planos vitales. "Nuestro catolicismo propende a vivir enclaustrado en un mundo ideal", escribe el ensayista español. Se puede decir que como consecuencia de la catolicidad del Estado. Si no existe una oposición, un orden contradictorio de cosas, una crisis cualquiera, es difícil que una novela nazca con vigor y con feracidad. Fundamentalmente, hemos repetido, este arte es un arte crítico. Si éste no tiene donde ejercitarse, todo lo más que puede surgir son obras de agua y azúcar, como *La vida nueva de Pedrito Andía.* De hecho no se ha producido una gran novela religiosa, sigue afirmando nuestro comentarista. Uno se llega a explicar el nacimiento de la vasta obra anticlerical de las generaciones de la Restauración y del 98, dada la estructura del Estado español de entonces y de su sociedad. El caso del escritor actual en nuestro país es bien distinto, del escritor católico, se entiende. Está bien seguro, cómodamente asentado sobre creencias tradicionales en las que no se vislumbra ningún riesgo, con su libertad encastillada y victoriosa. Esta conciencia pasiva religiosa no le lleva ni a encararse con la vida ni a luchar con una realidad adversa pero propicia a la creación de ese héroe novelesco bien dotado para desatar problemas, superar o anegarse en la angustia de la existencia, o para crucificarse en el absurdo dentro de una categoría actual irreprimible. Fundido con esta conformidad, este artista no toca las fronteras de lo religioso como realidad disconforme y piedra de escándalo. En esta bien dilucidada posición nos podemos preguntar por qué se logró el esplendor de la novela española del siglo XVII, la novela de Cervantes y la novela picaresca, ponemos por caso, dentro de un Estado y de un pueblo bien acoplados. A esto se debe añadir que, o bien esta última afirmación no es tan exacta como a primera vista parece y que aquel debate interior encontró en todo momento un resquicio de libertad por donde expresarse, o bien nosotros estamos equivocados en la concepción de la naturaleza de la novela. Hay que convencerse de que la literatura contemporánea, para hacerse seria, se ha desenvuelto sobre una dialéctica de conversión que oscila entre los polos de una existencia perdida y una existencia recuperada, según expresó un día con gran tino Emmanuel Mounier, el sagaz filósofo francés desaparecido.

Antes de entrar directamente en el estudio particular de algunos escritores españoles de nuestra postguerra, quisiéramos presentar una sucinta relación del estado de la literatura europea en el momento mismo de la segunda conflagración mundial, que pudiera servirnos de antecedente y de cuadro comparativo. En Italia, por ejemplo, apareció un libro, un relato novelesco, *Conversazione in Sicilia,* en 1938, de Elio Vittorini, que toda la crítica ha considerado como fundamental en la evolución de aquellas letras. Esta obra marcó de modo poderoso lo que habría de ser el neorrealismo italiano. Hasta este momento continuaban existiendo dos firmes puntales en la novela de aquel país: Corrado Alvaro y Alberto Moravia. Pero lo que nacería después no tiene mucho que ver con los nombres de estos dos escritores ya consagrados y mal vistos oficialmente. *L'uomo è forte,* de Alvaro, refleja la condición del hombre moderno que, en una nación totalitaria, pierde la fe en el género humano y se convierte en el implacable vigilante de sí mismo. Pero lo que manifiesta la aparición de *Conversazione in Sicilia* es la necesidad de una nueva realidad, "violenta y agresivamente interpretada, con su desesperado anhelo de una libertad de vida", ha escrito Geno Pampaloni. Toda la literatura que siguió tiene un cierto carácter de anarquismo romántico, es fresca, de muy tolerante humanidad, con su carga de poesía realista, a veces, y, otras, teñida de un cierto afán reivindicador. Esta novela ha tenido su significado más amplio en el cine de este último tiempo, y una y otra han convivido amablemente. De hecho no ha surgido una figura sobresaliente, decisiva, y más nos ha valido esta obra como paisaje que como persona. *La romana,* de Alberto Moravia, hemos de entenderla como la mejor novela postbélica, y sorprenden en ella sus dimensiones intelectuales europeas, vistas a través del problema moral vigente que nos presenta Mino, el amante ocasional de Adriana, el estudiante comunista y traidor, tan sugestivamente maltratado.

No sabemos qué es lo que leían los italianos durante los años de guerra y ocupación. Tampoco sabemos lo que leyeron los españoles durante nuestra contienda. En cambio, sí sabemos cuál fué la lectura más corriente en Francia en los días duros y sórdidos de su derrota y especialmente en los tiempos inmediatos. En Francia se leía *Les silences de la mer,* de Vercors. En Inglaterra se leía *No orchids for Mrs. Blandish,* de James Hadley Chase, en la hora más desesperada de los bombardeos aéreos sobre Londres. Es curioso observar la diferencia fundamental entre estos dos libros. Uno, dentro de la mejor tradición nacional, la del impresionismo psicológico, era una lección moral y una recomendación de la actitud que debían ofrecer los franceses al invasor alemán. La figura del extranjero y la de la familia burguesa que lo aloja en su casa, por la fuerza, claro está, los vemos trazados con una delicadeza extraordinaria. Este alemán no era un alemán tópico, brutal, agresivo, totalitario. La familia francesa descansaba sobre la tradición de Maurice Barrès, casi se puede decir. La novela es la novela de esa coexistencia imposible. La familia se replegaba sobre su personal historia, sobre un fondo intransferible y cerrado, creando así una cortina de humo irrespirable entre el invasor y el hogar invadido. *Les silences de la mer* es una obra de alta tensión, sin duda, de resistencia y de estoicismo clásico, de gran serenidad, de un cierto odio refrenado, pero de fácil y amable comprensión humana. Más para ser escrita después de la guerra que antes. Nunca se pudo pensar que del lector de este libro naciera el lector de la novela existencialista, de la novela negra y de la novela comprometida que conocimos después. Hay en todo este acontecer una contradicción patente que deberíamos aclarar.

Por el contrario, los ingleses leían *No orchids for Mrs. Blandish,* una novela policíaca donde el tormento sexual a lo Faulkner, la intriga más absurda y la revelación surrealista de alto copete se daban la mano ampliamente. Esta clase de novela no fué nunca preferida del público británico, por lo menos en este último medio siglo. No hay que olvidarse de que desde estas islas salió, en las postrimerías del setecientos, la novela terrorífica de Horacio Walpole, la de Ana Radcliffe y la de Lewis, y que, algún tiempo antes de 1939, Edgar Wallace se constituyó en maestro de la novela detectivesca, con su lógica crueldad insatisfecha. Se puede uno preguntar por qué el inglés leía esta famosa *No orchids for Mrs. Blandish,* mientras el francés se contentaba con *Les silences de la mer*. La obra inglesa fué algo así como una apología de la violencia, del misterio de los hechos, del instinto desvergonzado de poder. George Orwell compuso un ensayo del mayor interés sobre este importante tema. Reconoce el citado libro como una condensación literaria del fascismo, pero sin que, por otra parte, aquél tenga nada que ver con la política fascista. Un realismo maquiavélico, afirma, mueve a todos los personajes de la obra. Ahora bien, luchando contra la Alemania de Hitler, no sabemos cómo el inglés de entonces podía sentirse satisfecho con la lectura de este relato horroroso que ha colmado de alegría a todos los surrealistas del mundo. Hay que buscar unas razones psicológicas que justifiquen esta lectura. Creemos que las únicas posibles arrancan de la necesidad que sintió el hombre insular de aquellos días de contrarrestar el natural miedo de la invasión y de los ataques aéreos con una literatura excitante y violenta. La mayor parte de las veces, cuando recibimos una fuerte impresión, no se nos ocurre otra cosa que tomar una buena dosis de alcohol, cuanto más basto mejor, para relajarnos o para entumecernos. No es complicado encontrar los motivos por que el lector actual gusta de las novelas tremendistas. Dada la situación contemporánea del mundo, incierta, peligrosa, terriblemente agitada, lo natural o lo cómodo sería que sólo se leyeran obras tranquilas, sedantes, agradables, analgésicas y evasivas. Hay mucha gente que prefiere éstas, que sólo van al cine a ver películas banales o meramente entretenidas, que asisten al teatro únicamente para divertirse con la comedia de "boulevard" o la intriga ñoña o picante. Se contentan con esto y así aíslan su vida de las otras preocupaciones con que les atosiga la realidad: el temor de la guerra fría o atómica, el desgarramiento de la personalidad por la intromisión del Estado, la imposición de la técnica en todos sus movimientos, el riesgo perenne de la convivencia humana o el desintegramiento del amor en la familia, en la criatura o en la sociedad, por la inflación de la moral al uso. Es posible que los más intenten escapar de esta circunstancia, enmascarando la situación y falseando la verdad. Pero los menos, los más responsables, se afanan por un mayor conocimiento y una mejor información y no esconden la cara ni hurtan el cuerpo ante el peligro inminente, y buscan esa novela tan combatida que se expresa de muy distinta manera. Hay que pensar que esta novela de hoy no es sólo la de Henry Miller, sino también la de Albert Camus, la de Ignazio Silone y la de Graham Greene. Tres facetas del alma moderna: la de la incoherencia lírica y desvergonzada, la del estoicismo clásico y noble y la de una fe reveladora y trascendente. Ante un mundo absurdo y como sometido a castigo, el hombre presenta sus actitudes diversas y sus respuestas doloridas o contundentes. El espíritu inquisitivo del europeo ha gustado siempre de esclarecer o de extraviarse trágicamente en la búsqueda de verdades superiores, aun debatiéndose en la peor de las contradicciones. Así lo han proclamado sus místicos, sus hombres de ciencia y sus políticos. La catedral gótica, el descubrimiento de América, Don Quijote o la novela realista, Hamlet, la duda cartesiana, el descubrimiento del átomo o las luchas viriles por la libertad son sus mejores ejecutorias. Y, asimismo, este europeo, como Job ante la casa que se le viene encima, grita en el desierto, con palabras duras, vociferantes y hasta cansadas. Grita de esta manera en la hora de su angustia para denunciar la verdad y testimoniar su abandono, buscando ansiosamente a su Dios. La novela actual sólo expresa una parte muy atenuada de la vida real, ajena de cierto modo al novelista, que cambia, se deshace o lo trastorna todo.

No hay por qué asustarse, pues, de la novela actual. El hombre occidental, a lo largo de su historia, ha hecho muchas cosas y ha tomado muy opuestas actitudes ante la existencia. Su arte o su filosofía han nacido unas veces de una mera curiosidad o de un asombro sostenido, otras ha levantado grandes máquinas de incertidumbres o de aseveraciones metódicas, pero también en ilustres ocasiones, como Job, ha encontrado el camino, desesperándose. Las incitaciones del universo contemporáneo son desgarradoras para todo el que intente contemplarlas. Dentro de este tiempo de angustia, las respuestas no pueden ser otras que esas que hemos apuntado. Recordemos que hasta Job llegan sus amigos para consolarle con palabras sensatas y cariñosas, como si fueran dichas por un coro de filósofos griegos, ha escrito muy bien León Chestov. Toda la razón está de parte de los filósofos, la razón y la ética. Pero también debemos recordar que Job no los escucha porque no los entiende, "porque sus sufrimientos eran más pesados que las arenas del mar". Kierkegaard nos ha dicho: "La grandeza de Job no se manifiesta cuando dijo: "el Señor me lo dió, el Señor me lo ha quitado. ¡Loado sea el Señor!". Esto lo profirió únicamente al comienzo y ya no volvió a repetirlo. La significación de Job reside en el hecho de que su lucha le ha conducido hasta las regiones de la fe. Y acto seguido añade: "La grandeza de Job se basa en que no consintió en reducir y ahogar, por una falsa satisfacción, la pasión de la libertad".

Muchas veces nos hemos preguntado hasta cuándo esta situación testimonial de nuestro duro tiempo podrá mantenerse en el orbe de la novela y del teatro. Cerca de veinte años han transcurrido y aun apenas si vemos el resquicio por donde una alegre o adolescente luz ha de aparecer. Todos tenemos que admitir que el derrotero nuevo no está en manos de los novelistas. Sinceramente creemos que ellos hacen lo que sienten o lo que las circunstancias les obligan a hacer. Hay que pensar que para lograr una mutación en sus quehaceres no les sería difícil echar mano de tantos recursos como tienen a su alcance. La historia literaria está llena de esos cambios de posición y de espíritu, y las técnicas adecuadas se han producido siempre muy espontáneamente. Recordemos, por ejemplo, la época del expresionismo alemán de la primera postguerra. Con qué facilidad se pasó al realismo mágico y a las compresas frías desde la novela de choque que tan bien expresaron Unruh, Leonard Frank y el primer Franz Werfel, hasta llegar a Joseph Roth. Y aun en casos más delicados de zanjar, no nos debemos olvidar de lo que supuso Jules Renard cuando surgió con su pequeño arte realista, amablemente coloquial, en el seno mismo de la escuela enfática de Zola. Y todavía podríamos citar a Máximo Gorki, deshaciendo con una nueva estética y con un nuevo sentido próximo del mundo todo el tormento y toda la desesperación mesiánica de los grandes maestros rusos. Quiere esto decir que en la Europa actual las cosas no han variado, simplemente porque la hora de ese tránsito no ha madurado en el árbol. Nos pasamos la vida esperando esa resurrección. Historiadores y críticos avizoran la lejanía con an-

RAMON CON SU ESPOSA EN SU TORRE
DE BUENOS AIRES

CARMEN LAFORET RODEADA DE SUS NIÑOS

JOSE M.ª GIRONELLA

siedad. Es cierto que deseamos ese cambio, quizá por cansancio. Pero si fijamos la atención en los últimos libros aparecidos, nos damos cuenta hasta qué punto sólo existe un germen mínimo de esperanza. Los artistas ya maduros, así como así, no se mueven de sus puestos, sus mensajes siguen siendo contradictorios y a veces ofensivos. Es el caso de William Faulkner con su Fábula, de Graham Greene con *El americano tranquilo* y de Albert Camus con *La chute,* todas novelas recientemente publicadas y de extraordinaria significación. Éstas no nos dicen con exactitud si pronto pasaremos del invierno a la primavera. De todos modos, en estas tres narraciones algo ha variado. Se percibe menos crudeza, menos sordidez, menos nihilismo. De hecho, sólo en la forma y presentación. Albert Camus en su libro nos ofrece todas sus viejas ideas a través de un relato muy apacible y contristado. *Fábula* queda ahogado por un exceso de valores simbólicos y de inquisiciones maniqueas discursivas, y de donde no es fácil sacar su sentido a flote. Graham Greene se mantiene en su trayectoria y sigue considerando el mundo como un pequeño infierno que sólo se apacigua con el sufrimiento revelador.

Ahora nos podemos detener en los más jóvenes que son los que en realidad han de poner la primera piedra. Un André D'Hôtel, en Francia, con *Le pays où l'on n'arrive jamais* y hasta un Felicien Marceau con *Les élans du coeur,* un Henrich Boll, en Alemania, con *El pan de los primeros años,* y, si nos volvemos a España, un Sánchez Ferlosio con *El Jarama,* nos demuestran que algo se está sucediendo en el seno de la novela europea que va perfilando otro sentimiento del universo y la apertura de una cierta era de paz. Al menos, en todos estos libros existe un cambio de clima y de situación, se intenta herir menos al lector y nace de ellos una línea estética menos desgarradora y crítica. Entre inocuidad, apoliticismo y humor pintoresco y no

17

negro, vamos entrando en un extraño ciclo literario. Hemos de pensar que esta nueva novela no se formará por el simple suceso de que cambien las posiciones políticas del mundo. Terminada la guerra, la fría y la caliente, aún nos queda en pie un problema vital —el de la masificación creciente de la sociedad— muy difícil de resolver, que atañe entrañablemente a este arte, ya que se trata de un conflicto que estalla en el corazón mismo de la libertad personal. Aquí se nos aparecen en litigio el yo y el tú. Recordemos que para los existencialistas el tú se ha convertido en una cosa, en un "ello", que es algo peor que convertirse en el peor enemigo. El reinado de las masas supone una relación de "señor y siervo" entre el yo y los hombres-cosas. Llegado este momento, será casi imposible escribir una novela. Ya no nos servirá para nada el vociferar, el conocer será inoperante, y el amor, imperdonable. No nos queda otro remedio sino luchar a brazo partido para que esto no acontezca. De hecho es lo que están haciendo nuestros mejores novelistas.

II

PRESENCIA DE LOS NOVELISTAS ESPAÑOLES

1

La familia de Pascual Duarte, CAMILO JOSÉ CELA

Se puede decir que todos los españoles que vivían en España interesados en las artes y en la literatura estaban pendientes de lo que habría de traer ese amanecer nacional que se dibujaba sobre un horizonte revuelto de euforia natural y resentimiento agazapado. Sobre esta inquietud se alineaba mucha gente: desde los especialistas estéticos, generosos y despreocupados, hasta los políticos, los hombres de profesiones liberales, los universitarios, el clero más docto y vigilante, los burgueses noveleros, los empleados distinguidos, el burócrata o el comerciante de filiación europea, el obrero especializado que aún tiene tiempo para leer un libro, y hasta los derrotados en la guerra civil que pensaban en la estrecha relación que tienen el arte y la política. Con viva impaciencia se aguardaba que la novela, a través de una obra importante, se manifestara de manera adecuada. Lo mismo si aparecía la obra como si no aparecía, en cualquier caso, todo se revestía de un gran significado barométrico. Si no aparecía, porque ya se podría hablar de la esterilidad de nuestro genio novelesco como consecuencia de nuestras luchas intestinas, y, si aparecía, porque nos preocupaba la dirección que este nuevo viento llevaba y la fuerza destructora de ese círculo cerrado de graves tensiones atmosféricas.

Desde 1939 se esperaba que una sobresaliente novela naciera. La novela es la manifestación estética más divulgada y popular, y trae siempre un mensaje singular de paz o de guerra. Una guerra civil es asimismo una conmoción espiritual formidable. Mientras dura, no hay que pensar en nada sino en hacer la guerra, pero una vez terminada es natural que la novela aflore como fruto de esa conciencia nacional dolorida y ensimismada. No sabíamos qué nos traería esa obra esperada. Siempre sería una sorpresa, ya que el cuerpo de la novela ha sido, en todo momento y a lo largo de su sugestiva historia, multiforme, vario y misterioso. Como tiene que vencer muchas resistencias y escapar de muchas opresiones, casi se debe decir que aquélla se ha ido presentando con la diversidad física que manifiestan los cuerpos de los pulpos. Cuando están en el fondo del acuario, éstos son de un amarillo pálido, si permanecen entre las rocas son rojos o castaños, si se mueven al compás de las algas, son de un verde subido. Su piel se hace lisa o áspera, según el medio en que se hallan. Dentro de esta piel poseen unos saquillos microscópicos de pigmentos de diversos colores. La dilatación de estos saquillos los empalidece o los enrojece de acuerdo con las vicisitudes de su libertad animal.

Pues bien, en 1942 aparece *La familia de Pascual Duarte,* novela escrita por Camilo José Cela. Su publicación marca una fecha interesantísima en los anales de nuestra literatura. Esta novela sigue siendo la más importante de cuantas han nacido en España después de nuestra guerra civil, si nos olvidamos adrede de *La colmena,* del mismo autor. Su nacimiento tiene la dignidad y la sorpresa que pudo tener el nacimiento de *Doña Perfecta,* en 1876, o, el de *La busca,* en 1904. No era fácil pensar que nuestra novela, en una nueva etapa de su existencia, se presentara de esta manera. De todas las novelas concebibles que en aquel momento podían ofrecerse, y son muchas, ninguna de éstas era capaz de identificarse con *La familia de Pascual Duarte.* Los más conservadores pensaban que esa novela sin nacer mostraría un carácter ejemplar, heroico o épico, y que si surgía dotada de un sentido crítico agudo, el autor del inédito libro lanzaría sus dardos y su sátira contra ese enemigo vencido y agobiado que andaba por dentro y fuera de España. Todo lo más, se estimaba que nuestra nueva novela intentaría buscar un punto de sutura con la obra de las grandes maestros anteriores. Ni Baroja ni Gómez de la Serna ni Ramón J. Sender, que eran los novelistas serios que nos quedaban, nos podían servir de norma. En cuanto a la literatura europea del momento, casi se debe decir que no existía debido a la guerra que asolaba al mundo. Es verdad que Kafka desde lejos y Malraux o Graham Greene más cerca, cualquiera de ellos hubiera sido fácil punto de apoyo para una obra de calidad, pero todos teníamos que admitir que el mundo de éstos, ni moral ni intelectualmente, estaba capacitado para encuadrar esa novela que se aguardaba. Una novela católica, apoyada en el hombre acosado y miserable de *El poder y la gloria,* no se prestaba a una reconstrucción épica.

Los únicos modelos posibles eran: un Kipling o un Antoine de Saint-Exupèry. Especialmente el primero por su valor ejemplar. Sabido es que Kipling inventó un inglés para las novelas de la India que no se parecía en nada al verdadero inglés. Roberto Graves dice que desde 1887 a 1914 todos los soldados profesionales pertenecían a un solo regimiento, al "Kipling's own". Los anglohindúes se propusieron asemejarse a la pintura que había hecho de ellos el escritor británico. Éste les había enseñado, entre otras cosas, esa admirable represión de los sentimientos y el nuevo sentimiento imperial de la fraternidad. El caso de Saint-Exupèry es bien distinto. Primero, nunca fué un novelista propiamente dicho. Sus relatos de guerra o de aventura no se conocían bien en España. De todas maneras, su moral heroica brota siempre, sin duda, de modo noble pero escandalosamente desesperada. Fué una moral de resistencia que anduvo muy cerca de la del existencialismo de Sartre. A estas alturas podemos afirmar que si se quería hacer una novela original, con un contenido de conciencia moderno, por muy española que fuera, a aquella no le era dable apoyarse ni en Alarcón ni en el espiritualismo último de la Pardo Bazán ni en Ricardo León.

La familia de Pascual Duarte produjo un susto irreprimible en la hora ilustre de su aparición. La primera crítica favorable fué la de Enrique Azcoaga, en *Juventud.* Inmediatamente se organizaron dos frentes. Siempre existió el temor, como en todos estos hechos artísticos sensacionales, de que la novela se quedara en manos de una juventud subversiva y arriesgada, o de que se enquistara en el círculo de una minoría preclara. Pero no fué así, por fortuna. Desde que se echó al mundo, anduvo con pies de plomo y victoriosamente. Una primera lectura transeúnte nos acusaba de manera efectiva dos notas distintivas en su difícil nacimiento: su peligrosidad y su sentido de contradicción. Era la novela más peligrosa que se pudo haber escrito y estaba teñida del tronco a la copa por un vivo sentido de contradicción. Su orbe moral no se atemperaba al de la España victoriosa o cansada que le vió nacer. Sus héroes contradecían este espíritu y habían sido buscados en un lugar insospechado y paradójico. Del mismo modo que las grandes capitales europeas, París y Londres, adquirieron su supremacía medieval por estar situadas en la zona de mayor riesgo de la presión escandinava, así *La familia de Pascual Duarte* adquirió su mayor prestigio por la peligrosidad de su condición humana. Su sentido de contradicción se descubría a través de un peregrino suceso: su autor, en vez de ir a buscar la inspiración, los temas y los hombres en un territorio de heroísmo o de sacrificio o, incluso, en el campo lejano de la conciliación, se contentó con descubrir su tesoro novelesco en un universo agrio, negro y ajeno a toda ley. Nos recordaba mucho esta situación la de los poetas épicos franceses del siglo XII que fueron a sorprender al hada de sus aventuras, no en Irlanda, la isla céltica que casi había arrebatado al continente la misión de crear una civilización occidental, sino en Britania, la isla eliminada y preterida de aquella época, vista y cantada sobre la leyenda del fracaso del rey Arturo. Dejando a un lado esta cita de Arnold J. Toynbee, lo cierto es que, entre unas y otras cosas, *La familia de Pascual Duarte* se nos presentaba como la respuesta peligrosa y contradictoria que España daba a la literatura universal.

La novela de Camilo José Cela se nos aparece como una rara

invención, muy autóctona, independiente e inesperada. Es difícil encontrarle un precedente español. La letra gruesa y ofensiva de Valle-Inclán en algún aspecto, el menos significativo. También se debe decir que tiene una raíz barojiana, aquella que muestra el desenfado de sus melodramas fantásticos, como *El crimen de Peñaranda del Campo.* Asimismo un cierto lirismo rural a lo García Lorca. A primera vista se asemeja a un libro existencialista, en su clima, en su negrura y en su crueldad, pero todavía las grandes obras creadoras de esta escuela no habían aparecido. Creemos difícil que nuestro autor conociera *La náusea,* de Sartre, publicada en 1939, de gran representación en este orden de ideas, pero también bastante insoportable, pesada y con una buena carga de "ideologías". De manera que *La familia de Pascual Duarte* nace al mundo con una libertad, una autonomía y una originalidad muy españolas. En este mismo año 1942 se da a la estampa *El extranjero,* de Albert Camus, con el que quisiéramos establecer algunas relaciones. No sabemos si Camilo José Cela conocía a estas alturas algunos relatos de la última generación de escritores norteamericanos, tipo *Camino del tabaco,* y con cuyo mundo rural puede manifestar ciertas concomitancias. De todos modos, nuestra obra, en la hora de su publicación, sólo admite un cierto paralelismo con la de Albert Camus que, como ya dijimos, aparece en este mismo año. En las dos novelas sobresale la intención moral y algunos aspectos de una metafísica. Son dos relatos breves, escritos de manera muy lúcida y sugestiva. Sus héroes se mantienen sobre dos o tres hechos decisivos. En ellos se traban algunos sucesos coincidentes, verbi gracia: Mersault, inmediatamente después de la muerte de la madre, posee a María, como Pascual Duarte después de la muerte de Mario, su hermano, sobre el mismo cementerio, desflora a Lola. Luego viene la cárcel, el arrepentimiento o la impasibilidad y, más tarde, la confesión.

La estructura de estas dos novelas es muy similar. La escritura es fina, hasta alígera, deslizante, fluidísima, llena de un cierto encanto impresionista-clásico. En la novela española todo esto es más brillante, más pintoresco, valga la palabra, y existe la imaginería verbal del campo de nuestro país, la riqueza idiomática de la tradición popular. Con esta prosa se expresa un mundo temático verdaderamente bárbaro, inhóspito y desgarrado. Claro está que las dos figuras son muy distintas. Pascual Duarte no deja de ser un individuo que ha de entenderse como una naturaleza, todo lo más como un carácter, y muy enraizado a una fuerte tradición europea. No es ni mucho menos un personaje existencialista. Razón tiene el Dr. Marañón de mirar con simpatía a este Pascual Duarte, en el prólogo que pone al libro, ya que aquél cae muy justamente dentro del orden de un mundo "natural", muy causativo e inteligible. Pascual Duarte es la resultante de un clima y de una estructura social irregular. Su genealogía se hace clara y está como preparada, por una serie de circunstancias muy reconocibles, para producir un tipo humano como nuestro héroe. Siempre se puede pensar que en otro medio físico y moral, Pascual Duarte se hubiera comportado de manera diversa. Hasta aquí todo está explicado. Cuando la explicación no basta ya es en esos momentos decisivos de las grandes realizaciones, crímenes, de Pascual Duarte. Por encima y por debajo de esa naturaleza humana casi indiferenciada, aparece como un conciencia volitiva autónoma, muy personalizada, que se cubre de un dispositivo moral singular que casi bordea el imperativo metafísico, española hasta su última savia, y que pudiéramos llamar, la llaman todos: tomarse la justicia por la mano o hacer la realísima gana. Todos sabemos que sobre esta forma de ser, más que de existir, puede levantarse un universo ético de la mayor trascendencia, capaz de oponerse a esos otros más modernos que nos ofrece Europa: el mundo no tiene sentido, la moral del compromiso incondicionado, estamos condenados a ser libres, etc., etc.

Mersault, el protagonista de *El extranjero,* es bien distinto de Pascual Duarte. Aquel libro carece de clima naturalista. Mersault no es una naturaleza humana. Es un ente metafísico, hecho adrede e intencionadamente, que vive dentro de algo así como un acuario, bajo la presión de una realidad enrarecida, aunque muy concreta. Esa realidad que vivieron los franceses en la época de la dominación alemana. El crimen de Mersault es absurdo; su impasibilidad, insoportable; la falta de sentido de su existencia, agobiadora, y su extranjería muy intelectualizada; su condición humana, terriblemente irracional. El mismo Albert Camus ha corregido gran parte de esta metafísica, camino de un humanismo más esperanzador. Nada de esto tiene que ver con la verificación novelesca, ciertamente espléndida. Fué un libro de circunstancias muy necesario y hasta ejemplar. La soledad de Mersault es totalitaria. No tiene historia ni tradición y, verdaderamente, está condenado a ser libre. Los acontecimientos de su vida son meros sucesos. Los de Pascual Duarte son auténticos actos, en su interpretación más clásica. Este "caso" de Pascual Duarte es evidentemente opuesto. Le apoyan Don Quijote, los héroes del honor de Calderón de la Barca, los místicos de Galdós, el pensamiento de Unamuno y los anarquistas de Baroja. Como se siente sostenido por un pasado realista ilustre, como no se siente solo, aun cuando en verdad esté solo, es natural que cada crimen vaya acompañado de remordimientos, de mansedumbre, de estoica resignación. En este recinto de soledad, él es tan extranjero como Mersault, pero todavía le queda su emoción religiosa, una creencia transcendental.

Parece, por todo lo dicho, que Pascual Duarte y su familia se apartan radicalmente de la novela existencialista que por este tiempo se estaba fraguando en Europa. Y no es así. La obra española se mueve dentro del mismo contorno, en el mismo adentro de los relatos contemporáneos. Tiene hasta ese mismo humorismo negro tan frecuente en estos días. Es dura, agresiva, sucia, ácida, revulsiva. En la nuestra, el irracionalismo francés ocasional está atenuado por una lógica voluntarista muy hispánica. Se separa en parte del orbe teórico existencialista, porque *La familia de Pascual Duarte* está muy poco intelectualizada y es más naturalmente novela. Pero nuestro héroe parece concretarse sobre un mundo de ideas muy coincidentes con aquello de: "El existencialismo recuerda al hombre que no hay otro legislador que él mismo. Es en el desamparo donde decidirá de su vida". No hemos de olvidar que el ser que se toma la justicia por su mano es aquel que se cree estar haciendo la historia de un momento presente. Esto confirma de cierta manera esta idea de Kierkegaard: "Aunque cada generación aprenda de la otra, lo verdaderamente humano no lo aprende ninguna generación de la precedente. En este respecto toda generación comienza por el principio, no tiene ninguna tarea distinta de la de cualquier generación precedente, ni va más allá que otra cualquiera que haya sido infiel a sus tareas y se haya engañado a sí misma". De esta manera podemos interpretar el sentido de la historia en *La familia de Pascual Duarte* y muy de acuerdo con su sentido de la temporalidad. Nuestro libro está revelado por cuatro o cinco momentos de raíz estrictamente existencialista. Se niega allí el continuo fluir del tiempo. "El hoy ya no es un instante en la continuidad, sino la perturbación de toda medida continua, el alto de todo el despliegue en el alumbramiento del tiempo infinito", ha escrito E. Grisebach, intentando sintetizar el tiempo de una nueva novela.

Todo esto quiere expresar el alto valor existencialista de nuestro héroe, de un existencialismo muy original. No creemos que haya en el libro que comentamos la concreción de un universo de ideas bien sabidas por el autor y puestas allí intencionadamente. Sucede, de manera simple entendida, que el hombre español es un ser que encaja bien en esta moral y en esta metafísica. Él es anterior a esta metafísica. Y, por lo tanto, a Camilo José Cela no le fué difícil encontrarlo. Lo que nos llenó de sorpresa fué que Pascual Duarte apareciera en aquel preciso momento. Su resolutividad tan existencialista y su estoicismo tan castizo no eran los más apropiados para encajar en nuestra vida en la hora de su nacimiento. A primera vista se necesitaba otra filosofía, otro mensaje novelesco, el adecuado a una creencia totalitaria. España había sufrido una guerra civil. Efectivamente, esta clase de guerra es por sí, antes y después, una consecuencia de hacer lo que nos da la gana. Por esencia, ella ya lo es, quiérase o no. Una nación victoriosa, con ánimo reinvindicatorio o poseída de generosa conciliación, suponía todo lo contrario: el sometimiento a una justicia abstracta, a una ley nuevamente establecida o a una norma histórica tradicional. La moral de Pascual Duarte no sirve, en verdad, para funcionar en un país de los llamados civilizados. Claro está, Camilo José Cela nunca quiso presentarnos su novela como una novela ejemplar. Pero sí estamos seguros de que su deseo fué colocar entre paréntesis, respaldado por una lejana simpatía, al hombre español para saber qué cosa era y es. De ahí lo que antes llamamos la peligrosidad de su aparición y su espontáneo espíritu contradictorio. Desde este punto de vista, *La familia de Pascual Duarte* es uno de los libros más subversivos que se conocen. Casi parece decirnos que si su héroe se toma la justicia por su mano, haciendo lo que le viene en gana, es porque todos antes se la habían también tomado.

Casi siempre estas conductas bárbaramente subjetivas, como las filosofías consiguientes, son sólo el resultado de una falta de creencias en el mundo objetivo. Ya hemos dicho que Pascual Duarte reviste caracteres muy próximos a los de la novela negra de este tiempo. Él es posible que no sea, en principio, un hombre angustiado, lleno de desasosiego, ni que aun sufra la carga de una soledad esencial a cuestas. Pero termina por entrar dentro de esta categoría vital. Se queda solo, en efecto, porque va suprimiendo todas las resistencias, cosas, animales, personas, que va encontrando a su paso. Bien es verdad que cuando Pascual Duarte acaba con la perra Chispa, hiere a Zacarías y mata a la yegua, al "Estirao", el amante de su hermana, a Lola su mujer, a su madre, es porque sabe que la justicia no puede castigar, como él quisiera, a quienes cree culpables de su deshonor, de su intranquilidad, de su ruina familiar. Pascual Duarte es uno de los personajes literarios que más han sentido eso de que ser libre es una condenación. Mas, al mismo tiempo, como buen español, no llega nunca a perder de vista a la realidad en su concreción más acuciante. Esa realidad está en Pascual Duarte muy transfigurada, hecho muy extraño, y, a veces, llega a convertirse en la realidad de Dios, en la creencia de su misericordia y en el irreductible reconocimiento de su pecado.

Hablar de este libro, de su moral y de su aire, de sus héroes, es el cuento de nunca acabar. Pero antes de poner punto final a este trabajo, queremos precisar algunos relieves de su estilo. *La familia de Pascual Duarte* traía también, entre tantas cosas, una nueva prosa, muy jugosa, segura y expresiva, con su cierto refinamiento y con su nuevo sentido de la realidad. Sobre ésta incidía con una singular iracundia. Muy necesaria, pero asimismo muy intempestiva, afortunadamente. De cierta manera, esta novela creaba una norma, una escuela y una pista. Cuando cesaba aquella iracundia crítica, la comprensión del mundo se teñía de una cierta ternura y la caligrafía se hacía emoliente, cordial y sedante. Se nos presentaba como una extraña mezcla de Valle Inclán, Baroja y Lorca. Esta mezcla adquiría una personal unidad cuando se enfrentaba con una circunstancia hostil u opresora. Camilo José Cela instaura una original forma en la literatura de esta generación, que muchos han seguido y otros no, pero que ya hoy tiene una valoración universal. Esta forma, la tenemos que llamar forma, era el resultado de una alta tensión expresiva, resumen muy realista de lo fugaz, lo dramático y lo desesperado de nuestra época. Claro está, nada de esto encontramos ni en Valle Inclán ni en Baroja ni en Lorca. Toda esta voluntad de forma llega a su máximo reconocimiento en *La Colmena,* obra publicada en la Argentina en 1951, primer volumen de *Los caminos inciertos,* y que merece los mismos honores críticos que *La familia de Pascual Duarte.*

2

Nada, Carmen Laforet

El premio Nadal se instituyó, en 1944, en Barcelona. El que aún sigue siendo el más importante de los premios literios españoles fué adjudicado a la novela *Nada,* de Carmen Laforet. Su autora tenía entonces veinticuatro años. No se sabe qué nos maravilló más entonces, si la obra propiamente dicha o la actitud del jurado calificador al conceder el premio a una novela como *Nada*. *Nada,* como *La familia de Pascual Duarte,* se nos aparecía como otro ensayo osadísimo de romper un mundo de convenciones artísticas y de tópicos más o menos hieráticos. La independencia, la juventud y la competencia del jurado nos aseguraban que todavía en nuestro país se podía tener confianza en nuestro futuro literario. En aquel tiempo todos estábamos pendientes de este primer premio Nadal. El había de tener una extraordinaria significación. De cierta manera, se establecía una norma, se ponía un ejemplo, se abría un camino. Debemos afirmar que novela y premio suponían una sugestiva aventura. Cuando leímos por primera vez *Nada* nos dimos cuenta de que, lo mismo que en Europa, ya no importaba tanto el estilo artístico o la creación propiamente estética como el mundo moral que se descubría, la crítica de la realidad o el mensaje que se aportaba.

Sorprendía en una mujer que escribe novelas, y más en España, ese aliento inicial para meterse de lleno en la atmósfera de la casa de la calle de Aribau de Barcelona. En esta clase de libros, escritos en primera persona, y que, quiérase o no, parecen destilar zumos autobiográficos, lo importante es siempre el inaugural movimiento de penetración en la masa del agua. Al aparecer, ya flotando en la superficie, basta un ritmo mecánico eficiente, casi natural, para que el viaje sea feliz. En este sentido, Carmen Laforet se nos presentaba bajo un signo extraordinario de atrevimiento. Las novelistas de la hora y de las horas precedentes no escribían, salvo rara excepción, sino líricas y desenfadadas tonterías. Era llegado el momento de aprisionar estos relatos por su vertiente más penosa. De pronto, Carmen Laforet, con una inocente agilidad y fácil arrojo, abordaba, un serio abordaje sin duda, un tema con su clima y moral que nos estaba recordando siempre, por su acidez, tortuosidad y dramatismo, la línea creadora de una Emily Brontë o la de la Pardo Bazán en *La Tribuna*.

El capítulo inaugural de la novela es muy expresivo. El lector queda desde este momento inserto en toda la obra. Ya no podrá soltarla de la mano. Andrea, la heroína, llega a Barcelona a medianoche, con retraso de tres horas, en un tren, a la estación de Francia. Llega ilusionada, optimista, con la leve carga de su juventud. Viene a estudiar Filosofía y Letras. Andrea no tiene mucho dinero, tiene poco. Nadie la espera y va a vivir a la casa de unos parientes, en la calle de Aribau. Trae una maleta llena de libros, un viejo abrigo y un gran asombro en el alma por todo. Monta en un viejo coche de caballos y atraviesa la ciudad dormida. Llega a la casa, sube por los sucios escalones, alumbrados por una enmascarada luz eléctrica. Toca varias veces el timbre de la puerta. Por fin se oyen unos pies que se arrastran y una mano torpe que descorre los cerrojos. Entonces comienza la pesadilla. La abuela alucinada, las habitaciones desconchadas, el tío Juan en pijama, huesudo y extraño, el aire estancado y podrido, varias mujeres fantasmales, la sombría solterona Angustias, y la mujer de Juan, Gloria, desgreñada y entontecida por el sueño. Esta casa, estas personas y este ambiente, con su hedor a porquería de gato, han de constituir el hogar de esta Andrea, joven, eufórica y esperanzada, que llega a Barcelona, y que no podrá casi dormir esta primera noche, temblando de indefinibles temores, cuando apagó la vela de su habitación.

Este cuadro así representado estaba descrito y narrado de manera muy fácil, leve y candorosa. Lo creíamos como entretejido con la evocación de una página romántica o terrorífica de la Emily Brontë de *Cumbres borrascosas,* con la angustia sórdida que nos llegaba desde las familias de François Mauriac y con la expresividad ligera y contundente, pero también muy enrarecida a fuerza de virtuosismo cinematográfico, de la *Rebeca* de Hitchcock. Asimismo era otra cosa. Todo esto estaba muy fundido con un cierto sentido crítico-sentimental de la realidad, muy intencionado, y, al mismo tiempo, muy ingenuo, que no sabíamos discernir con precisión. Nos preguntábamos qué es lo que se proponía la novelista con esta *Nada;* si era solamente el deseo opresivo de contarnos una experiencia vivida como cancelación o liberación de la misma, o si, por el contrario, su sátira quería incidir en aquella realidad española, limitada a una familia cualquiera de la pequeña burguesía, con el ánimo aristofanesco de poner al desnudo los vicios de una sociedad y su desgraciado vivir en las duras horas de la postguerra. No cabe duda de que el clan de la calle de Aribau, más el de Ena, la amiga universitaria y su familia, más el de los artistas incipientes, producto de una clase refinada y estúpida, todo esto, coloreado por las tintas más turbias, nos decía hasta qué punto una guerra, cualquiera, estremece y subvierte un estado de cosas establecido. Nada de esto era nuevo en la novela, en la novela de todos los tiempos. Lo que sí creíamos nuevo en este libro era el tono de su palabra, mixtura extraña del que no quiere decir nada y lo dice todo.

Hemos de afirmar, además, que la osadía y el candor de Carmen Laforet no fueron sólo visibles en la hora de la iniciación de la novela, sino que estructuran un ritmo y una presencia, mantenidos a lo largo de la misma. Es una obra que va creciendo en dificultades al paso de las hojas. Los personajes se van haciendo no más complejos, sino más corpóreos. El aire se enrarece, macerado por un oscuro dramatismo. El hilo del asunto se apelotona hasta convertirse en una red a la deriva, ten-

CAMILO JOSE CELA

HOMENAJE A SUAREZ CARREÑ
RECIBIR EL PREMIO LOPE DE

DARIO FERNANDEZ FLOREZ

dida en el mar. La autora de *Nada* va dejando atrás espacio y tiempo de tragedia, con una sencilla actitud, como quien no quiere la cosa. Así nos encontramos que el libro está trabajado dentro de un solo y vivaz aliento. Se percibe que es novela escrita aprisa, muy aprisa, como aquel que necesita poner tierra por medio, como el que quiere desprenderse de una carga psíquica insoportable. Esta andadura, esta dinámica, da al volumen su esencial estilo. Su forma personal impresionista aparece enrojecida por una imagen corpórea, muy sensitiva, sensual e intuitiva, muy bien soldada con una melodía entrecortada y vibrátil que acapara un fondo monorrítmico y desolador.

Todo esto nos hace pensar que las mujeres cuando escriben lo hacen siempre de una manera autobiográfica. La historia literaria está llena de estos ejemplos. Hablamos de mujeres mujeres. En España, la mayoría de las veces, las mujeres han sido hombres. Y esto no cuenta. En Jane Austen, en todas las Brontë, en E. Gaskell en Katherine Mansfield, en Virginia Woolf, en Mary Webb, la femineidad es cosa tan presente que su arte tiene algo de una trasposición verbal del sentimiento de comadreo urgente y de extraversión en forma de encaje de un mundo estético cerrado. Carmen Laforet no se escapa de esta clasificación. Hemos de ver cómo se comporta nuestra escritora, qué métodos emplea para expandir esa experiencia suya. Ella se mantiene dentro de la mejor tradición femenina. De una parte, ella, su universo. Sobre este universo personal, lo objetivo se desliza vehementemente. A quien conocemos es, con precisión, a Andrea, la heroína de *Nada,* que presencia, como en estado onírico, su realidad desenvolviéndose ante sus ojos, conminatoria, irreemplazable. Aparece luego el otro plano, el de la realidad verdadera, que se observa primero y, más tarde, nos acucia, sobornándonos contra nuestra voluntad. Los individuos, la casa, la ciudad, la historia pasada, el clima español de postguerra, todo este material no vive por sí mismo y se desprende de toda comprobación seria. La psicología es quebradiza, y entendida dentro de un orden clásico o naturalista, carece de valor fundamental. Los personajes son sombras, imágenes, sucesos. Andrea permanece ajena al relato que ella realiza. Su actitud es pasiva, sin duda, pero su mundo interior, de sorpresa y candor llenos, se va dejando arrastrar por esos hechos desagradables, cuyo testimonio ha de quedar consignado en el libro.

No sabemos decir si *Nada* es una novela moderna o no. Pudo haberse escrito, tal como está, en otro tiempo. Esto no quiere decir que sea de todos los tiempos. Cuando decimos moderna, queremos decir dentro de las preocupaciones morales o metafísicas del momento, dentro del estilo y de la palabra comprometida actual. Esta obra de Carmen Laforet presenta muchas notas de valoración contemporánea. Una veracidad subjetiva singular, un gran sentido antifarisaico crítico, una cierta categoría testimonial. *Nada* sigue siendo uno de los más sugestivos documentos de la sociedad española de postguerra. Se percibe claramente que la autora, cuando escribió su libro, no tenía ningún contenido "ideológico" definido, ningún prejuicio social, ninguna conciencia dirigida o comprometida. Y si tenía todas estas cosas, no cabe duda que estaban muy bien enmascaradas. Es difícil deducir de *Nada* un mensaje concreto, ni una elaboración intelectual, ni una filosofía de las que andan por el mundo. Coincide con la novela moderna en la sordidez de su realidad, en la negrura y desesperanza de sus habitantes, en la angustia que descubre, en la fugaz intención crítica de su autobiografía, en la circunstancia expresiva de tanta condición humana y en otras muchas cosas. Pero nada más. Un cierto clima naturalista preside estos hechos, esta moral y esta desvergüenza social, lo que determina un debilitamiento de la condición esencial de sus personajes.

No sabemos por qué desde el primer momento pensamos que *Nada* era sólo un intermezzo creador en la vida de nuestra novelista. Y así ha sucedido. Andrea llega a Barcelona, rezumando grandes ilusiones, cargada de optimismo, con el ánimo joven y alegre. Llega, después de la guerra civil, y, cuando llega, desconocemos su anterior situación espiritual o física. Nos damos cuenta de que llega con hambre, con un vestido estropeado y con ganas de escapar de algo que le acosa. Viene a estudiar, no tiene dinero y está poseída de una ansiosa expectación. Entre esta vida así dispuesta y su marcha a Madrid, al final del libro, en busca de Ena, de su familia y de su comodidad, transcurre la acción de *Nada,* una pesadilla negra y horrible colocada entre paréntesis en la existencia de Andrea. Hay que precisar que el ejercicio crítico y denunciador que es *Nada* aparece sólo como un estado de ánimo producido por unas circunstancias. Separada de éstas, Carmen Laforet, sin dejar de ser una novelista, ha compuesto otros libros que no poseen ni el interés ni la gravedad del primero, ni su contenido humano y social ni su desasosiego creador.

La intención crítica de *Nada* ha sido meramente subjetiva, la protesta airada de un alma joven, lírica y efusiva frente a un mundo maloliente, desquiciado y absurdo. Claro está, se nos dirá que también en esta situación se puede hacer novela y crítica. Quién lo duda. Lo que queremos dejar sentado es que Carmen Laforet no está poseída fundamentalmente de ese espíritu crítico, denunciador y ofensivo, que va dejando tras sí, a fuerza de genio meditativo y paciente, ese gran fresco de una época dada. Carmen Laforet pertenece a ese linaje de escritores, cuya obra, una sola obra, es como el grito acusador de una sensible conciencia, perturbada por una contingencia vital. Recordemos que Andrea quiere salir a todo trance de aquel infierno de la calle de Aribau. No ve la hora, y el tiempo le parece siglos. Desea desprenderse de aquella alucinación. Ella no tiene ideas, resistencia anímica y un orbe intelectual bien sujeto como para enfrentarse con todo lo que en aquella casa acaece. Muchas veces a lo largo del libro, y como para limpiarse de toda aquella carroña, Andrea va al cuarto de baño, se pone debajo de la ducha fría y exultante, a fin de sentirse sola y reconfortada. Ella no tiene un sentimiento de soledad creadora, ni está poseída de una angustia catártica ni de una desesperanza reinvindicadora. Ella quiere regresar a la convivencia, a la comodidad, a las buenas formas. Ella ignora que lo que sucedía entre las paredes desconchadas de aquel hogar destemplado, sucedía al mismo tiempo en miles de casas españolas, en innumerables casas europeas, en casi todas las casas del mundo. Era el riesgo de la guerra, el espectro de la libertad humana manumitida, el eco dolorido de las almas contristadas.

Siempre se puede uno preguntar cómo con los escasos elementos estéticos que atesoraba Carmen Laforet, nos referimos a elementos aprendidos o cultos, se llegaba a escribir una novela de la trascendencia de *Nada*. Su impresionismo literario no dejaba de ser un impresionismo sentimental, femenino y lleno de levedad. Pero todo en el libro renacía sencillo, vívido y muy expresivo, lográndose un aire insoportable y opresivo, tan seguro como el que hemos observado en los relatos existencialistas de la hora o en los documentos de Arthur Koestler o George Orwell. Andrea venía a Barcelona con un ansia irreprimible de libertad, con el afán de gozar de una libertad. Esto se lo había de ofrecer la gran ciudad, la universidad, los amigos. Pero resulta que Barcelona sólo le llega a ofrecer aquel piso de la calle de Aribau, con su opresión totalitaria y su absoluta forma represiva, representados por la tía Angustias, con su fariseísmo integral; el tío Juan, con su conciencia alucinada; la abuela, encerrada en su tradición y en sus sueños dislocados; la criada, portadora del poder político del hogar y el tío Román con su arte fracasado. Todo esto así dispuesto, de cierta manera sujeto a una determinación histórica y real, ha de pesar y apretar violentamente el alma de Andrea, ansiosamente libre. El alma de nuestra heroína, a través de unos fuertes sentimientos naturales muy bien formados, donde la creencia religiosa sólo tiene un valor ancestral pero decisivo, resiste hasta el final de la novela. La negación de Andrea, frente a todo este mundo opresivo, se convierte literaria y sensitivamente en *Nada*.

Acaso todas estas consideraciones no sean exactas, da lo mismo, ya que lo único que queda, la novela *Nada,* es válida con ellas o sin ellas. Lo que nos ha obligado a manifestarnos así, es la labor subsiguiente de nuestra escritora. Es posible que Carmen Laforet escribiera su obra desinteresadamente, ajena a sus personales experiencias, con una intencionalidad dada, con espíritu terriblemente crítico y en todo comprometida. Pero es difícil llegar a saberlo. Además, de cierta manera, nos es indiferente. Los libros posteriores están mejor compuestos, sin duda, mejor escritos, pero no dejan de ser unos libros convencionales, de simple entretenimiento y muy incapaces de transformar la gloria de un escritor. En ese camino hacia una libertad literaria y moral, la que necesitaba la novela española para subvivir, *Nada* es una piedra negra, reluciente, maravillosamente mojada por un sentimiento liberador, muy bien concluída, y con sus aristas cinceladas por una cabal experiencia.

3

Las últimas horas, José Suárez Carreño

En 1950 se publica la novela de José Suárez Carreño, *Las últimas horas,* que obtuvo el premio Nadal. Se debe decir que este premio había ido a parar dicho año a un escritor que ofrece un singular interés, hecho que no sucede todas las veces, naturalmente, como tampoco sucede con el Goncourt o el Hawthorden. Después de terminada nuestra guerra, aparece una novela muy distinta de todo lo anteriormente producido, de extraña originalidad, a pesar de las notorias influencias que en ella se perciben. Es curioso observar que cuando la crítica nacional se encara con esta obra, en seguida aparece en primer término el mundo de las relaciones internacionales, cosa que no encontramos si se trata de enjuiciar otras novelas anteriores o posteriores a 1950. Lo cierto es que *Las últimas horas* produjo una impresión extraordinaria, y no sabemos a estas alturas si tan honda como *La familia de Pascual Duarte* o *Nada*. De todas maneras, muy importante. Con este libro penetran en la literatura de nuestro país una serie de elementos formales y temáticos que ya se echaban de menos en la estructura general de nuestro arte narrativo.

Si *La familia de Pascual Duarte* se nos presentaba como una novela estrictamente española, sólo posible en España, y si *Nada* era únicamente la confesión muy sensible de una muchacha de cualquier país muy depurado, y arrastrada por especiales circunstancias, *Las últimas horas* se había de considerar como un fruto muy acabado de esas normas novelescas que imperaban en Europa desde hacía algunos años y que habían puesto de moda los escritores que sufrieron la postrer guerra. En esa brecha abierta hacia un mejor orden de la libertad del espíritu, tan necesaria en España, el libro de Suárez Carreño tenía el lugar de un adelantado. Una vez reconocidas en él unas formas universales estéticas, tenemos que añadir que también existen en nuestra novela ingredientes de naturaleza autóctona y hasta de raíz nacional. En *Las últimas horas* se percibe muy claramente una extraña fusión de lo psicológico, e incluso de lo trascendente, con un realismo picaresco de la mejor estirpe. De cierta manera, hay en esta producción dos mundos muy bien separados, aun cuando bien unidos por una especial sutura. Ángel Aguado, Carmen, su amante, y Carlos, con la comparsería burguesa que le sirve de trasfondo, de una parte, y de otra, Manolo y el hampa madrileña, encabezada por Amalia "la Pelos", que desde su mundo físico y moral contemplan un poco embobados lo que se verifica en el escenario.

Se ve así un universo en crisis, psicológica y éticamente entendido, y otro universo, el de los golfos madrileños, que se mantiene fijo y seguro atado a su natural evolución y a una norma espiritual estoica muy hispana. Además, en un lado se presenta un paisaje oscuro y misterioso, angustiado y sórdido, de difícil inteligibilidad, y, del otro, un paisaje lúcido, fácil y endemoniadamente lógico, ése que entienden todos los españoles. Ángel Aguado es un personaje extraño y de compleja somprensión. Después de leer el libro hasta dos veces, seguimos sin entenderlo. Hemos de reconocer que esto nos pasa también con otros personajes muy ilustres de la novela norteamericana y europea de nuestro tiempo. Y los entendemos mucho menos si les queremos aplicar los sistemas antiguos de conocimiento que tenemos a nuestro alcance. Aún no sabemos si Ángel Aguado es un loco, un invertido contradictorio o un asceta. De hecho se nos manifiesta como un ser sin sentido, pero cuya realidad personal es incuestionable. Esto último es lo que importa en el arte de la novela. Este transcendental héroe vive por su cuenta y en la más inhóspita soledad. Porque Carmen, la joven burguesa que se echa a la calle con el solo fin de vivir bien o cómodamente, se nos aparece como una antagonista sin pasión, resonador inmediato de todas las preocupaciones del otro. Esto puede pensarse a primera vista. Hay en el libro una nota crítica social, un somero estudio muy matizado de la sociedad pequeño-burguesa de la postguerra española, que percibimos a través de Carmen y de su familia, y, más tarde, a lo largo del libro, en forma de decoración oportuna de los bares, tugurios y salas de fiestas madrileñas.

Ya hemos dicho que Ángel Aguado es un personaje muy de novela internacional. Pero hay algo más que le da una personal caracterización. Los héroes de Camus, Graham Greene o de Moravia se nos atestiguan, realizándose cerradamente, cumpliendo o no los hechos de su destino. Angel Aguado entra en el campo de nuestra curiosidad sobre un plano de confesión entrañable, de divagación laxa, de meditación reiterada llena de buena voluntad y con un deseo feroz de conocimiento. En este sentido es un intelectual puro, como el Roquetin de *La náusea*. La historia de este personaje, de Angel Aguado, se nos escapa, casi carece de sucesos, salvo los muy contados de su infancia y adolescencia. De pronto, nos lo encontramos en las primeras páginas del libro y se apodera de nosotros por su fuerza expresiva, sin antes ni después, sin tradición y sin proyección futura. Nos quedamos sin saber si la angustia existencial que padece se enraíza con los complejos psicológicos de su juventud. Es un acierto significativo del novelista este sobreseimiento de lo psicológico para entrar de lleno en la categoría de personaje metafísico.

Todo esto pudiera llevar a una falta de concreción realista, tan necesaria en una buena novela. Pero la verdad es que no resulta así, debido a la tensión expresiva de su incorrecta prosa. Se puede decir que la aparición de *Las últimas horas* marca una época, en este sentido, en el supuesto renacimiento del relato español. Este estado de tensión dramática de la prosa, ya hemos afirmado, la reconocemos como un aspecto formal fundamental de la nueva literatura. En las novelas anteriores a la de Suárez Carreño, no había surgido todavía este mundo de cosas. Ni en *Nada* ni en *La familia de Pascual Duarte,* aun cuando las dos ya tengan en su meollo otros elementos característicos de esta tensión que apuntamos. De ninguna manera queremos establecer aquí un juicio de valor. Esta tensión, en Suárez Carreño, tenemos que decirlo, es más abstracta y artificial que en los otros dos; en uno, intencional y extravertida, en la otra, emotiva y confesional. La tensión de *Las últimas horas* es quizá un producto técnico y estudiado, pero desconocido en España por este tipo de novela, medio psicológica, medio metafísica. Es similar a la que experimentamos cuando leemos una obra policíaca de Graham Greene, *Una pistola en venta,* por ejemplo, o viendo una película de "gansters" norteamericana, o, simplemente, cuando nos intrincamos en un documental de Arthur Koestler. La verdad es que, en estos casos, los sucesos, la contextura de los sucesos, pueden mucho en nuestro ánimo, sometidos a la presión de un tiempo acelerado. En Suárez Carreño estos sucesos casi no tienen importancia. Todo se produce por la acción de una fuerza imponderable, bien concebida y manipulada, que actúa desde el despliegue de una conciencia en crisis que vive pendiente de que el tiempo vital se le acabe. Este tiempo vital origina el tiempo de la novela. Bien sabidas son las preocupaciones sobre el tiempo que han aquejado a la literatura moderna anterior a la segunda guerra mundial. Con menos intensidad han aparecido después de ésta. El subjetivismo existencialista ha mantenido en alza el tiempo bergsoniano aplicado a las artes, pero bastante reformado, claro está. En *Las últimas horas* sigue en pie la preocupación temporal. La obra responde a una necesidad interna, la de desarrollarla dentro del limitado tiempo de una madrugada madrileña. Este tiempo queda así restringido a una personal experiencia, casi se puede decir, la que corresponde a la confesión de Ángel Aguado, y que el novelista nos cuenta. Esas pocas horas de la obra llevan en sí mismas inserto el desvelo de su reducción, de su achicamiento, hasta ese momento final, tan arrastrado vertiginosamente, en que el coche de Ángel Aguado se estrella contra una pared. Se percibe con mucha claridad cómo el tiempo corre y se nos acorta fugazmente. La tarea excepcional del escritor está en hacérnoslo sentir con fuerza, de tal manera que cada segundo descrito queda como detenido en el aire circundante, produciendo al mismo tiempo un impacto brutal en el espíritu del lector apasionado. Todo esto que decimos recuerda un poco al "ralenti" cinematográfico, bien que al revés. Pero existe entre uno y otro una diferencia esencial: el valor presente y pasado de este tiempo en cuestión. En Suárez Carreño parece todo hecho en presente de indicativo, a pesar del uso implacable del pretérito imperfecto, tan impropio pero tan necesario para expresar una acción como nunca acabada.

Esta novela tiene, sin duda, algunos aspectos existencialistas. Especialmente muchos de orden esencial. No resulta, al fin y a la postre, una obra negra, ni sucia o procaz. Es dura, su clima es desapacible y su tono angustiado. Es posible que esté dentro de esa dialéctica que llena de incertidumbre el conocimiento de la existencia, pero que no podemos desdeñar si queremos subsistir. Ángel Aguado, como Carmen y Carlos, son figuras muy interesantes, apenas apuntadas y repletas de misterio. Después de estas últimas horas, ellos se encuentran en el camino de un esclarecimiento, pero no entendido éste de una manera religiosa sino vital. Los dos, Ángel y Carmen, han de perecer trágicamente, no sabemos por qué. Bien es verdad que lo sabemos, si observamos sus figuras desde un limitado lado social. Lo cierto es que perecen. Este pesimismo no es esencial, todo lo contrario. *Las últimas horas* es una novela cargada de esperanza. Manolo, el hombre de otra sociedad que vive siempre un poco al margen de la historia, y que puede considerarse como raíz y surco de un pueblo cualquiera, sobrevive, naturalmente. "Hay que vivir —algo decía en sus adentros—, ser como eres tú en este instante. Y Manolo apretó el paso". Caminaba hacia Madrid, mientras se limpiaba el alma de los detritus de la catástrofe. Huía de aquel mundo arruinado que no llegó nunca a comprender.

Después de esta novela, Suárez Carreño ha dejado pasar unos años, cinco, hasta presentarnos otra, *Proceso personal,* publicada en 1955. Tenemos que decir que este libro nos parece inferior al primero. La técnica, los elementos formales, la tensión drámática, todo esto acaso esté superado en el nuevo volumen. La intriga recatadamente policíaca, el clima acuciante, el interés vivísimo aparecen de modo muy acabado. Pero la percibimos escrita con cierta timidez, especialmente en lo que atañe al mundo de sus personajes, estraperlistas y policías, "existencialistas" y fariseos. Por sus páginas cunde una cierta desvergüenza social. Además, luce el libro alguna concesión inadmisible, demasiada tramoya psicológica y deseo de agradar a no se sabe quién. *Proceso personal* es, de cierta manera, una novela un poco frustrada. Es lástima, porque sus ingredientes iniciales son de la mejor calidad, acreditando que su autor está en la mejor de las formas y que aun puede ofrecernos magníficos frutos de su maduro ingenio.

4

Lola, espejo oscuro, DARÍO FERNÁNDEZ FLOREZ

En este mismo año 1950 se publica otra importante novela de este ciclo literario, *Lola, espejo oscuro,* de Darío Fernández Florez. Necesariamente tenía que llegar un libro como éste. La historia de una prostituta ha sido tema preferido de este siglo. Las hay muy ilustres. Es un personaje fácil, que llama siempre la atención y que produce, a pesar de la buena tradición, también un fuerte escándalo. Pero nuestro autor se encara con la heroína desde un ángulo distinto del que frecuentaron el arte naturalista y el psicologismo erótico más reciente. *Lola, espejo oscuro* aparece como una novela picaresca, escrita de manera autobiográfica e intenta ampararse detrás de las glorias conseguidas por las narraciones de los grandes maestros áureos. "Clima y vida de picardía, de embuste trapacero, de mañoso hurto, de trato innoble y pecador. Vida y clima duros, heridos, esquinados, antiheroicos y antigalantes". Efectivamente, hay de todo esto en la novela que nos ocupa. Y otras muchas cosas más que la apartan de modo radical de nuestra picaresca.

Lola, espejo oscuro ha sido obra muy discutida, exaltada y preterida. Es una de las pocas novelas españolas de este tiempo que ha merecido el honor de varias ediciones y una acogida polémica en diversos sectores de nuestra sociedad. Poco más o menos ha sucedido con *La Romana*, de Alberto Moravia, o con *La putaine respectuese*, de J. P. Sartre, en el teatro. Quiere esto decir que los fundamentos de nuestra novela, a pesar de su tradicional herencia, estaban muy bien encajados, en principio, en el ámbito intelectual de esta época. Por una parte, esta *Lola, espejo oscuro* se nos presentaba como la narración pintoresca y entretenida de la vida de una prostituta, tejida con un hilo realista de los más vivos colores. Por otra parte, y detrás de todo esto, surgía como una preocupación ontológica y moral del más vivo interés, aunque no de la mayor claridad. La novela tiene un prólogo y un epílogo personal, que intentan penetrar muy levemente en el contenido transcendental del libro. Además, en la primera página resaltan dos citas, una del profeta Oseas y otra de San Pablo, esta última entresacada de una epístola a los Corintios. Si quitásemos de la obra todos estos añadidos explicativos, no sabemos hasta qué punto quedaría sólo en nuestras manos una mera narración cuyo más importante valor intrínseco es el de entretenimiento, considerado éste como simple elemento hedonístico. En este sentido, *Lola, espejo oscuro,* a primera vista, está dentro de la línea justa de nuestra picaresca.

Ya hemos visto que nuestra picaresca es únicamente esto, si leemos deportivamente. Pero detrás de aquella narración se han sorprendido a lo largo del tiempo muchos objetos, desde una política hasta una filosofía. No sabemos si a Darío Fernández Florez le vino esta superior meditación antes o después de escrita la novela. Si antes, como sucede en el caso de los existencialistas franceses —toda la obra de Sartre es un ejemplo seguro—, o después, cuando percibió que el hallazgo del tema y de las figuras y hasta su ordenación dentro de una realidad novelesca era estrictamente la forma adecuada de su sentido del mundo, de su juicio sobre la historia y los hombres, y la manera de considerar nuestro destino. Creemos que la tarea de nuestro autor está encuadrada en este último modo de realización. Con citas y con notas o sin ellas, da lo mismo, la novela seguiría siendo lo que es.

Claro está, el título, *Lola, espejo oscuro,* es ya agobiador. No creemos que el lector medio lo entienda así como así. Este título es ya por sí una trampa misteriosa que invita a la evasión de la posible presa. Frente a esta puerta tan conceptual nos tenemos que contentar con la realidad inmediata. Lo que primero salta a la vista es el parecido que existe entre los héroes de la novela de Darío Fernández Florez y los de la de José Suárez Carreño, publicadas ambas en el mismo año. Dos prostitutas de procedencia distinta, una burguesa y otra popular, y las dos de difícil inteligibilidad. Cada cual ha hecho de su cuerpo un comercio, sin más complicaciones sentimentales o morales. Los dos héroes, Aguado y Juan, viven en el mayor de los misterios con sus destinos entrecruzados. Carmen, la de *Las últimas horas,* sirve de reactor al protagonista de su novela, mientras Juan tiene la misma misión frente a Lola. Todos se mueven en la más espantosa soledad. La sociedad que les rodea es de una irresponsable mezquindad, sombras de seres, de tópicos, de vicios. Todos habitan una tierra extranjera. Dentro de esta vida inauténtica, los que se salvan son los que llevan en el fondo un secreto irredimible, un sin sentido agobiador. El mismo Juan, el poeta de *Lola, espejo oscuro,* es figura terriblemente incomprensible, "el hombre que siente odio de la realidad", del sucio fenómeno cotidiano de las cosas, y que se comporta como un terrorista, sin ninguna bomba de mano a su alcance, frente a Lola, a quien subvierte y destruye moralmente ya que no permite que ella se vea, castigándola de esta forma a una perenne oscuridad. Esta oscuridad de libro tan claro, al parecer, esta permanencia de lo oscuro en Lola nos indica hasta qué punto detrás de ese espejo estaba el misterio de Dios.

Quisimos establecer un paralelismo entre estas dos novelas apuntadas. Hemos de advertir que sus diferencias también son profundas. Una es novela de orden confesional y angustiada, la otra es una narración extravertida, soleada y ligera. Lo apremiante y lo coactivo de la primera se separa de lo suelto y libre de la segunda. Carmen es personaje más abstracto, más teórico, por así decirlo, que Lola. Lola es más desvergonzada, pero más espontánea y más leal. Recordemos que Lola siente amor por muchos seres, los viejos, los niños, los que vivieron cerca de su infancia y de su adolescencia. Tiene sentido de la caridad, mantiene cuatro camas en un asilo de ancianos y asiste al hospital muchos días. Ignora lo que es el pecado. No se preocupa por él. Al menos dos veces se le presenta la ocasión de casarse y de crear un hogar, y las desdeña. Dígase lo que se quiera, Lola no se asemeja a la Romana de Moravia. Esta es sólo una mujer pagana, poseída de un eros poderoso y de una disposición sensual que actúa como una naturaleza irreprimible. Esta naturaleza femenina erótica no es la peculiar de la heroína española. Ni tampoco se alinea junto a las prostitutas de Sartre, perfiladas dentro de una condición humana. Lola es otro ser distinto. Se puede uno preguntar si Lola, a la sombra de otra circunstancia social, hubiera sido diferente. Creemos que no. Seguiría siendo igual. En primer término, únicamente le interesa vivir bien, vestir lujosamente, atesorar dinero, satisfacer su vanidad, restaurar su complejo de inferioridad. Pero no es esto sólo. De manera oscura, por encima de su condición circunstancial, de sus necesidades cotidianas, de su realismo menudo, Lola es una solitaria esencial, una desasosegada, una existencia sin sentido que también oscuramente aguarda una redención. Esta redención no es religiosa, aun cuando en el fondo toda redención lo sea, sino una redención de orden cognoscitivo.

A pesar del deseo del autor de centrar su novela dentro del ámbito de la picaresca, se debe decir que no lo logra íntegramente. Claro está, esto no tiene nada que ver con su realidad, pero sí con su significación. La novela está escrita con una cierta pasión, con una intencionalidad agresiva, dentro de un reconocido compromiso. Maneras todas muy ajenas a la picaresca. Su estilo es brillante, su tono no es desapacible o ácido o, meramente, indiferente. Fundida con una prosa flúida, y hasta frívola y muy periodística, con su diálogo muy vivo, *Lola, espejo oscuro* acusa la buena forma de un excelente narrador. Es muy cierto que quizá la novela peque de un exceso de estilización, de un compuesto artificio, bastante sencillo en verdad, y que quizá también hubiese ganado con una prosa más cerrada, más acuciante y más tensa. Pero creemos sinceramente que esta manera de contar, tan hacia fuera, tan hacia los lectores, le va bien a esta prostituta, tan excesivamente vestida siempre. Tan bien vestida que nunca puede llegar a verse como ella quisiera. Padece de una tan terrible timidez, de un tan absoluto recato espiritual, su vida está tan asentada en una agobiante paradoja, que sólo Juan, su único amor, lo entrevé oscuramente. Su desnudez no se realiza, queremos decir ese posible toque de fondo de su conciencia, porque Juan la abandona, destruyendo la feliz coyuntura de verse cara a cara con su espejo.

Lola, espejo oscuro atesora un gran ejemplo antifarisaico, tan feraz en la novela actual europea. Es acaso ésta su más alta dignidad contemporánea. Realmente, el libro no expresa una tarea crítica, de denuncia, de sátira acerba. Pero, rodeando a Lola, nace el hedor de una sociedad llena de desaprensión y de un fariseismo insoportable. Lola, con exactitud, es un desierto, una tierra seca, porque estaba cercada de un desolador seto de espinas. Mas, al otro lado del seto, casi sin proponérselo, Darío Fernández Florez encuentra otra tierra peor todavía, de cierta manera responsable de esa pesada soledad de nuestra heroína, quien, sin saberlo siquiera, desearía escapar de la "hipócrita, retórica y terrible realidad" que la circunda. Lo más importante es que, asimismo, detrás de ese seto de espinas está Juan, el misterio número uno de la novela, que el autor deliberadamente mantiene en la más absoluta reserva. Imposible saber si es un egoísta, un catador de psicologías complicadas o, simplemente, un ser fantástico, enemigo de toda realidad.

Darío Fernández Florez nos ha ofrecido, después de su mejor novela, otra titulada *Frontera,* que no deja de ser un ensayo notable. Por primera vez, en nuestro país, se trae al campo literario la vida de los exilados españoles situados cerca de la frontera pirenaica, de Perpignan a Toulouse y de Toulouse al Bidasoa. Según confesión del novelista, él ha vivido en este medio social difícil, ha conocido a estos hombres, ha fijado sus andanzas, su dolor de expatriados y su segregación espiritual. De los cuatro relatos de que consta el libro, el mejor es *El zapatero de Honfleuer*. Estamos por afirmar que es el único relato inventado. La lucha entre comunistas y anarquistas en Francia está tratada con la mayor objetividad y el mejor estilo periodístico. (Este buen estilo periodístico, aun cuando parezca mentira, es una fuerte rémora en la verificación de las obras de altura de nuestro autor.) Pero, por ahora, no nos interesa tanto la valoración moral de esta gente española y su manera de configurarse dentro de la historia y de la sociedad, como la expresión estética que se nos ofrece. Hay que pensar que estos hombres, cualquiera que sea el juicio que nos merezcan, ya por sí mismos son materia de un buen libro contemporáneo. Viven bajo el santo y seña de una derrota y aparte de pertenecer por derecho propio a esa especie tan común hoy del hombre "revolté", sus actos y sus movimientos, todos los despliegues de sus almas quedan desde el primer momento desgarrados por el absurdo de no saber cuál es su destino y a qué tierra pertenecen. El tema de *Frontera* apasionaría a escritores como Graham Greene y Albert Camus. Es lástima que Darío Fernández Florez no hubiera realizado su novela con la gravedad y anchura de *Lola, espejo oscuro.*

5

Los cipreses creen en Dios, José María Gironella

Los cipreses creen en Dios es la novela más larga que se ha publicado en España desde la época ilustre del Galdós de *Angel Guerra* o de *Fortunata y Jacinta.* Casi es tan grande como *Lo que el viento se llevó* y mucho mayor que *Las uvas de la ira.* Realmente, un hombre que escribe un relato de esta dimensión posee unas virtudes que hemos de tener siempre en cuenta y despierta una ilimitada confianza. José María Gironella —autor de *Un hombre,* premio Nadal 1946, y de *La Marea,* editada por la *Revista de Occidente* y traducida a varios idiomas, esta última de floja calidad y la primera espléndidamente dotada— salió de nuestro país en 1948 con el propósito muy claro de componer en París este libro, primer ladrillo de una trilogía novelesca de gran ambición. En ella se intenta encerrar toda la vida española de estos próximos veinticinco años pasados, desde la historia a la moral, desde la política a los individuos y los hechos sociales.

Los cipreses creen en Dios ha sido ya traducida al francés y al inglés, bien comentada por severos críticos y lleva camino de dar la vuelta al mundo.

Hace ya bastante tiempo, nuestro autor hizo unas declaraciones a la revista *Les Nouvelles Litteraires,* afirmando con seguridad que esta obra suya quería corregir y subsanar las deficiencias y prejuicios que se encontraban en todas aquellas novelas que trataron de la existencia civil o individual de los españoles y de la guerra de nuestro país. Aludía, claro está, a Hemingway, Malraux, Bernanos, Arturo Barea, Max Aub y a todos aquellos que le precedieron estudiando el mismo tema. Esta afirmación avivó, entonces, de tal manera nuestra curiosidad, que siempre esperamos la aparición de *Los cipreses creen en Dios* provistos de una singular intención. A veces, el crítico se parece mucho a ese cernícalo que desde el alto aire, donde lo creemos clavado y quieto, atravesado por un alfiler invisible, acecha la salida del pollo amarillo de entre las alas de la gallina cacareadora. José María Gironella era un hombre serio, bien capacitado, que ya había escrito *Un hombre,* y que no creíamos que hablara por hablar. Es más, sus razones tendría cuando se lanzaba a decir cosas de tal naturaleza. Estos grandes frescos literarios, capaces de dar al individuo y a la sociedad de una época un significado histórico y transcendental, siempre los hemos creído como la aspiración máxima de todo arte novelesco. Así entendimos al Tolstoi de *La guerra y la paz,* al Galdós de los *Episodios Nacionales* y al Jules Romains de *Los hombres de buena voluntad.*

Después de la lectura de *Los cipreses creen en Dios,* se debe afirmar que estamos ante una realización literaria de importancia suma. Primero, porque podemos llegar a la página novecientas sin cansancio, registrando sólo las pequeñas molestias de tan largo viaje. Segundo, por la dignidad de su literatura, donde se une a un excelente estilo narrativo, no de hoy, un sentido prudente de la psicología estética y una atinada observación psicológica. Tercero, por esa realidad histórica que sabe aglutinar una cierta dosis de objetividad, no una dosis total —esto sería imposible—, a una apasionada existencia vivida, que actúa en el libro como defensa de toda veracidad y como incuestionable punto de apoyo. Esta novela trata de explicar, hecho muy difícil, narrándola y describiéndola, la vida española que cubre la etapa marcada entre el final de la Dictadura de Primo de Rivera y el 18 de julio de 1936. Esta vida está asentada en Gerona, ciudad de nuestro novelista, y en una familia, la de Alvear, con su padre telegrafista, liberal moderado, una madre vasca, cargada de tradiciones, y unos hijos, uno seminarista y otro empleado de banco, más una hija bien fundida con las buenas costumbres familiares. Alrededor de este clan, toda la ciudad, el estamento religioso, la burguesía, el pueblo obrero, la clase militar, los empleados, lo catalán y lo español. La figura más importante es Ignacio Alvear, hombre dividido en dos, como nuestra historia, sincero, efusivo, intranquilo, angustiado, y exactamente soldado con el desasosiego imperante.

Los cipreses creen en Dios es, junto a *La forja*, de Arturo Barea, la realización más seria que se ha llevado a cabo para alcanzar un conocimiento novelesco acendrado de la España de estos últimos treinta años. Ya que este conocimiento no puede ser todo lo objetivo que deseamos, condición que no tiene nada que ver con la verificación artística, al menos lo hemos de estimar como elemento importante de integración hasta llegar a la meta deseada. Nos gustaría establecer un mundo de relaciones, un paralelismo de buena vecindad, donde las líneas matemáticas, contradiciendo su destino natural, terminaran por encontrarse. Al fin y al cabo, estas dos novelas han de considerarse como dos grandes esfuerzos de inteligibilidad del alma española. A primera vista, y por ahora nos contentaremos con esta primera vista, *La forja* y *Los cipreses creen en Dios* se mueven sobre dos caminos muy distantes. El uno, espontáneo y repleto de una audaz proyección sentimental, el otro, bien compuesto y bien pensado, rezumando habilidad, y ajeno a toda improvisación. El primero, cargado de una vida muy "natural" y ricamente dotado de sentido autobiográfico, con su cierto extremismo personalista. El segundo, provisto de un realismo más académico, quizá nacido de esa buena voluntad objetiva que quiere mantener la buena distancia clásica de la perspectiva creadora. Por último, también en las dos obras varía el orden inspirador del relato, pues mientras en *La forja* aquél arranca de una coordinación instintiva, peligrosamente lírica, en *Los cipreses creen en Dios* nace de una disposición racional y de un afán interpretativo de los hechos.

Cuando nos encontramos con libros de este tipo siempre nos asalta el deseo de discriminar hasta dónde llegó la veracidad de los mismos, dejando a un lado la comprobación estética. Casi estamos por pensar que mejor es no escribir esta clase de novelas. Vistas a distancia, ni los *Episodios Nacionales,* ni *La guerra y la paz* ni *La debâcle* nos dicen otra cosa que lo que sus autores quisieron ofrecernos, su intencionalidad manifiesta, política y social, que acaso no nos sirve hoy para nada. Era difícil desprenderse de la carga emotiva de simpatía que Galdós sintió por los liberales españoles de antaño, de la que sintió Tolstoi por los rusos avasallados por el ímpetu cesáreo de Napoleón o de la que Zola sintió por los franceses insertos en la voluntad democrática de su tiempo, en la hora de la invasión prusiana. La veracidad de todos estos hechos ha quedado a estas alturas en manos de los historiadores. Hoy únicamente nos interesan las figuras extraordinarias de Galdós, con sus fuertes relieves hispánicos, los difíciles y complejos seres rusos viviendo en terrible contradicción y los grandes frescos zolescos de masiva composición. En el caso de *La forja,* nos damos cuenta de cómo el autor pierde energía creadora así como se acerca al último relato, el de la guerra civil. En *Los cipreses creen en Dios* percibimos cómo José María Gironella sabe disponer toda su obra de acuerdo con las necesidades oportunistas de sus creencias. Esto no quiere decir que todos los hechos relatados en la gran obra no sean verdaderos. Estamos seguros que lo son. También los de Barea. Este arte de la novela no es una ciencia histórica, donde pesa el dato liso, el hecho escueto, la cantidad, la estadística y el archivo. Todo esto no sirve en literatura. Lo que queda en ésta es el alma que anima estos datos, las figuras poderosas, el ambiente, la manera de estar compuestos y la emoción que les hace crecer y vivir independientemente.

Ni Gironella ni Barea ni Malraux ni Hemingway ni Bernanos han sido nunca escritores dirigidos. Es posible que todos queden dentro del orbe de la novela comprometida. Pero nada más. Quiere esto decir que más que a una política dada, ellos obedecen veraz y emocionalmente a los contenidos de su personal conciencia. Situados en este punto nos podemos preguntar hasta dónde ha de llegar la lucidez de una conciencia, v. gr.: una conciencia protestante, para darse cuenta de que algunos aspectos políticos del protestantismo son arbitrarios, falsos o malos. Todo el honor de un escritor descansa en saberlos discriminar, al encararse con la realidad, de manera muy emancipada, sintiéndose libre con todas sus fuerzas. Esto es un aspecto de la cuestión. Luego, queda el otro, el de la obra de arte propiamente dicha. Conocemos muchas novelas, verdaderos tesoros de la literatura, que aparecen cargadas de tendencias inauténticas, apasionadamente equivocadas, peligrosamente puestas al servicio de una causa injusta. Es el caso de muchos libros italianos de nuestro tiempo y también alemanes: de D'Annunzio a Curzio Malaparte, de Henri von Salomon a tantos otros. Nos gustaría encontrar un concepto que expresase la condición moral e intelectual de ese escritor libre y veraz al mismo tiempo. Quizá el de liberal, en el sentido que le da Ramón Pérez de Ayala en sus famosos ensayos, sea un poco restringido. Todas estas incertidumbres que aquejan al artista contemporáneo, y que Guillermo de Torre ha sabido ver muy bien en su fundamental libro *Problemática de la literatura,* nos gustaría puntualizarlas con detenimiento más adelante.

Volviendo a *Los cipreses creen en Dios,* quisiéramos establecer algunas relaciones con otros dos libros de similar tema y con los cuales José María Gironella ha pretendido enfrentarse. El caso de *L'espoir,* de André Malraux, y el de *Por quién doblan las campanas,* de Hemingway. Siempre hemos creído que *L'espoir* es la peor novela de Malraux. No pasa de ser un proyecto largo y, es más, casi una frustración. No todas las novelas salen iguales a *La condición humana.* No se puede alegar que la proximidad de los acontecimientos fuera la causa de este fracaso. Sus libros de la revolución china y *Le temps du mépris* nos lo acreditan así. *L'espoir* no es una novela rigurosamente tendenciosa, ni mucho menos. Sus mejores personajes son personajes que no sirven para hacer ninguna clase de política. Los más acabados son unamunescos por los cuatro costados, y ya sabemos que bajo esta enseña ninguna propaganda inmediata se lleva a cabo. El contenido conceptual de *L'espoir* es bueno, y necesario para el conocimiento de la trayectoria metafísica de André Malraux. Es mala la novela. No sucede lo mismo con *Por quién doblan las campanas,* que creemos una de las más expresivas obras de la literatura actual norteamericana. Pero la verdad es que ninguna se puede oponer a *Los cipreses creen en Dios*. Son mundos apartes. Gironella ha intentado recoger un cosmos histórico, documental y narrativo, y los otros dos han centrado sus libros sobre otros aspectos humanos y morales. Uno, no viene a ser nada más que un diálogo sobre el destino del hombre español herido por una circunstancia política determinada, con su ineludible valoración universal. El otro es la expresión viva y emotiva y hasta poemática que algunos seres de nuestro país, con su anarquismo y soberbia a cuestas, infringieron en el ánimo aventurero del Premio Nobel norteamericano.

Ya hemos dicho que *Los cipreses creen en Dios* es un libro importante, de inusitadas pretensiones, de acusado relieve. Nosotros preferimos, quién lo diría, *Un hombre,* del mismo autor, por su narración sencilla y espontánea, por su valor sentimental y melancólico a lo Baroja, por su libertad novelesca, por la falta de prejuicios, por la grácil línea psicológica. Todas estas calidades faltan en su gran obra de 1953. Claro está, la última tiene elementos sobresalientes que es posible causen admiración a otros. Entre muchas cosas importantes, en *Los cipreses creen en Dios* falta originalidad en los personajes. Parece como si deliberadamente el novelista se hubiera propuesto llevar a cabo su ancho fresco de una sociedad en crisis a base de héroes tópicos y bien sabidos. Sobre ninguno de estos héroes, muchos de ellos muy galdosianos, otros muy de novela finisecular, aparecen ni una dimensión contemporánea anímica, ni una honda preocupación social humana a la altura de los tiempos. El mismo aliento histórico del libro no rebasa al que tuvo "Clarín" cuando nos presentó Vetusta, ni al que tuvo el creador de Ángel Guerra cuando nos pintó Toledo. Reconocemos que existe en José María Gironella una cierta estilización que hace a la obra más accesible al gusto moderno. Pero nada más. Aquel mismo sentido histórico ochocentista se mantiene, a pesar de las grandes vueltas que el mundo ha dado desde esa época. Cómo cambia el sentido histórico se puede observar muy bien en algunas obras fundamentales de la novela actual. Recuérdese la manera de presentar el estado de la sociedad norteamericana en la trilogía de Jonh dos Passos o el de la sociedad francesa en *Los hombres de buena voluntad,* de Jules Romains.

Reconocemos que no todas las narraciones de esta hora han de poseer una ecuación metafísica. Pueden ser muy buenas, sin tenerla. Pero no cabe duda que aquella ecuación es bastante característica de la novela actual. El único personaje que creemos susceptible de sufrir, porque se trata de un sufrimiento, aquella ecuación en *Los cipreses creen en Dios,* es Ignacio de Alvear. Y para comprobarlo hemos de esperar la publicación de los dos volúmenes en preparación. Ignacio, en este primer tomo, no deja de ser un héroe sin mayor importancia, en vías de crecimiento, indeciso, voluble y contradictorio. Mas ya lleva en sí el santo y seña de una grave condición humana. Hasta ahora sus crisis sólo han sido pasajeras. Esperamos la crisis total que, como una gracia, lo hiera profunda y creadoramente. El mismo César, su hermano, el seminarista, víctima de tanto resentimiento, como Mateo, el falangista que huye a Francia, elaborados con tanto cariño por el autor, son dos personajes simples y de una pieza, voluntaristas emancipados, que viven tópicamente dentro de un mundo de creencias cerrado. En resumidas cuentas, que aun no se debe hablar con seguridad de este libro que está empezando. La verdad es que lo hemos incluído aquí por ser del mismo autor de *Un hombre,* por sus extraordinarias pretensiones y como ejemplo de esa voluntad de trabajo que debe ostentar como primera virtud un auténtico novelista.

6

TRES ESPAÑOLES FUERA DE ESPAÑA

También los españoles de fuera de España han escrito sus novelas. Bien con el tema de nuestra guerra en la cabeza, bien con otros temas más distantes o ejemplares. Esta obra forma parte asimismo de lo que se ha llamado el renacimiento de nuestra novela. Es difícil concebir la una, la de dentro, sin la otra, la compuesta en Europa y América. Las dos se complementan y de cierta manera amplían y divulgan por el mundo las preocupaciones del alma hispánica, tan necesitada de fuertes respiraderos, fisuras o troneras sentimentales o intelectivas. El estudio de estas novelas aparecidas fuera de España se hace un poco al azar, sin tener en cuenta toda la obra publicada y careciendo del material necesario para escoger. Creemos que de todos los volúmenes conocidos, la primera publicada es la de Max Aub, editada en México, en 1942, *El laberinto mágico,* trilogía de la cual sólo ha caído en nuestras manos el tomo segundo, *Campo de sangre.* Los otros dos títulos de Max Aub son *Campo cerrado* y *No son cuentos. Campo de sangre* cubre la etapa de nuestra guerra civil que va de diciembre de 1937 a marzo de 1938, y su acción está situada en Barcelona principalmente.

De todas las novelas escritas sobre el tema de nuestra contienda, ésta de Max Aub sorprende de manera muy extraña. De todos los libros bélicos, es la menos tradicional, la más independiente, la más osada. Parece una obra sin conexiones, sin cabos de atraque entre sus partes, sin melodía clásica. A veces la estimamos como una serie de reportajes intencionados sobre hechos, figuras o cosas. Otras, nos maravilla por su densidad lírica, densidad que pesa inclementemente sobre sus formas desgarbadas. Por último, podemos descubrir a lo largo de sus quinientas páginas una larga meditación sobre el destino del hombre español, sobre los acontecimientos, sobre el paisaje circundante. Ninguna novela de nuestro país ofrece la originalidad de este *Campo de sangre,* compuesta entre 1940-1942 en Francia. Como ya hemos dicho, su asunto trata de nuestra guerra civil, sus personajes a ella están atados y su aire comprometido está tachonado de bombardeos, hambre y desesperación. Cuando decimos "asunto", nos expresamos de un modo tópico. Porque de hecho carece de asunto y en nada se asemeja a las de Sender, Gironella o Barea. Está estructurada anárquicamente, con su sorprendente belleza anárquica. Todo esto es debido a la importancia que en esta obra tienen todas sus figuras, hombres o mujeres, hasta seis o siete muy destacadas, y que forman autónomas biografías del mayor relieve.

Como toda novela de nuestra guerra, sus intenciones políticas, lo mismo en Gironella que en Barea, son muy claras. Es imposible mantener ninguna objetividad en esta clase de relatos. Toda esa objetividad de que se precian algunos de nuestros escritores contemporáneos, es la mayoría de las veces malintencionada, en un buen sentido hasta maquiavélica, y no debemos considerarla en serio. Además, una novela de hoy puede ser todo lo que se quiera, menos objetiva. Lo cierto es que *Campo de sangre* es una obra apasionada, exuberante, tremendamente agobiadora, feracísima, y muy repleta de inmediatos compromisos humanos. Pero no se debe decir que sea una novela de propaganda, ni mucho menos. Puede más en ella la voluntad irredenta de forma, el gusto lírico de todo hecho personal, el irrefrenable deseo de vivir estética y moralmente en peligro. Max Aub no ha escrito una novela existencialista ni una novela negra ni una novela con etiquetas. Hay una cierta dislocación entre su contenido intelectual y el hilo del asunto y la acción en marcha. Aquel contenido anda por su lado, esquivando muchas veces la línea obligada de sus personajes. *Campo de sangre* carece de mensaje metafísico, tal como se entiende éste a la francesa, y sólo nos queda, no el largo fresco de una historia inteligible, sino el altorrelieve de unos hechos extraordinarios. Es decir, de cierto modo, *Campo de sangre* se aparta mucho de las realizaciones más representativas de la literatura contemporánea.

La obra de Max Aub es de una acusada personalidad. No es fácil relacionarla con las formas actuales. Hay momentos en que la creemos no lograda, otros en que nos parece acabadísima. El pensamiento de Unamuno brota muy vivo en estos campos, y los resortes españoles típicos y tópicos, sentido de la eternidad y de lo efímero, fusión entre vida e ideas, inacabado desasosiego moral, y otras tantas cosas castizas, saltan con gracia a lo largo de sus páginas y se destacan con inusitado vigor. El trasfondo lírico de Max Aub, que no esconde la sátira del mejor estilo, nos lleva hasta Valle-Inclán, el amor hacia una plástica estilizada recuerda mucho a Gabriel Miró, el afán de la renovación del lenguaje viejo, insertado en una condición barroca moderna, nos arrastra desde Quevedo a Pérez de Ayala, y la composición difícil e irregular pero sostenida en alto como una mano quemada que buscara aire, nos acerca a un cierto expresionismo civilizado. A pesar de todas estas referencias, *Campo de sangre* pesa por sí misma y creemos sinceramente que es imposible encontrar una novela española actual donde el estilo haya adquirido esa fuerte originalidad. De cierto modo, Max Aub es el único escritor moderno que se empasta lúcidamente con los grandes maestros, creadores de formas literarias, de la generación del 98.

Por *Campo de sangre* desfilan figuras muy acusadas. Julián Templado, el médico español, uno de ésos que hacen siempre lo que les viene en gana, anarquista fundamental, escéptico y al mismo tiempo cordial; Jesús Herrera, que desde pastor de rebaños llega a ser estuquista en Madrid y capitán comunista de la guerra civil, figura hecha adrede de una pieza; Paulino Cuartero, católico intachable, que vive siempre crucificado por el contenido emocional y ético de su religión y su existencia conyugal desventurada; Julio Gómez, feriante, hombre hambriento y acomodador de teatros. Luego las mujeres, Teresa Guerrero, la actriz al servicio de los nacionales; Pilar, la esposa de Cuartero; Rosario, la hija de Don Leandro, el filósofo de Teruel; Matilde, Mariquilla, la amante de Templado. Hay capítulos como la presentación de Julio Gómez en forma de autorretrato, "El bombardeo no admite mediocridad" y el "Intermedio trágico", "La ferretería del Pozal de Teruel" y el monólogo final de Cuartero, que los creemos francamente espléndidos. De todas estas figuras, la más importante es la de Paulino Cuartero, por el dramatismo fiel de su realización, su grave humanidad, su simpatía desesperada y acogedora. Para relatar esta novela necesitamos destacar a sus héroes, única manera de ponerla en claro. Son estos héroes los que nos apasionan por la soledad dura en que viven, por el afán de solidaridad inasequible, por sus almas en crisis, ennegrecidas por las circunstancias. A través de los héroes pasa a primer término el aura moral de los acontecimientos, temblor, angustia, desesperación, desconfianza y derrota. Todo esto está movilizado bajo un régimen de libertad literaria muy fluída. Esta libertad da al libro una riqueza y un color muy extraños pero muy vivos. A esta obra le pasa lo que a algunas aves: cuando viven libres, su plumaje se reviste de encendidos colores, y cuando viven en cautiverio, aquél se nos presenta desvaído y como cegado. Dentro de *Campo de sangre* existen muchas cosas, ya lo hemos dicho. Su estructura es de mimbre fino bien retorcido, su densidad de caldo de gallina, y su facha, la de un tarajal crecido a la orilla del mar, con su figura irregular, descoyuntado y anárquico, con sus hojas llenas de salitre y sus troncos robustos, que aseguran el gran movimiento lírico de su savia.

* * *

Ramón J. Sender, el novelista más importante de España situado entre las generaciones de la Dictadura y la actual, y que merece con toda dignidad un capítulo aparte en este libro, también ha escrito una novela de nuestra guerra, naturalmente. Esta obra se publicó en 1947 en la Argentina. Se llama *El Rey y la Reina,* y no sabemos a estas alturas si habrá escrito alguna otra sobre el mismo tema. De todas maneras, ésta presenta un valor extraordinario, por su misterio, su calidad y su personal concepción. Se separa totalmente de todas las otras producciones, incluídas las de Barea o Gironella. Es curioso observar cómo este escritor, llamado a realizar el relato más apasionante y comprometido de nuestras luchas civiles, de pronto se aleja, al parecer, de su obligada trayectoria y nos ofrece una narración de una extraña originalidad, que nos deja perplejos. Hemos de reconocer que Ramón J. Sender, cuando publicó en 1935 *Mr. Witt en el cantón,* nos puso en la mano un paisaje literario de tal rigor, orden y tiempo, que casi puede considerarse como la amanecida de un período clásico, en la acepción más estricta de la palabra. *El Rey y la Reina* se mantiene dentro de este camino esclarecido y lejano. Efectivamente, *El Rey y la Reina* es un relato que hubiera enamorado a nuestro Infante Don Juan Manuel y a todos los pequeños maestros del siglo XIV. A nuestro Infante le habría agradado mucho ponerle un subtítulo a este *El Rey y la Reina,* que dijera poco más o menos: "De lo que contesció al jardinero Rómulo y a la Duquesa de Arlanza en un palacio de Madrid". Se puede hoy uno preguntar qué es lo que en el libro de Ramón J. Sender hubiera avivado el interés del autor de *El Conde Lucanor,* tan lejano en el tiempo.

A esto se debe decir que *El Rey y la Reina* está escrito —aun tratándose de unos episodios de nuestra guerra civil ocurridos en la capital de España en los primeros meses de lucha y entre unos personajes sacados de una realidad inmediata— como si se tratara de contarnos un apólogo o una parábola o meramente "una crónica complida". Existe en esta narración una voluntad irrefrenable de mantener una distancia o perspectiva adecuada entre los sucesos y el lector, también el afianzamiento de un mundo ciertamente irreal de la historia, y hasta se intenta lograr la naturaleza de unos héroes configurados como los de esas cartas de baraja entresacadas del *Libro de los esiemplos de las monarquías*, obra que siempre leía nuestra Duquesa de Arlanza. Todo esto quiere decir que este relato está compuesto premeditadamente por su autor con todas estas intenciones más o menos extravagantes. Además, Ramón J. Sender gusta de separar, desde el primer momento, el plano de vida real que se desenvuelve en los jardines de palacio, en la planta baja del mismo y en todo el recinto circundante, de ese otro plano del torreón o de las bodegas o del piso segundo, donde se desarrolla un mundo de cosas y hechos que escapan a aquella realidad, y que sirve de escondite a la Duquesa. Para lograr este recinto legendario, Ramón J. Sender ha preparado sus sabios artificios: desde el aire enrarecido de la mansión aristocrática, sus cuadros, sus telas, sus olores, los aparecidos, las ratas, los muñecos de tela, el Rey y la Reina, y hasta la frase final, "acta est fabula". Todo se ha dispuesto para que este aire de magia y de ejemplo viva separado de aquel otro que forma el trasfondo inimportante del libro: la guerra próxima y lejana, los milicianos que adiestran sus equipos de tanques, las granadas que caen, la miseria que los rodea, el pánico, el temor y la crueldad que los azota. Y entre los aristócratas empavorecidos y temerosos que maquinan y defienden sus posiciones y los otros que las asedian, Rómulo, el criado, como un hombre aparte, entrando y saliendo de su escenario en su papel de maestro de cristobillas, y meditando hondamente a lo largo de todo el libro sobre qué cosa es ser hombre. Aquí llegamos a la nuez trágica de la fábula, que encapota con su melancólico canto esta hermosa y rara novela.

Esta meditación de Rómulo, que se convierte en un puro y escueto quehacer, no se para en él. Trasciende a la Duquesa, para quien la guerra, a fin de cuentas, no viene a ser, nada más y nada menos, sino la revelación de su personalidad de mujer: la mujer es la ambición ideal de todo hombre real, la que nunca debe quebrarse si quiere conservar su puesto de reina del universo. Rómulo es un portero y jefe de parque del palacio de los duques de Arlanza. Es un hombre de mediana edad, tiene una cabeza de romano o de campesino cordobés. Habla poco y sus ideas sobre las cosas y las personas son muy sólidas. Como todos los campesinos, se ha hecho su filosofía y siente el gusto de generalizar. Es uno de los mejores jardineros de la corte. Pues bien, este Rómulo se presenta una mañana de julio de 1936 ante la puerta que da al jardín con piscina, donde la Duquesa, su señora, tiene la costumbre de bañarse desnuda, para darle un recado urgente. La sirvienta le detiene, pero la Duquesa, que escucha la conservación de uno y otra, desde su piscina ordena: "Rómulo, pasa". La doncella dice: "Señora, es un hombre". Y la Duquesa termina, invitando a pasar al jardinero: "¿Rómulo un hombre?". Rómulo pasa y se queda temblando, alarga el sobre que trae y se inicia un corto diálogo. La belleza desnuda de la Duquesa y el saber que él no es un hombre inician de manera acusativa y dramática este relato de *El Rey y la Reina*. Ya Rómulo no vivirá sino bajo estos dos fuertes impactos que originarán una catástrofe en todo su ser, catástrofe psicológica, moral y hasta metafísica. Al día siguiente estalla la guerra civil. Los aristócratas luchan, se esconden o huyen. La Duquesa ha quedado en el palacio a merced de Rómulo. Claro está, si Rómulo hubiera tenido unas ideas políticas y sociales, todo se hubiese reducido a un relato más o menos dirigido de tópica solución. Pero Rómulo es un ser profundo y perenne y no una existencia cualquiera. Él, incluso, llega a despojarse de muchos elementos de su condición humana, de su representación social, de la superioridad jerárquica que le da la subversión popular en marcha, de su dignidad de héroe de la guerra, todo para reducirse a su primigenia condición de hombre. Y como Rómulo, también la Duquesa va sufriendo el mismo despojamiento hasta intrincarse en su último ser de mujer sufrida y abandonada. En el libro aparece, aparte de la circunstancial descripción de dos clases sociales en vías de transfiguración, un proceso psicológico de orden clásico y de la mayor altura, junto a una preocupación intelectual de gran valor emotivo. El final, con la muerte de la Duquesa, alucinada y hambrienta, con Rómulo, el enano de la bodega, y los muñecos, la reina Hipotenusa y la tía Miserias, todo esto adquiere un carácter de estampa medieval, entremezclado con el tenebrismo real de nuestra pintura. Pero hemos de decir que toda esta novela de Ramón J. Sender está escrita dentro de una caligrafía muy fina, reposada, con sus matices imponderables de colores suaves, muy sujeta a un tiempo narrativo ejemplar y bien dotada de una palabra expresiva pero sin relieve y llana como la palma de la mano. Nos estamos preguntando siempre cómo este novelista nuestro pudo escribir esta obra tan lejos de unos acontecimientos que tanto le afectaban, con tan escasa pasión política y con tan viva pasión intelectual.

* * *

Entre estos novelistas estudiados que han escrito fuera de España, los dos bien conocidos, Arturo Barea es el único que aún no ostentaba un nombre literario cuando salió de nuestro país. Su trilogía *La forja de un rebelde* se terminó en 1944, en Inglaterra. Sólo se ha dado a conocer en lengua española siete años después, y en la Argentina. Antes, la obra había recorrido medio mundo y se tradujo en editoriales del renombre de Faber & Faber, Gallimard e Hitchcock. Creemos que es la novela más divulgada de cuantas se han compuesto sobre el tema de la España contemporánea, su vida social, las agitaciones políticas y las condiciones de sus individuos. *La forja de un rebelde* es un relato autobiográfico que cubre el tiempo de la vida de su protagonista encerrada entre el comienzo del siglo y la guerra civil. Es un libro muy irregular, muy subjetivo, de vital anarquía. Es fácil, contundente, muy comprometido. Literaria y técnicamente los dos tomos primeros son muy superiores al último —el original castellano que conocemos de éste da la impresión de haber sido traducido de mala manera—. Claro está, *La llama* está más próxima a los acontecimientos, y aparece más cargada de pasión bélica. Gran parte de su contenido no deja de ser un reportaje periodístico repleto de una tendencia dada. La verdad es que todos son de una gran independencia. Aparte de las ideas del autor, sorprende esta obra por su espíritu crítico, muy personal, su desfachatez, su desgaire, incluso, su garbo y andadura espontánea. Toda esta novela se separa de cualquier escolasticismo estético, de toda norma instituída, vieja o nueva, de toda inquietud y responsabilidad profesional. Está hecha sobre un recinto sentimental limitado, sobre un conocimiento estrictamente emotivo, sobre una experiencia vivida de manera muy distinta y cálida.

Se ha aludido mucho a nuestra picaresca al hablar de este libro. Si bien es cierto que hay muchos elementos formales que los acercan, también se debe decir que los ingredientes espirituales y la situación del autor ante el mundo son bien distintos. Se ha hablado asimismo del ánimo resentido de su autor al enjuiciar la vida española que describe la novela. No se debe olvidar la posición social de este escritor en el momento que comienza el relato: su madre, la señora Leonor, es lavandera del Manzanares, el hijo huérfano vive pendiente de unos parientes ricos para subvenir a las necesidades más perentorias y, por si fuera poco, madre e hijo viven cerca de las clases acomodadas madrileñas, donde la una trabaja y el pequeño espera en la puerta de las grandes casas. Este clima es muy parecido al de los personajes de *La busca,* de Baroja. Pero salta a la vista en seguida en esta *Forja de un rebelde* una escala sobresaliente de valores afectivos, generosos, esperanzados: el amor profundo de Arturo a su madre, su entrañable devoción por la familia pobre, su afán de solidaridad humana, su desvelo y su caridad hacia los que sufren y se quiebran. Todas las raíces de la novela se hunden en tierras de fuerte naturaleza española: quijotismo, soberbia, perenne descontento, sentimiento popular de la justicia, noción clara de una fe personal, voluntad de hacer lo que le viene en gana, moral natural muy irracionalizada. Lo extraño es percibir cómo desde este recinto la narración puede elevarse a un plano crítico del mayor relieve e, incluso, intuir de manera muy impresionista ideas y concepciones muy de nuestro tiempo: soledad, angustia, nihilismo.

Arturo Barea, a lo largo del libro, se nos presenta como un ser que padece de congénita soledad, pero a la que busca instivamente una curación. Nos recuerda por momentos esta disposición del protagonista a esos renacuajos que, al recibir una lesión en alguna parte de su cuerpo, sanan con gran lentitud cuando están aislados, mas lo hacen con gran rapidez al sentirse en compañía de otros renacuajos que les distraen con sus zambullidas y con la gracia de sus correrías acuáticas. Este héroe tan entretenido de *La forja* está como dividido —muy fiel a la condición humana de nuestra época— entre su soledad esencial, de la que quiere desprenderse a todo trance —y en este sentido no es un existencialista ni mucho menos— y su soledad "social", valga esta expresión. No sabemos dónde empieza la una y acaba la otra. Lo cierto es que su vida está crucificada de esta manera, en la escuela, en el sindicato, en su empleo de banca, en la guerra de Africa, en las luchas políticas, en su matrimonio, en su eterna insatisfacción. El primer tomo nos testimonia este modo de ser y su estudio descriptivo constituye el resorte primordial de la novela. A pesar de todo esto, fundido con esta interior desventura, el mundo objetivo surge con un vivo pintoresquismo, muy crudo y desempastado. Decimos esto para afirmar la importancia que Arturo Barea da a la realidad que le circunda, la que queda fuera de su persona. Debemos afirmar que a él le gustaría vivir íntegramente no sólo en el contorno de esta realidad, sino perdido dentro de este entrañable paisaje exterior. De cierta manera, la soledad de Barea es un destierro al cual él mismo se ha condenado por no saber andar por la tierra o, mejor, por su descontentadizo afán de justicia. No padece, por lo tanto, de una soledad esencial, tal como la padecen los héroes de Albert Camus.

El primer tomo de la trilogía es espléndido. No se encuentra así como así en nuestra literatura un fresco pintado con tanta gravedad y, al mismo tiempo, con tanto donaire. De este primer cuarto de siglo de vida española no conocíamos una página crítica de esta calidad experimental. Hay aspectos de esta existencia madrileña que nunca fueron tocados por nuestros escritores. Por ejemplo, los de la burguesía inferior, empleados de comercio, funcionarios de baja escala e individuos sobresalientes de la clase obrera, ya burocratizados por sus sindicatos y por su trabajo de especialistas. Habrá necesidad de recordar al Baroja de *La lucha por la vida,* al Blasco Ibáñez de *La horda* o al Galdós castizo de la Restauración. Pero nunca esa burguesía a que antes aludíamos fué tratada tan ampliamente y de modo tan vivo. Blasco Ibáñez y Baroja porque sólo incidieron en los estamentos proletarios, y Galdós porque únicamente tocó al individuo como tal y dentro de una sociedad muy distinta por su situación epocal y condición económica. Además, la forma y la sensibilidad del novelista también cambiaron. Esta forma se hizo más personal, más directa, más crítica, no teóricamente sino de modo experimental y subjetivo. El novelista, dentro de estas páginas más modernas, queda muy soldado con la realidad, perdiéndose en parte la objetividad de ésta por la estrecha relación de pasión y de creencia.

Sobre este lado crítico o satírico de la novela española actual, Arturo Barea queda muy junto a Camilo José Cela, su único competidor serio. *La forja* y *La colmena,* tan distantes en el tiempo histórico, presentan la misma arboladura crítica y la misma intención devastadora. Son muy diversas sus artes. Uno, frío y conceptual; otro, caliente e instintivo. Los dos coinciden en su quehacer inquisitivo de una realidad y de una verdad posible.

Este espíritu crítico no se para en la ciudad, sino que pasa al campo, al paisaje natural, a un plano de silencio rural. También coinciden uno y otro. Muchas veces leyendo *La Alcarria,* de Cela, uno de los más bellos libros de este tiempo, recordábamos al hombre y la geografía que nos presenta Barea en el primer tomo de *La forja de un rebelde,* con sus rutas de Castilla, sus tierras de pan y vino, Brunete, Móstoles, Navalcarnero, Méntrida y Valmojado. Los dos sienten el mismo amor por el paisaje, estilizado o natural, pero también los dos hincan desde el primer momento sus ácidos en los seres y en las cosas, vivificándolos por un deseo prístino de buen conocimiento. Cela clava su aguijón ofensivamente, sin olvidar el lubricante de su buena ternura intelectual. Barea describe de modo minucioso, compartiendo, en buena mesa, crítica y emoción. Sus relatos de estos pueblos castellanos son magníficos. Tenemos que olvidarnos de su repetido autodidactismo porque no sabemos qué se quiere decir con esto.

Leyendo a Barea nos damos cuenta de que no podemos precisar si la disciplina crítica es anterior a la realidad emotiva o si es posterior. Algunos filósofos modernos afirman la prioridad de la vivencia emocional sobre la aprehensión intelectual. Del autor de *La forja* se debe decir que el fenómeno se produce simultáneamente. Y si no estamos conformes con esta simultaneidad, siempre estamos dispuestos a conceder el primer lugar al ejercicio crítico. Nos patentiza esto los recuerdos de juventud y adolescencia de Arturo Barea. Antes de amar, de expresar el sentimiento de comunión con las cosas o con los hechos, ya ha visto nuestro escritor sus figuras de manera contradictoria, analítica y antinormativa. Despues viene todo lo demás. Claro está, pudiera ser que esa emoción espontánea de la posesión inicial del mundo, viniese acompañada de la valoración crítica, casi al mismo tiempo que la forma ha adquirido su expresión. Para los resultados, todo este razonamiento sobra. La verdad es que sorprende en nuestro escritor este ensamblamiento tan vigoroso de crítica y emoción. Pocos novelistas tan acabados como éste, desde el presente punto de vista, encontramos hoy en España. Esta emoción, llegada de las cosas y los acontecimientos, es siempre cálida, fugaz es posible, pero cordial, emoliente y agasajadora. Esta emoción escapa a toda composición y a todo artificio o escuela. Se centra muy bien dentro de eso que se llama por ahí "lo natural", que no sabemos exactamente lo que es, pero que llegamos a apreciar debidamente. En este sentido, Arturo Barea no es un novelista moderno. Cae mejor dentro de una cierta corriente naturalista de valores estéticos e intelectuales. Sin embargo, no se puede dudar de su contemporaneidad. Pero ésta se produce a lo largo de una escandalosa contradicción: la de saber que sólo desde su existencia se llega a entender la realidad del mundo, cuando él quisiera que desde fuera todo quedara entendido dialécticamente.

Dentro de esa corriente naturalista apuntada, nuestro autor ha desenvuelto toda su obra. De cierta manera, su nacimiento marca un punto y aparte en nuestra producción literaria de hoy. Radicalmente distinto de todo lo que nos llega desde fuera y de todo lo que tenemos aquí dentro. Es posible que este "natural" se produzca por el valor de confesión que tienen sus relatos. Pero no creemos esto suficiente. Es más, muchas veces lo confesional da un tono artificial a todo lo que se escribe. Artificial o empalagoso. Pero no nos debemos preocupar por ahora de los orígenes de este estilo o de este contenido de arte. Es cierto que nuestra literatura necesita con insistencia de esa lluvia benéfica de lo natural. Siempre la tuvo, incluso en las épocas de fuerte realismo. Porque, por otra parte, el realismo no basta para que aquello se genere. Esa corriente líquida de lo "natural", la representa muy bien Galdós frente a "Clarín" o a la Pardo Bazán, Baroja frente a Valle-Inclán o "Azorín". En la novela actual, de alguna mana manera muy realista, a la medida de nuestras fuerzas, existe un prurito de estilización, de figura bien compuesta, de redondeamiento de una naturaleza posible o inasequible: hechos consumados que denotan un artificio buscado. En cambio, en Barea existe una fluencia tan libre, tan espontánea, tan suelta, con su cierto prosaísmo y su cierta anarquía, que todo en seguida queda cubierto por una vegetación singular, vehemente y húmeda, como la que origina el alisio soplando insistentemente sobre la ladera volcánica de una isla. La literatura de Arturo Barea es estimulante, con su aire viejo de amanecida, y nos llena de incitación, como el ala coloreada de un insecto, o de feracidad, como un regato debajo de una piedra. Esta novela, así formada, llega hasta la moral y hasta las ideas, que pronto dejan atrás su contingencia política, muy adjetiva por otra parte —siempre en *La forja* las vemos consideradas muy problemáticamente—, para alcanzar una superior trascendencia humana y universal.

DEBATE FINAL OBLIGADO

Con el fin de estudiar siquiera someramente ese estado actual de la novela española, de dentro y fuera, hemos presentado a varios escritores, de Cela a Gironella, que estimábamos podían tener una cierta significación y un cierto relieve, siendo capaces de dar sentido a este debate general. De la misma manera que mostramos estos nombres, pudimos exhibir otros que adquirieron otra significación y otro relieve, siempre teniendo en cuenta la trascendencia más o menos importante que han adquirido en nuestro país. No hubiera estado de más sacar a primer término a Ignacio Agustí, en algunos aspectos el más europeo de todos nuestros autores contemporáneos; a Zunzunegui, un irregular novelista de vasta producción, que lo mismo escribe *La vida como es* que *El hijo hecho a contrata*; a Juan Sebastián Arbó, de extraordinaria independencia y de fuerte cordialidad humana; a Pedro de Lorenzo, creador de *Una conciencia de alquiler*, de sugestiva originalidad y poseedor de incuestionables valores; a Miguel Delibes, varias veces laureado, y otros muchos, mejores o peores. Algunos de los que forman el segundo equipo de postguerra, aparecido después de 1950, ofrecen un interés extraordinario, superior incluso al de los ya comentados. Pero lo importante es conocer la altura de este renacimiento novelesco y la situación del mismo en el conglomerado de las literaturas europeas de hoy. Usamos esta palabra renacimiento porque se ha usado mucho en estos últimos tiempos. Efectivamente, tenemos que considerarlo como tal, si nos atenemos al número de escritores surgidos, a la cantidad de obras y a los valores excepcionales de algunos artistas. Hay que reconocer que todo esto se ha producido dentro de unas ciertas restricciones y de unas especiales condiciones de vida.

Dijimos que hay que admitir ese renacimiento novelesco si establecemos una relación con esa época inmediatamente anterior a nuestra guerra y que casi llega hasta los sobresalientes epígonos de la generación del 98. Si la escala de premios la llevamos hasta Baroja o Galdós, entonces es posible que debamos andar con mucho tiento para fijar una medida definitiva de valoración, siempre enojosa. De todas maneras conviene decir que, a primera vista, echamos de menos en el nuevo tiempo un sentido generacional regular, seguro, hecho. Existe como un cierto desacople entre las realizaciones, el cuerpo conseguido, y la voluntad de forma con su espíritu inicial. Este desajuste, mejor expresado, presenta muchas causas, la mayoría de las cuales son sumamente inteligibles y muy fáciles de relacionar. Este estado de cosas nos recuerda lo que un explorador inglés nos cuenta del comportamiento de unos indígenas del Alto Amazonas. Una vez se intentó una marcha forzada por la selva. Los dos primeros días avanzó la expedición a gran velocidad por entre enormes árboles, obstáculos casi insuperables y animales peligrosos. Cuando llegó la hora de partir, a la mañana del tercer día, los naturales seguían sentados, con grave compostura, sin dar señales de disponerse a continuar la marcha. No hubo manera de levantarlos para emprender la aventura. "—No podemos hacer nada", explicó el jefe indígena. No seguirán el camino mientras sus almas no hayan alcanzado a sus cuerpos". No sabemos hasta qué punto nos encontramos cerca de ese instante en que el cuerpo y el alma de nuestros novelistas estén ajustados con rara perfección para erigir la figura de un movimiento generacional digno de los tiempos que vivimos. En parte, el hecho de esa estructura posible no depende de nuestros artistas.

Llevamos quince años de trabajo. Importantes libros se han producido, algunos de los cuales hemos intentado analizar aquí. Nuestra esperanza es grande porque hemos visto cómo a la fase inicial de recuperación ha seguido una nueva ofensiva de escritores de indiscutible valía. Pero no está de más que nos preguntemos a estas alturas si en este tiempo transcurrido han nacido obras, en calidad y número, capaces de enfrentarse con las de sus mayores, la generación de Galdós o la generación de Baroja. Entre 1875 y 1890 se publican en España las novelas más representativas de los escritores de la Restauración, teniendo en cuenta, además, que Valera y Alarcón dan a la estampa *Pepita Jiménez* y *El escándalo* en esos mismos días. En aquellos quince años Galdós acomete su gran obra, entre *Episodios nacionales* y novelas contemporáneas, incluídas *Doña Perfecta* y *Angel Guerra,* "Clarín" nos da a conocer *La Regenta,* Pereda su *Sotileza* y sus *Peñas arriba,* la Pardo Bazán, *La tribuna* y *Los pazos de Ulloa,* Palacio Valdés, *Marta y María* y *La fe.* Es decir, que en este lapso se manifiestan las narraciones fundamentales que dan carácter a este gran renacimiento literario nacional. Si nos referimos al grupo novecentista, tenemos que recordar que Baroja publica *La lucha por la vida* en 1905, *El árbol de la ciencia* en 1911 y comienza *Las memorias de un hombre de acción,* "Azorín", *La voluntad* en 1902, Valle-Inclán *Las sonatas* en 1901 y los relatos de *La guerra carlista* en 1908, Unamuno *Paz en la guerra* en 1904, Ramón Pérez de Ayala *Troteras y danzaderas* en 1913, Gabriel Miró *Las cerezas del cementerio* en 1910 y *Las figuras de la Pasión del Señor* en 1915. A toda esta producción tan original le podemos añadir la parte más sobresaliente de la obra de Blasco Ibáñez, más las mejores creaciones de Ricardo León, *Casta de hidalgos,* 1908, y un libro fundamental de Ramón Gómez de la Serna, *La viuda blanca y negra,* 1915. Hemos olvidado adrede el nombre de Felipe Trigo y sus más caracterizados discípulos que por este tiempo nos presentan sus mejores libros. Entre todos los volúmenes aparecidos después de 1940 y hasta 1956, más de quince años transcurridos también, habrá algunos, sin duda, que pueden oponerse con entera dignidad a los que hemos citado como representativos de las dos anteriores generaciones ilustres. Pero lo que nos sorprende más vivamente es que falta a los grupos actuales, de manera rotunda, aquel sentido generacional que encontramos con tanta claridad en los precedentes.

Esta afirmación no se debe hacer muy en alta voz. A veces, la falta de tiempo y de fraguado nos esconden los valores unitarios, la significación cualitativa histórica y otras muchas cosas que dan figura a una realidad epocal. Tenemos que señalar aquellos sugestivos estudios de Ortega y Gasset, publicados en *El espectador,* sobre "Azorín" y Baroja. Entre muchas brillantes aportaciones, nuestro filósofo aseveró que estos dos novelistas del 98 vivían estéticamente separados y que había que considerarlos como antípodas de una sensibilidad y de una forma narrativa. Observando los hechos, ahora percibimos el error craso de esta perspectiva crítica. Frente a los novelistas anteriores y a la historia literaria que les siguió, "Azorín" y Baroja se nos presentan como dos escritores similares, parejos y muy próximos, ofreciendo una unidad estilística y espiritual incuestionable. Acaso aun tienen que pasar muchos años para que podamos encuadrar dentro de un mismo paisaje artístico a Cela y Gironella, a Zunzunegui y Miguel Delibes, a Suárez Carreño y a Ignacio Agustí. A nosotros hoy nos da la impresión de que existen leguas y leguas de distancia entre todos ellos. Cada cual ha hecho lo que le viene en gana y de cierta manera se han desprendido radicalmente de las generaciones anteriores, acto de mucha tradición española pero que acusa una naturaleza fundamentalmente anárquica. Hasta en sus enemistades no se ha sabido hacer un frente común. Esta negación de algo, esta oposición a alguien, que fué siempre santo y seña imperecedero de una generación en marcha y espíritu creador de un tiempo vivo, falta en los hombres de nuestra época. Recordemos la solidaridad de su estética y de su sentido del mundo en los novelistas de la Restauración frente a sus antecesores, y la de los del 98 frente a los de la Restauración. Desde este punto de vista hoy no solamente existe anarquía, sino también dispersión y fraccionamiento de la luz inspiradora, de las preocupaciones morales y del entendimiento del orbe estético. A pesar de todo lo dicho aun nos quedan en las manos elementos suficientes de firme caracterización de la actual realidad literaria. Éstos nos pudieran ofrecer una más cohesiva personalidad de la generación que trabaja en estos días.

Ni en las letras ni en las artes vivimos en estas horas una época escolástica. Nos parece que estamos muy cerca de una nueva imagen del mundo, cuya crisis de nacimiento padecemos. Nada hay concluso y ordenado. Todo adquiere un carácter problemático. La situación de hoy es muy distinta a la de la Restauración y a la finisecular. Las formas políticas, sociales y estéticas que llegaban a España en esos años, pese a muchas cosas, eran lo bastante estables, aun admitiendo nuestra inestabilidad local. Buenas o malas, esas figuras intelectivas del universo, fueron lo suficientemente fuertes para que nuestros artistas poseyeran una tierra firme, donde trabajar, bajo sus pies. No podemos decir lo mismo de nuestro tiempo. Afirmaba Max Scheller que todos los fenómenos, hasta los más conocidos, adquieren en esos momentos de renacimiento un cierto aspecto problemático. Si admitimos esa condición de renacimiento de nuestra actual literatura, también tenemos que admitir las conclusiones del filósofo alemán. Se ofrece esta denominación de renacimiento porque no tenemos otra a la vista. Si efectivamente éste no es un instante escolástico, ni mucho menos, y todos sus signos e interpretaciones nos lo demuestran así, entonces no nos queda otro remedio sino comprender en todo su valor la naturaleza de aquel problematismo, una de cuyas expresiones más exactas es la conciencia de un progreso inacabable de nuestro conocimiento. No nos ha de extrañar, pues, que los novelistas españoles se muevan dentro de un aire de anarquía y dispersión, que no hayan fijado aún un sentido terminante del mundo, o que no hayan mantenido sobre una mínima línea unitaria el movimiento de sus héroes o de sus ideas. El pensamiento existencialista ha servido, durante estos años posteriores a la segunda guerra mundial, como apoyatura o como quilla de buen navegar en sus grandes hallazgos. La verdad es que a nosotros nos ha faltado esa quilla, por lo menos la que debió ser trabajada con el plomo de las preocupaciones nacionales. Hemos carecido de filósofos y hemos seguido viviendo del pensamiento de Unamuno y Ortega, muy importantes sin duda alguna, reconocidos adelantados del pensamiento europeo, pero que no fueron puestos al día, oportunamente, para nuestras necesidades del momento.

De manera que, bien vistas las cosas, nuestros novelistas se han tenido que contentar con el impacto terrible de una guerra civil—que supone el cambio de la situación existencial, la reforma de la conciencia moral con la consiguiente iniciación de una nueva singladura—, más las incitaciones que nos llegaban desde fuera, en estos años muy débiles y de incierta veracidad, más la autodeterminación de cada cual, alimentada en escasa proporción por la herencia recibida. Entonces apareció el "tremendismo". De esta denominación han protestado todos los españoles. Incluso Camilo José Cela, uno de los responsables de este hecho y de este concepto. La verdad es que este "tremendismo" no deja de ser una palabra bastante expresiva y excitante y de fácil divulgación popular. Tiene su sentido y, si se quiere buscar tres pies al gato, también debemos decir que las palabras barroquismo y dadaísmo, ponemos por caso, no poseen una más acabada significación. Lo cierto es que a este "tremendismo" hemos de considerarlo no sólo como una forma de realismo con énfasis, como ha escrito muy bien Mariano Baquero Goyanes, y no cabe duda que lo es, sino como la actualización en España de una ráfaga de la tormenta existencialista que aquejaba a Europa en aquellos momentos. La lástima que ese "tremendismo" no llegara a adquirir una más alta temperatura y más concentrada tensión para ver hasta dónde llegaban nuestros artistas en su trabajo creador. Pronto se intentó destruir la cola de esa tormenta con toda clase de armas automáticas. Desde todos sitios se tocó a rebato, ignorándose hasta qué punto aquel "tremendismo" era la única cosa seria que en una hora excepcional se estaba realizando en nuestra literatura. Tenemos que afirmar que este "tremendismo" no ha desaparecido del todo de nuestro horizonte y que los mejores valores artísticos de hoy se apoyan desde lejos en él. Revistas y críticos supieron exaltar su nacimiento en el momento oportuno. *Insula, Destino* e *Indice* le ofrecieron sus páginas. Hemos de recordar como transcendental episodio histórico la contienda periodística entre Francisco de Cossío, representante de la prudencia, y Daniel Vázquez Zamora, heroico e inteligente defensor de las nuevas formas estéticas, que, en verdad, sólo intentó realmente poner las cosas en su lugar.

Del estudio de las novelas y novelistas españoles contemporáneos que hemos hecho en las páginas anteriores, se pueden entresacar valiosos elementos caracterológicos de este movimiento literario, que no tuvo, hemos de confesarlo, por causas bien conocidas, la unidad de acción y de pensamiento del realismo decimonónico y del impresionismo personalista de la generación del 98. Este "tremendismo" era una incitación a la disconformidad. Se ha dicho repetidas veces que la novela actual no puede ser sino disconforme. Es más, todo lo que no sea así es falso, inexistente, mentiroso, por lo menos, mientras el mundo no cambie de faz. Y aun cambiando, siempre la novela mantendrá la trayectoria realista, crítica y disconforme que le diera Miguel de Cervantes en la hora felicísima de la invención de *Don Quijote de la Mancha*. Naturalmente, como sucede siempre, a estas alturas no sabemos qué es lo que querían los enemigos del "tremendismo" en España. De no hacerse lo que se hizo podríamos preguntar qué contenidos morales, qué inspiración lírica y qué nervio estilístico se deseaba para nuestra novela contemporánea. Ignoramos lo que se pretende decir cuando se habla de un realismo moderado e ignoramos asimismo el significado exacto de eso que se llama el "realismo castizo". Realistas, más o menos realistas, son todas las novelas. Pero este realismo tan vago necesita para vivir seriamente de un aliento y de una caligrafía singulares. Nuestros escritores se pusieron un poco a tono con lo que se producía en el mundo. Lo único que llevó a cabo el arte español es peregrinar un poco en busca de un acento tónico personal. Es muy difícil hoy mantenerse lejos de las fronteras, encerrados entre cuatro paredes y viviendo excéntricamente. De haber procedido así, de forma tan nacionalista, pudiéramos haber caído en un regionalismo muy retardado y en el uso de un dialecto ininteligiblemente humano. Karl Vossler ha escrito que en la Edad Media, en aquellos tiempos tan propicios al mantenimiento de un localismo nacional, debido a ciertas circunstancias físicas, las letras y las artes vagabundeaban por todas las ciudades de Europa en manos de juglares y trovadores, de profesores y escolares, única manera de conservar su espíritu ecuménico y su existencia vitalísima.

Se debe aseverar que el "tremendismo" fué la original salida, digna y responsable, que hicieron los españoles para entender y atrapar el mundo en torno. Las obras que nacieron de esta situación mostraron una verdad y una individuación totalmente desconocidas en nuestro país. Nunca se había escrito así. Todas las novelas anteriores, de Galdós a Baroja, de Pérez de Ayala a Sender, de Blasco Ibáñez a Alberto Insúa, exhibían una realidad, una intención y unas formas muy diferentes, y casi opuestas a las que nos han enseñado Cela, Carmen Laforet, Suárez Carreño, Goytisolo, Aldecoa y Antonio Prieto. De haber estos últimos escrito como sus precursores, es difícil que hubiéramos concebido la idea de renacimiento que tenemos hoy para identificar la literatura actual. El aire, el agua y el fuego que dan personalidad a esta naturaleza estética postbélica, son unívocos, insólitos, sorprendentes. Pero también tenemos que decir que toda generación de escritores no crea un todo compacto y solidario, sino que necesita para manifestar su originalidad de contrastes y oposiciones y claroscuros. De aquí que para completar los estudios particulares que de algunos novelistas hemos hecho, algunos de los cuales no son los mejores, presentemos un pequeño panorama de obras y autores, no ordenados cronológicamente, y que al separarse en parte de las tendencias más significativas y modernas, acaban por integrar este panorama.

Por ejemplo: *Javier Mariño,* de Gonzalo Torrente Ballester, es un libro político, no cabe duda, pero lo político casi le sobra, le es adjetivo. Queremos decir que a Javier Mariño lo mismo le podrían servir unas ideas políticas que otras. Porque lo que importa en este personaje es su confusión humana, su testimonio personal. Recordamos con interés la figura de Eulalia. Las escenas con la prostituta están magníficamente realizadas. Algunos aspectos del "tremendismo" y de la literatura resolutiva posterior aparecen ya en esta novela fijados. *Mariona Rebull,* de Ignacio Agustí, es una obra de generoso tono europeo, bien situada dentro de una continuidad histórica, insospechada en un español que había sufrido la guerra civil. Escrita como si hubiéramos disfrutado de una auténtica paz, como si no hubiera pasado nada. Su caligrafía pertenece a ese impresionismo clásico a lo Maurois, que ya no se lleva, pero que todos añoramos. Las ideas de *Mariona Rebull* son muy conservadoras, sin duda, pero éstas tienen el acento del mejor liberalismo de Occidente, tan fundido a un sentido historicista de la vida. La figura de la heroína destila simpatía, comprensión, tenuidad, y el estudio de la burguesía catalana industrial, camino del gran capitalismo, la del obrerismo ascendente, la Barcelona de principios de siglo, las fábricas, la Exposión internacional, la bomba del Liceo, todo esto está descrito y sentido con una finura insospechada. Si el elemento costumbrista es poderoso, más lo es el elemento psicológico. La conciencia del pecado en Mariona y la evolución anímica de Rius presentan una rara perfección, no frecuente en nuestra novela. *La puerta de paja,* de Vicente Risco, se nos aparece con un sentido alegórico de fuerte sabor ejemplar. Libro insólito en nuestros medios literarios, se escapa de toda realidad. Posee una original invención y se estructura con una solvencia intelectual indiscutible. Es muy rara la figura de esta novela, es atrayente y solitaria. Dentro del realismo imperante de tan diversas categorías, *La puerta de paja* es un mirlo blanco de extraño vuelo y de colores sombríos muy conceptuales. *El empleado,* de Enrique Azcoaga, es un relato clásico con todos los contenidos de conciencia propios de la novela actual europea. La vida enajenada de un funcionario madrileño, su frustración total como escritor y su pesada soledad constituyen sus coordenadas básicas. Éstas se proyectan sobre la existencia de un día ordinario y aburrido del protagonista, moviéndose entre la casa, la oficina y la calle. Todo esto tejido a través de una narración muy certera y distante, expresiva y dotada de recatada emoción. Pudiera haber sido muy bien un relato a la moda, con su destemplado humor negro, con su natural nihilismo, pero el autor no lo ha querido así, afortunadamente. El héroe no percibe su vida sino a medias y lo vemos perseguido por un cierto misterio que evita la catástrofe y conserva su mediocridad.

Cinco sombras, de Eulalia Galvarriato, nos muestra una melodía narrativa difícil de ser alcanzada por nuestra novela actual. Su autora empieza y termina en ella misma. Al hablar de su arte se puede recordar a Proust y, especialmente, aquella afectividad delicada de algunas novelistas inglesas de la primera postguerra. Pero esto es decir bien poco ante el sentido de la realidad que nos presenta Eulalia Galvarriato, tan alejada de todo extranjerismo. Tiene fragilidad de porcelana, minuciosa originalidad de orfebre y un trascendente cuidado de desvelar un corazón remoto en las cosas y en las personas. *Valle sombrío,* de Manuel Pombo Angulo, ha querido conjugar de manera difícil los elementos de un arte perdidamente social y una lírica paisajista muy bien compuesta y desalojada de un tiempo real. La verificación de una obra como ésta supone un esfuerzo extraordinario, por falta de un clima contemporáneo adecuado. Bien visto, este *Valle sombrío* pudiera servir hoy, o mejor, pudo servir en su aparición como ejemplo para encauzar las energías de nuestra novela por un derrotero antitremendista. La verdad es que ella permaneció aislada y sin seguidores. *Valle sombrío* presume de una cierta categoría ejemplar. Todo en ella está idealizado, hasta almibarado, desde la problemática social hasta su moral edificadora, puesta al servicio de unas ideas dirigidas. Es un libro seráfico, ajeno a toda dialéctica. La prosa va muy bien ajustada al espíritu del mismo y esto hemos de considerarlo como un casi hallazgo oportunista. *La vida nueva de Pedrito de Andía,* de Rafael Sánchez Mazas, es otro testimonio de arte literario antirreal. Se ha dicho con razón que es la mejor novela católica escrita en España después de nuestra guerra. Incluso su ejemplaridad ha podido servir como introducción a un estilo de conducta y a una forma estética meliflua, emoliente, atemporal. Los españoles no la han seguido porque, paradójicamente, no la entienden. Esta *Vida* ha querido ser un libro de conciliación, un punto y aparte entre las direcciones artísticas de la hora. Si es una novela católica no sabemos por qué se le ha relacionado con *El gran Meaulnes,* ya que tampoco el estilo se parece en nada, ni su frescura ni su inspiración popular. De todas maneras, este es un libro hasta serio, que ni se asemeja a la gran novela europea católica ni al estilo melifluo de Saint Sulpice. *Sobre las piedras grises,* de Juan Sebastián Arbó, es libro que patentiza pertenecer a las tareas de otra generación. Dentro de una situación tan equívoca y confusa como la nuestra, literariamente hablando por ahora, y en este sentido tan necesaria, la obra de Juan Sebastián Arbó sobresale por su orden regular, su sentimiento hondo de la continuidad y por su segura forma narrativa. Completa el claroscuro de una estética problemática y creadora. Su novela se lee con buena voluntad, con cariño y alegría. Con Ignacio Agustí forma una pareja, tan distintos formalmente, cuya misión parece ser la de fijar la evolución de la burguesía y de la sociedad catalana de este siglo a través de tantas vicisitudes. Con su dramatismo oportuno, su sentido crítico y liberal de la historia y su tópica andadura estilística, Juan Sebastián Arbó es novelista que se hace indispensable cuando un estado de crisis se cierne sobre el mundo del arte.

Tan coherentes son las ideas de estos dos últimos escritores como inciertas las de José Antonio de Zunzunegui. Es muy delicado saber cómo piensa este novelista. *La vida como es* puede estimarse su mejor obra. Muy bien construída, con variedad de graciosos y expresivos tipos, sin irregularidades conceptuales, con vivo sentido coloquial. De alguna manera es un libro picaresco, como pretende su autor. Su suelta impasibilidad y aun su expresión inocua lo acreditan así. Pero, a pesar de todo, no le vemos las malas intenciones que en el fondo atesoraba nuestra novela del seiscientos. No sabemos hasta qué punto *La vida como es* continúa la trayectoria de *Misericordia* y de *La busca.* En Zunzunegui se mezcla la picaresca con el sainete, equivocadamente. Ha podido ser ésta una obra capaz de emparejarse con *La colmena,* de cierto modo es su contrapartida, mas se ha quedado atrás por falta de espíritu satírico y por ausencia de compromisos inmediatos. La sociedad que presenta es extemporánea, equívoca. Los carteristas y espadistas que preside el Cotufas tienen sólo un valor retrospectivo. Nos queda únicamente del libro su fútil categoría de entretenimiento. José Antonio de Zunzunegui presenta una facha de gran novelista, lo es en potencia y en algunas de sus realizaciones, pero le sigue faltando una más honda mentalidad contemporánea. *La otra vida del capitán Contreras,* de Torcuato Luca de Tena, bien pudiera servir de norma caricaturesca de la sociedad de estos tiempos difíciles. Este libro tiene importantes antecedentes españoles de la más ilustre prosapia. La intención de Quevedo no está lejos de él. El tema es muy atrevido, la caligrafía es fácil y el tono quizá demasiado periodístico. Se lee con verdadero gusto esta novela donde se resucita al famoso capitán Contreras, que mereció tantas biografías y comentarios. De buenas a primeras se le pone a vivir en estos días y se establecen los consiguientes paralelismos y relaciones. Claro está, nuestro capitán, dolorido y cansado, tiene que marcharse otra vez a su reino. Debió haberse acentuado más el ánimo satírico de esta obra. De cualquier modo la hemos de considerar como ejemplar y muy necesaria para el conocimiento veraz de una época.

Una conciencia de alquiler, de Pedro de Lorenzo, expone un raro arte de escribir, con su difícil posición inasequible y con su estilo granujiento pero bien trabajado. La narración corriente o a la moda queda aquí reemplazada por una voluntad descriptiva acendrada y de acusado relieve. Pedro de Lorenzo aparece como un epígono de la generación del 98 y, más todavía, dentro de la línea de los barrocos subsiguientes. Entre todos los escritores actuales, él es el único que recoge el hilo perdido de nuestros grandes estilistas de este siglo. Con su inusitada preocupación formal, sin duda, esta "escritura artista" no es actual. Le faltan todos aquellos elementos que han dado original caracterización a la novela de postguerra. Pedro de Lorenzo es una isla, remota y excéntrica. La lectura, por ejemplo, de *Una conciencia de alquiler* es una ascética disciplina para este lector de hoy, impaciente y fácil. Pedro de Lorenzo fija el tiempo, casi lo hace piedra, en vez de seguirlo o de precipitarlo, como es lo corriente en esta hora. Presenta esta obra un cuadro de vida insólito, vida de un pueblo español extremeño, personajes muy bien construídos pero por fortuna sin psicología al uso, una acción mínima, coloquial y minuciosa, y un paisaje laboriosamente grabado a fuerza de amarlo mucho. *Una conciencia de alquiler* es una llamada al orden, a un orden pasado por ahora. Otro escritor que ha intentado mantenerse dentro de esa continuidad novelesca es Pedro Alvarez. *Los colegiales de San Marcos* apareció en 1944 e inicia las tareas con un cierto carácter retrospectivo. Sus figuras recuerdan algunas figuras humorísticas de Galdós o al Baroja de *Silvestre Paradox*. Sus obras se separan de las preocupaciones actuales. Tiene tendencia a acentuar la originalidad de los personajes, a escribir con un cierto rebuscamiento, a componer cuadros extraordinarios. También como Pedro de Lorenzo se estanca en su provincia, en este caso Zamora, y cerca de un acontecer muy recóndito, bajo un signo atemporal poderoso. Al menos este libro se nos ofrece con gran dosis de humor y con una gran comprensión de los hombres y las cosas. Su literatura no es fácil y huye de toda clase de figurines y modas.

Eusebio García Luengo, uno de los hombres más alerta y bien dotados de su generación, con sus juicios artísticos a veces desconcertantes, dramaturgo, novelista y crítico, ha escrito hasta tres novelas: *El malogrado, No sé* y *La primera actriz*. El valor de indagación y de asombro que poseen sus obras ascéticas no se manifiesta en sus relatos, muy ajustados a un orden clásico. Pero hemos de decir que, aun dentro de este orden, su preocupación o su inquietud por descubrir algo salta a la vista. *La primera actriz* es una narración corta sobre la vida de la gente de teatro de Madrid, los amores destemplados entre una cómica y un profesor de filosofía, que se lee apresuradamente. En este libro se destaca la manera cómo el asunto y la forma se ciñen con tino, presentándonos una economía de gran estilo y una advertencia a ese español que gusta del despilfarro en literatura como en tantas otras cosas. No falta nada en la novela, ni sobra tampoco. Todo en ella se mantiene dentro de una línea temática muy rigurosa, convirtiéndose en una pura y escueta narración. El esfuerzo que esto supone no se advierte por ninguna parte. *La gota de mercurio,* de Alejandro Núñez Alonso, es una obra de pretensiones enormes, inusitadas, sin proponérselo. Pretensiones que casi se puede decir, están conseguidas. No es una obra corriente, ni mucho menos, y forma un extraño islote dentro de la literatura actual. Es muy europea, de franca experimentación, de prueba, un poco inasequible y muy personal, donde se vislumbran importantes influencias de los grandes innovadores del género. Influencias a distancia, que demuestran la buena preparación del autor. Una novela necesaria para entender un cierto estado de cosas, excéntrica en este debate general obligado y ajena a la técnica y a la moral estudiadas aquí. Dentro de este carácter de prueba que es *La gota de mercurio,* percibimos que mira más hacia atrás que hacia adelante, es decir, que tenemos que considerarla como una forma de arte retrospectivo, siempre importante, sin duda. Nuestro "experimentador" no ha mantenido su inicial trayectoria. Sus otros volúmenes se han apartado del primer camino. Todo esto hemos de apreciarlo como concesiones a un público más amplio. *Aprendiz de persona,* es la segunda novela publicada hasta ahora por Paulina Crusat. Nuestra escritora es la más difícil de seguir entre las escritoras de este tiempo. No es cómodo leer este *Aprendiz de persona,* no solicita al lector intranquilo. Casi no nos enteramos de lo que pasa en esta narración. Es posible que no pase nada. En ella aparecen unos cuadros acaecidos en el campo catalán, durante las vacaciones de unos niños, muy bien diseñados con un arte un poco francés. Todo muy emotivo, un poco intelectualizado seguramente, tocando a veces la frontera de la poesía. Pero no es una novela poemática. Con sus dificultades sintácticas y estéticas, sin embargo, escapa de todo impresionismo tópico. Es un relato de rara sugestión, muy al margen de las realizaciones "a la moda" de uno u otro bando. Está escrito con el tono adecuado del que está vuelto de espaldas, adrede a la realidad.

Entre todos estos novelistas hay un grupo, que no se merma, sino que se mantiene en alza a través de los años, que trabaja la novela dentro de direcciones europeas muy conocidas, especialmente las francesas posteriores a la primera guerra mundial, con su denodado valor de experiencia real y de prueba psicológica. *La moneda en el suelo,* de Ildefonso Manuel Gil, es una obra escrita sobre un papel traslúcido y con una caligrafía muy fina y precisa. Muy alejada, en parte, de la mentalidad actual, por su impresionismo anímico muy acusado. Está redactada en forma de "memorias" y es la vida de un violinista frustrado, en cuerpo y alma, y condenado adrede a ser sombra de alguien. Es como un dibujo a línea, pero que se atreve a emparejarse con los relatos negros contemporáneos, es decir, a convertirse en cuadro expresionista por la condición miserable del protagonista y por la sordidez de algunos ambientes descritos. Es una obra pesimista, irredimible, y sobre ella pesa un cierto determinismo que contrasta muy fuertemente con su belleza formal. *Mientras llueve en la tierra,* de José María Jove, es una novela bien meditada, de corte muy francés, donde se destacan figuras sobresalientes de gracia e ironía. Su estructura es laxa, cordial, de imponderable gravitación. En primer término aparece uno de los más acabados trabajos sobre el alma de esa mujer que, en nuestro tiempo, intenta emanciparse no sólo de modo individual, sino también socialmente, casi porque se le obliga a ello. Desde este punto de vista la narración es muy atrevida, hasta insólita. José María Jove se ha valido de una francesa para su experimento, creemos que para no herir demasiado a los fariseos. Esa subversión de la mujer se presenta como un acto improrrogable, que llegará más tarde o más temprano. Toda la obra rezuma finura y honestidad. *Las pasiones artificiales,* de Carlos Martínez-Barbeito, está escrita en forma de "memorias", como muchos de estos libros. Es la historia de un "hombre ensimismado, lunático y abúlico" y de esa gente parecida que le ha rodeado. Las figuras recuerdan mucho al Baroja de *El pasado* o al de *Las agonías de nuestro tiempo,* y la prosa también, por su leve desenfado y hasta por su destemplanza y acritud. Es un relato impresionista, muy bien compuesto, con su sutil gracia y su acento de melancolía, que no sabe esconder una parcela de melodrama, asimismo a lo Baroja. Esta vida de Santiago Ulloa ofrece una rara sugestión, no fácil de encontrar por su exacta naturalidad retrospectiva.

La noria, de Luis Romero, se nos ofrece como una excelente experiencia formal, llena de esa preocupación de conciliar una realidad muy bien expresada y el tiempo que la apresa. Tiene la novela un cierto valor de ensayo, con sus treinta personajes, todos desconocidos y desatados, y empastados sólo por el movimiento englobador y absorbente de una gran ciudad. *La noria* posee una graciosa caligrafía, una cordial simpatía en sus pequeños héroes y las circunstancias del relato están muy bien soldadas con la inquietud estética del autor. *La tarde,* de Mario Lacruz, es un libro de antes o de después. Teniendo en él tanta importancia el tiempo, pudiera decirse que es atemporal. Unido al problema del tiempo surge el debate entre permanecer y pasar con su categoría intelectual. David, requerido por las circunstancias, a veces no tiene otro remedio sino sucederse, pero siempre aparece el mundo de los recuerdos tirando de él para que no llegue a traspasar la puerta de la existencia actual. El libro está compuesto musicalmente, con un cuidado muy fino y como si gravitara hacia una imponderable melodía. *Los contactos furtivos,* de Antonio Rabinad, es un relato muy francés, de contenido moral muy atrevido, casi inaudito entre las obras de este tiempo. Se lee con gusto y las figuras son muy atrayentes, muy bien estudiadas y con tino restituídas a una peripecia que a veces toca lo pintoresco. El drama fluye, desde la primera página, hondo, pero llevado con una cierta estilización. Su erotismo es natural, muy flúido, y recuerda mucho el arte de Renoir. Es un libro sin antecedentes españoles, por el cuidado psicológico y su tibia temperatura. Hay momentos en que se corre el riesgo inminente de caer en lo morboso. No sabemos si la sabiduría del novelista se ha manifestado aquí, manteniéndose en un justo equilibrio.

Ya hemos repetido varias veces, a lo largo de este debate, que la novela para ser verdadera necesita decir "no" al mundo que la circunda. Este "no" acredita su existencia y su individualidad, da fuerzas a la incitaciones recibidas y realidad a las respuestas críticas emitidas. De cierta manera, este arte está siempre en la oposición. Desde el momento en que forma gobierno, su condición aristofanesca desaparece. Es este su sino, su razón de ser, su heroico destino. En Inglaterra, por ejemplo, que es un buen país de novelas, se han sucedido en este siglo tres generaciones muy bien representadas, que confirman lo que vamos diciendo. Esta negación del mundo circundante se perfila en la fuerte ofensiva que lanzan contra la era victoriana Galsworthy, Wells y Bennett. Costumbres, moral y sociedad son sometidas por estos hombres a una polémica terrible. Después de la primera guerra mundial, aparece otro equipo que se enmascara detrás de una cortina esteticista o freudiana y que se encarga de machacar sin piedad toda clase de tópicos acendrados, de orden racionalista o progresista, las convenciones individuales y sexuales y, en resumen, todos los idealismos establecidos por la generación anterior. Los ejecutantes de esta labor fueron Aldous Huxley, David H. Lawrence, E. Forster, Richard Aldington y David Garnett. También realizaron lo suyo las encantadoras y melifluas Virginia Woolf, Catalina Mansfield y Rosamond Lehmann. Los hechos no se pararon aquí. Un poco antes de la segunda conflagración bélica, un nuevo grupo de novelistas surge, encabezado por Graham Greene, que trae a rastras a un nuevo hombre dotado de una insólita y vieja religiosidad cristiana. Detrás de Graham Greene, nace Evelin Waugh y, más tarde, Walter Baxter, todos católicos. Esta nueva literatura también dice "no" a la mentalidad y al sentimiento anglicanos que han convivido tan cómodamente con el comercio y la industria imperialista, con la teoría de la evolución y con el "cant" inglés.

En verdad, la novela es una piedra de escándalo. Claro está que existe asimismo la novela-radar y la novela-porcelana. Esta última casi no la conocemos nosotros, los españoles. En cambio, las dos primeras son en nuestro país muy bien conocidas. Se nos han ocurrido estas denominaciones sólo por el gusto de la divulgación. No tienen otro sentido. Hablamos aquí de la novela-porcelana aludiendo a esa loza de calidad cuyo esmalte recoge con fina y transparente precisión el color de la luz que la hiere. Recordamos como ejemplos a Jane Austen, Marcel Proust y Benjamín Jarnés. Son ejemplos de novelistas incautos, sin compromisos, sin negativas intenciones. Pero, de algún modo, también ellos no pueden escapar al espíritu crítico de la novela, y, en las suyas, la vida, las personas y las cosas, con su particular hechura, quedan aprehendidas en aquella malla, en varios de sus aspectos —no todas las luces pasan por estos esmaltes— a través de una imponderable lluvia coloreada. Luego aparecen los novelistas que actúan como aparato de radar. Vemos con frecuencia al novelista que se contenta con expresar el universo de sus experiencias, de sus observaciones o de sus pruebas, de manera más o menos satírica. Lo reproducen y lo someten a juicio de faltas. Pero este juicio no tiene alcance ulterior, se reduce a su actualidad, a su presente restringido. Sólo lo husmean y lo cancelan. Por otra parte, surgen otros escritores que llevan a cabo esta tarea, penetran en su realidad, en la realidad, pero no se detienen así como así, sino que la desvelan, descubriendo una historia anterior o posterior, facilitando respuestas y trascendiendo la mera contingencia humana. Y lo que es más importante, saben encontrar obstáculos en su camino, obstáculos de extraña visibilidad, a fuerza de lanzar ondas ultracortas de segura reflexión. No se satisfacen con estas emisiones, sino que además se proveen de poderosos receptores de pantalla fluorescente que detectan el más profundo movimiento de las cosas, de los hombres o de las ideas. Es el caso de nuestro Cervantes. Pero la novela no se queda aquí. También puede ser piedra de escándalo. Fundamentalmente toda verdadera novela lo es. Estamos usando esta palabra tal como la usaba Kierkegaard cuando habla del conocido versículo del Evangelio de San Marcos: "Dichoso el que no se escandalice de mí". De hecho era un escándalo que el Dios creador se encarnara para redimirnos en un hijo de carpintero, se redujera a ser maestro de pescadores y de mujeres ínfimas y que considerara como bienaventurados a los que padecen hambre y sed de justicia. Aquellos judíos no comprendieron cómo el Dios creador no se convirtió para venir al mundo en un rey resplandeciente de majestad y de poder.

Pues bien, reduciendo toda esta significación a ese pequeño quehacer de los hombres que es la novela, podemos atrevernos a decir que Dostoiewski fué una piedra de escándalo, lo fué también James Joyce, y lo es Graham Greene y François Mauriac. De cierta manera nuestro "tremendismo". Un nuevo mensaje moral o estético produce escándalo, asimismo la negación terminante de un mundo establecido, el descubrimiento del error en que vivimos o, simplemente, el acto de acusar al fariseo que pasa cerca de nosotros. Hemos citado anteriormente al novelista inglés Walter Baxter. En 1943 publicó un libro, *The image and the search,* que fué prohibido por la censura de su país. Hemos dicho que se trata de un novelista católico. Esta obra fué sometida a tres procesos. Sólo al final del último consiguió un veredicto de inculpabilidad. Se le acusaba de obsceno y de haber dañado el honor nacional, personificado en una londinense que se abandona a una sensualidad furtiva. Este estado y esta conducta le lleva a la purificación. Ante *The image and the search* nos encontramos con una piedra de escándalo. Si la golpeamos con nuestra curiosidad insana seguramente producirá chispas. Sin duda, esta obra es una obra ejemplar. Pero para llegar a la pureza de una humillación total del espíritu, hemos tenido que andar por senderos peligrosos de contradicción y de disconformidad moral, fuera de toda lógica acomodaticia. Aquí se pone a prueba el valor de lo absurdo y de lo arbitrario, y también el hecho superlativo de que lo ético y lo religioso están siempre en guerra cuando se trata del conocimiento intuitivo de Dios.

De cierta manera, el "tremendismo" fué una piedra de escándalo muy necesaria. Pero súbitamente se intentó pulverizarlo con fuertes martillazos en las aristas de sus debilidades. No nos parece que se haya terminado así como así. "El tremendismo" es, sin duda, la figura más sugestiva que presenta la novela española de postguerra, aparte de otras muchas cosas. Si quisiéramos dar una forma a esta figura, consideraríamos inapropiado hablar de realismo, picarismo o existencialismo indígena, o expresarnos con otras palabras más o menos ineptas. Hoy es muy difícil huir de un realismo total o parcial. Para establecer un serio reconocimiento literario tenemos que echar mano de otros ingredientes, de otras facetas de investigación. Por ejemplo, existen unos elementos formales novelescos, que no son sólo formales en buena lid, en muchos escritores actuales que pueden servir para preparar una buena nomenclatura. Cuando aparece una cierta masificación en las artes —es el caso de nuestra novela, debido a que todos escriben bien y disponen de una buena técnica— necesitamos buscar un elemento singular que las caracterice. Si nos encontramos en presencia de una bandada de aves o de una manada de ovejas, para distinguirlas nos hemos de valer de una mínima identificación: la pluma azul o roja de su ala o la raya sepia o negra del vellón de su lomo. Con esta pluma o con esta lana podemos asegurarnos una amistad y mantener una simpatía esclarecedora. Entre los novelistas españoles de hoy descubrimos asimismo esta pluma y esta lana coloreada como único medio diferenciador. Ha surgido una generación posterior al "tremendismo", después de 1950, en la que se percibe con claridad y bien en primer término una prosa tensa, lograda sobre el punto extremo de la resistencia del arco, de ascensión angustiosa y bien lastrada de eretismo, del mayor interés y personalidad. Se debe decir que en nuestros días existen los escritores que componen bajo este estado tensor y los otros. Este elemento adjetivo, que parece un mero hecho técnico, lleva detrás importantes valores sustantivos. De una parte, la herencia del "tremendismo", más el influjo poderoso de la novela policíaca o del film yanki de "gangsters" nuevamente puestos de moda por *El tercer hombre,* cinta inglesa de Carol Reed, sin olvidar los climas y las ideas difusas del existencialismo imperante. Nos contentaremos con citar algunos nombres que expresan muy bien esta situación literaria.

La ciudad perdida, de Mercedes Fórmica, es un bello relato de esta época. La figura de Rafa, el exilado español que regresa clandestinamente a su país y sin que sepamos por qué, es espléndida como contenido moral y como testimonio de una existencia acosada. La de la muchacha tiene una gran simpatía, incluso por su convencionalismo. Se lee con verdadero interés y su emoción salta por todas las páginas. Tirante el tono, grave y hondo el drama, bien lubricada la prosa, de gran coherencia las ideas, con su mezcla de relato a lo Graham Greene y de film policíaco. *Fiesta al Noroeste,* de Ana María Matute, es una hirsuta narración escrita con vivo sentimiento, donde se alían intempestivamente lo trágico y lo grotesco, de modo muy español. Hay un entrecruzamiento de Valle Inclán y de Solana en la forma de mirar el mundo. Todo esto se refuerza con un tono confesional más de nuestro tiempo, que da al libro entero un aura de original sugestión. De esta pequeña novela se puede hablar muy largamente y merece de cualquier crítico la mejor atención. *Estiércol,* de Juan Guerrero Zamora, es otra realización de seguro valor, que se aparta mucho de las de este grupo de escritores, especialmente si la miramos desde un ángulo intelectual cerrado. Es el relato de la vida de una compañía de teatro, que anda por provincias, visto a través de unos personajes muy corrientes, salvo uno, concretos e interesantes. Es un raro libro que sabe fundir la más necia anécdota con una peripecia vital de trascendente resonancia y con un paisaje pintoresco muy atado a unas conciencias atormentadas. Casi es una novela negra por su crudeza y hasta por su morbidez cerebral acusada. En el ámbito de sus ideas se entra de lleno en un cierto existencialismo cristiano a lo Gabriel Marcel, por el sentido misterioso que da a sus criaturas y por su sólida valoración de la esperanza. Está escrita esta obra con cálida tensión, a veces con un lirismo solapado y con una independencia conceptual insospechada.

Cuerpo a tierra, de Ricardo Fernández de la Reguera, es, sin duda, la mejor novela de la guerra española vista desde España. (Nuestros escritores la han eludido siempre. Sus razones tendrán.) Está trabajada en formas muy lisas, cortantes a veces y poseída de matices muy sutiles. Es un relato muy reprimido, donde campea un poderoso sentido de la objetividad. A pesar de todo esto, genera un gran interés humano. Es la vida de un soldado de infantería, monótona y dramática, despiadada y con su disciplina a cuestas, estoica y responsable. La pasión vehemente de la otra obra de Fernández de la Reguera *Cuando voy a morir* se vierte aquí, en la nueva, como canalizada por una impasibilidad singular. *En la noche no hay caminos,* de Juan José Mira, confirma una forma narrativa tensa y al mismo tiempo ligera, y las preocupaciones morales de un descontento fundamental. El tema es muy sabroso y las vicisitudes psicológicas de sus héroes están muy en su punto. Hay un cierto virtuosismo, muy característico de los hombres de esta generación, pero éste no estropea el peso considerable de las dificultades de conciencia de los personajes. Se ha de destacar la valentía del asunto y la honestidad de sus soluciones.

Juego de manos, de Juan Goytisolo, es la mejor novela "negra" de este ciclo. Extraña, alucinante, embrollada, de un ritmo confuso pero terriblemente expresiva. Un buen documento de este tiempo. Posee un gran contenido social, es osada y muy libre. Está muy bien escrita, claro está, dentro de su manera de ser. Presenta una galería de tipos, el revés de una burguesía de gran facha, de dura originalidad, producto de un clima especial de postguerra. Como en ninguna otra obra, aparece en ésta una actividad dialéctica lúcida y hasta un cierto determinismo la oprime por todas partes. A veces nos recuerda algún "film" francés de los últimos tiempos, pero tenemos que reconocer que hay en ella una raíz y un estilo muy españoles: gusto del claroscuro, de la realidad teñida de impasibilidad y escándalo y de la buena andadura por caminos inciertos. *Los atracadores,* de Tomás Salvador, es otro buen libro de este equipo de escritores. Nunca pudimos pensar que el autor de *Cuerda de presos* llegara a escribir *Los atracadores*. El primero presenta un tema espléndido malogrado por falta de espíritu crítico. En el segundo se mantiene la caligrafía fácil y el empaste expresionista, pero se enriquece con atrevidos contenidos de conciencia alerta y polémica. A veces rebasa la sátira propiamente social, el clima nutricio de estos atracadores, hasta llegar a una cierta metafísica, de ideas rudimentarias, pero certeras y valiosas para una buena tarea novelesca. Tiene tensión y gran temperatura esta obra aguerrida y bien compuesta, con su virtuosismo acreditado y sus ideas terriblemente combativas. Se lee con interés y todos sus personajes, un poco hechos a golpes, precisan una realidad indiscutible. *Tres pisadas de hombre,* de Antonio Prieto, es otro libro que marca el clímax de este virtuosismo que apuntamos. Llegado este momento, ya no sabemos si protestar de tanto virtuosismo o reconocer las ventajas del mismo como única manera de comprender el alma de una generación. Tenemos que admitir que gracias a este virtuosismo el lector actual, el corriente, lee estas novelas con la máxima vehemencia. Se ha dicho de *Tres pisadas de hombre* que es un relato inventado, facilón y cinematográfico. Todo esto nos parece muy injusto, aun sabiendo que hay una parte de verdad. Es posible que las figuras de esta novela se acerquen a algunas de *El salario del miedo* o a otros de cualquier "film" actual. Esto dice poco ante la realización del conjunto con buen arte llevado, con tensa prosa escrito y con calor humano, próximo y emotivo, expresado. Caracteriza bien una situación existencial, una manera de comprender el mundo, acosamiento y soledad, y hasta el solo modo que tenemos a mano los españoles para hacer un relato de orden internacional, sin que hablemos de nosotros mismos.

Antes de todos estos acontecimientos literarios debiéramos haber presentado *Espejismos,* de Elena Soriano. Un apretado y vivo relato que vale por la sinceridad de sus confesiones, la del hombre y la de la mujer, recogidos en un instante afilado de sus vidas. Este relato nos recuerda en parte aquel estilo femenino, insustituíble, de las grandes novelistas inglesas de la primera postguerra, pero puesto al día por nuevas preocupaciones morales, por el acento grave de la existencia y por la incertidumbre de nuestro destino. Elena Soriano, que sabe mucho de la novela, como nos lo ha demostrado en excelentes ensayos, ha conseguido aunar muy bien teoría y realidad. *Espejismos* consta sólo de dos monólogos, dichos de manera agónica, es decir, con desasosiego y culpabilidad. Los dos quedan apresados en un tiempo colocado entre paréntesis. Hay en todo el libro un intencionado espíritu conservador y al mismo tiempo una gran independencia. *Con el viento solano,* de Ignacio Aldecoa, es una obra fácil, dura y excitante. Un gitano, Sebastián Vázquez, sintiéndose imposibilitado para vivir solo y huído, después de haber cometido un asesinato se entrega a la Guardia Civil. Prefiere perder su libertad, quizá perecer, antes que soportar la angustia irredimible de la soledad. Esta soledad el español no la resiste sino cuando se siente libre, parece decirnos el novelista. Todo esto nos expresa que este héroe no se parece a los de Greene o a los de Camus, con los que tiene alguna relación. Todos los personajes de esta obra aparecen teñidos de cobardía. Al gitano lo abandonan sus amigos, la familia, incluso, la madre. Este clima de peligrosidad incitante está muy bien visto. *Con el viento solano,* es un relato serio, cargado hasta de contenido ontológico. Este contenido se hace espontáneamente acción y sentimiento. No sabemos si le falta algo para ser una obra de arte ejemplar, o si le sobra. Nada de esto contradice que *Con el viento solano* sea una hermosa novela europea, repleta de dureza y de vida españolas. *Algo pasa en la calle,* de Elena Quiroga, nos hace olvidar el carácter poemático de sus obras anteriores, un poco desusado. El tema es original, la moral muy libre, en el mejor sentido del concepto, y sus personajes muy tópicos, pero hechos así adrede para realzarlos por una poderosa savia emocional. Cálida y sugestiva la narración, y muy sagazmente entrecruzada por diversas técnicas modernas. Es obra de singular atractivo intelectual, de raíz polémica, de problemas vitales. Nuestra autora, con sabiduría insopechada, deja así atrás su otras tareas y se incorpora con atrevimiento y responsabilidad al centro mismo de esta generación de novelistas de choque, todo esto sin perder su condición femenina. Condición que se hace muy sensible en *Algo pasa en la calle* por la verificación de personajes, el sentido del mundo y hasta por su reticente moral defensiva.

Testamento en la montaña, de Manuel Arce, es una narración de tipo autobiográfico, que nos ofrece, dentro de este grupo de novelistas, algunos motivos sugerentes. No posee la tensión de los relatos que hemos reseñado. Se mantiene dentro de un cierto equilibrio, y hasta con una bien estudiada laxitud, pero hemos de afirmar que, encerrado en estas formas, el libro es ágil y vivo. El tema tiene algo de "film" norteamericano. Se trata del secuestro que efectúan dos "gangsters" asturianos, no sabemos si es esta especie un poco rara, de un medio rico campesino, que ha vivido en América, y que se casó a su regreso con una mujer puesta en entredicho por la gente de su pueblo, y de quien está muy enamorado. Las aventuras con los bandidos y el recuerdo de la vida pasada del protagonista forman el doble plano de acción del libro. El problema de la libertad lo cruza de un lado a otro. El famoso "estás condenado a ser libre", intencionado o no, que no lo sabemos, parece mover la moral de la obra. La posición de Manuel Arce es, en este sentido, deliberadamente gratuita. *El vengador,* de José Luis Castillo Puche, presenta un hermoso tema de nuestra postguerra. Muy original, al menos en nuestro país, y de gran arboladura ética. La vida de un alférez del ejército vencedor que regresa a su pueblo, donde su madre y sus dos hermanos fueron asesinados por los vencidos durante la época de su dominio. La existencia de este pueblo, que pasa de unas manos a otras, está bien vista, con veracidad y con leal actitud. Todos esperan la venganza. Pero ésta no llega. Nuestro alférez, que se ha comportado heroicamente en nuestra guerra, es incapaz a sangre fría de tomar el desquite, aun conociendo a los asesinos. La novela nos muestra el proceso psicológico del protagonista, su indecisión, angustia y tragedia moral, frente a un clima espectacular, acomodaticio y sórdido. Por fin, nuestro hombre se marcha del pueblo, sin resolver nada. Como se ve el asunto es muy bueno y capaz de prestigiar cualquier gran novela. Es lástima que la de Castillo Puche no esté realizada del todo. Le falta el estilo adecuado, más cerrado y acuciante, y una prosa mejor templada.

Hemos citado a todos estos novelistas y aún pudiéramos citar algunos más, como expresión representativa de un estado contemporáneo de nuestra novela. Entre estos mismos nombrados hay unos pocos que tienen marcado un destino feliz. Pero llegados a este lugar tenemos que considerar ciertos aspectos de esta literatura. Ahora nos podríamos preguntar otra vez, como ya lo hicimos cuando estudiamos la novela europea, si esta situación se prolongará mucho tiempo más en nuestro país. Creemos que todavía está en su hora de crecimiento. Lo que no quiere decir que no se vislumbren ya algunos otros modos artísticos y hasta un cambio radical de ideas. El peligro de la circunstancia actual se presenta a través de un cierto relajamiento técnico, de una real masificación de nuestros propios escritores y también por el nacimiento de un acomodaticio virtuosismo. Todos estos graves pecados se originan unos de otros, se encadenan inconscientemente y se propagan como cualquier infección. Se ha sometido a nuestros novelistas a una presión máxima e intolerable, incitándolos a un trabajo permanente con premios sugestivos, competencias inauditas y vanidades fáciles. Con estos métodos de inflación, la vida selectiva no se realiza con rigor, ni el proceso evolutivo se logra por la decantación de un tiempo depurador. Pronto nos encontraremos con una pérdida total de la sustancia novelesca, con una vacuidad inusitada de problemas y objetos, y con una colección de técnicos espléndidos que achatan el arte y masifican la moral hasta extremos insufribles. Mientras, por otra parte, grandes porciones vírgenes de materia narrativa, adrede, no se pueden descubrir. Todo esto se agrava por encontrarnos con un estado deficitario de pensadores, críticos y moralistas responsables. Es difícil mantener un buen cuadro de novelistas, si la filosofía no hace de las suyas, paralelamente, queremos decir, si no genera un telón de humo amparador de todos aquellos quehaceres.

Si seguimos así nos va a suceder lo que a Husserl, el ilustre filosófo alemán, que a veces tenía la sensación de haber estado afilando constantemente su cuchillo, hasta que al final ya no le quedaba nada que pudiera ser afilado. No hemos de pensar que es éste sólo un problema de España. Más acusado, sin duda, en nuestro país por su particular historia, pero también puede verse con claridad en otros sitios del mundo. La libertad personal, la curiosidad y la investigación de las ideas moviéndose sin trabas y el aire ancho del mundo presidiéndolo todo, son elementos que apoyan siempre el normal crecimiento del arte y de la literatura. Muchas veces todo esto no sirve para nada, pero frecuentemente sí sirve. Con cierta significación en nuestros días en que la pérdida de una conciencia religiosa creadora, la incertidumbre política y la masificación creciente de la sociedad se ciernen sobre la mente y la sensibilidad del novelista, hasta producir coraje o desconcierto, malestar o culpabilidad, marasmo o duda metódica o agónica. Esta situación atañe a todos. Los caracteres locales se empequeñecen ante la realidad absoluta de la tierra. Esta tierra se ha convertido en un lugar incómodo para el juego de las ideas, para la invención del novelista, para los mensajes proféticos o dialécticos. Pero, al mismo tiempo, se ha hecho incitante y rica si intentamos fijar, aun cuando sólo sea de la manera más objetiva, la transformación radical de las costumbres, la puesta en marcha de tantos nuevos mecanismos morales y el transporte de las viejas melodías hasta una original situación existencial, el movimiento masivo, impreciso y continuo, de hormigueros humanos cada vez más amplios y la conducta de estos mismos seres, que escapan cada vez más a toda valoración individual o clásica.

Para fijar todo esto se necesita un cambio de mente y de técnica en la realización novelesca. Debemos conocer, pues, la respuesta que nuestros artistas han dado a esta inédita posición vital. Al hablar de mutaciones en literatura no podemos pasar en silencio el nacimiento de dos o tres obras que marcan un rumbo insospechado en nuestros quehaceres. La publicación de *La colmena,* de Camilo José Cela, es muy significativa, ya que supone un cambio radical de voz y tono. De cierta manera, aquélla fué una adaptación a un nuevo estado de cosas. Se pasó de lo caliente a lo tibio o a lo frío, de una existencia subjetiva a un conocimiento inquisitivo, del mensaje moral a la narración indiferente. Se separó más y más el novelista de lo novelado, un nuevo punto de vista se erigió frente a la realidad. Hemos de recordar lo sucedido en el relato norteamericano cuando agotado el cuadro expresionista que presidió durante muchos años el destino estético de aquel país, aparecieron Saroyan y Truman Capote. Otro libro expresivo del viraje acaecido es *Cuerpo a tierra,* de Fernández de la Reguera. Por último, han nacido *Los bravos,* de Jesús Fernández Santos, y *El Jarama,* de Rafael Sánchez Ferlosio. Lentamente parece que nos aproximamos a una "neue Sachlichkeit", una nueva objetividad, cuyos postulados en la Alemania de Weimar fueron lucidez, fervor y tranquilidad. No sabemos hasta qué punto esta vieja fórmula servirá para aplicarla en España. Lo que sí se debe afirmar es que el trabajo de estos artistas recientes supone un cambio importante de sentimientos y oficio y, por lo tanto, una nueva actitud ante el universo.

René Lalou nos ha dicho, lo ha repetido con frecuencia en su crítica literaria, que uno de los privilegios del novelista nato es obligar a sus lectores a tomar partido por algo o alguien, a manifestarse a lo largo de la lectura. Efectivamente, esto ha sido así siempre desde Cervantes. Pero no debemos olvidar que también otro novelista es capaz de sumir a su lector, o bien en la impasibilidad, en la mera curiosidad objetiva, o bien en el reconocimiento de que todos tienen su razón. Esta última situación, que es la liberal, ya fué expresada por Galdós, y rota a su vez por Baroja, Unamuno y Valle Inclán. Las narraciones de Fernández Santos y Sánchez Ferlosio nos someten a una apaciguamiento atento que no está lejos del de la picaresca. Reconocemos que es éste un buen procedimiento para tranquilizar a los españoles, de suyo irascibles y partidistas, obligándoles a observar las circunstancias desde un ángulo opuesto al de cualquier guerra civil. Con la nueva mentalidad, con la nueva visión se amplía el paisaje hasta límites insospechados, las personas y las cosas adquieren una singular humanidad allí justamente donde la masificación ha hecho sus estragos. Recordemos *El Jarama* y todos sus personajes más o menos iguales, pequeños empleados y empleadas del comercio de Madrid, con idénticas reacciones, con sentidos idénticos, moviéndose automáticamente dentro de su avispero. El novelista registra esta existencia masificada, que acaso no le guste, pero que no tiene otro remedio que admitir como una realidad irreemplazable. No posee otra. Ya en aquel lugar, desde su lejanía, próxima y cordial —la herencia liberal—, entonces observa en esta masa un cierto misterio trascendente —la herencia cristiana a lo Gabriel Marcel—, una cierta dignidad, y va destacando los tú en ese cuerpo de un "ello" anónimo e indiviso. Este es el caso de un Sánchez Ferlosio. Pero en aquella misma posición vital, incluso sin "parti pris", el novelista puede variar el tono o el acento y dejarse llevar por imponderables humores. Hecho que acaece hasta con la máquina fotográfica.

Las primeras doscientas páginas de *El Jarama* son muy pesadas, acaso debido a nuestra falta de conformación visual. La curiosidad llega a agotarse. En *La colmena* no sucede así, motivado porque Cela no abandona nunca su aparato crítico. Aun cuando en verdad éste no ejerce ningún juicio terminante sobre sus personajes. Y es que hay muchas maneras de ejercerlo. Pero cuando llegamos a la página doscientas de *El Jarama* y acontece algo, ya después de un reiterado trato con tanto ser anónimo, quedamos con el ánimo en suspenso, viviendo animadamente todo lo que va transcurriendo. Siempre nos ha preocupado la necesidad del espíritu satírico de la novela, su valor estimativo de documento de un mundo, el testimonio de una realidad. Razón tiene José María Castellet, en un estudio publicado por la revista *Los papeles de Son Armadans* sobre *El Jarama,* cuando nos explica que asimismo las novelas como éstas, tan inocuas e inofensivas al parecer, expresan con exactitud la naturaleza de una sociedad, la sensibilidad que predomina y el orbe de sus preocupaciones. *El Jarama* se erige así como documento de máximo valor, superior al que puede mostrar cualquier otra clase de relato, y sin usar de un juicio intencionado, de la psicología académica y del mensaje resabido. *Los bravos,* de Jesús Fernández Santos, manifiesta un arte similar al de Sánchez Ferlosio. Estos héroes impersonales e ignorados de un pueblecito español perdido, están vistos con igual objetividad. Son los hermanos rurales de *El Jarama*. La vida difícil, la miseria y el abandono están descritos muy desde afuera, y no como tales elementos sociales o históricos, sino como simples elementos de una realidad novelesca. Ahora bien, un cierto pintoresquismo, inevitable para el lector burgués, adultera de alguna manera el sentimiento curioso o expectante del que lee esta bella obra. *Los bravos* despierta mayor interés que *El Jarama,* por lo tanto. Lo que no cabe duda es que desde *La familia de Pascual Duarte,* verdadera literatura de choque, hasta la nueva forma de novelar, se han producido muy serios acontecimientos en nuestro ámbito.

Hace poco hemos leído un artículo en la revista *Ibérica,* publicada en Nueva York, de Ramón J. Sender, titulado *Hacia un nuevo período clásico,* en el que se nos habla del tiempo actual de nuestra novela y se le considera como un renacimiento del genio nacional, dentro y fuera de nuestro país. El autor de *Crónica del alba* afirma que se ha superado lo convencional y que la vida ha puesto a nuestros novelistas en esa coyuntura fatal en que los nervios alcanzan la máxima tensión, el alma la máxima turbación y la mente la clarividencia y la confusión máximas. Este criterio lo creemos de suma importancia, no sólo por la calidad intelectual de quien lo expresa, sino por su valor independiente y desinteresado. Claro está, en este renacimiento clásico apuntado queda todo englobado, desde el "tremendismo" hasta otras formas más o menos tradicionales. Hemos presenciado, a lo largo de este tiempo último, una serie de movimientos interiores que han de lograr en su día la fijación de una figura insospechada y autóctona y una voluntad histórica de forma. Es difícil saber en esta hora cuál ha de ser ese cuerpo artístico. Y mucho más difícil escudriñar esa honda célula generadora, ya que en la mayoría de los casos se nos escapa el camino recto de la causalidad tradicional. De cierta manera, lo que los españoles realizan hoy es el resultado de que "un orden subjetivo de conocimiento se ha convertido en principio del orden objetivo de las cosas", según escribió en su hora Federico Kuntze al manifestar sus ideas sobre otro mundo de hechos. Se debe decir también que lo sorprendente en las tareas de nuestros hombres es que se han valido para sus verificaciones de una vereda corta y sesgada, la que recorre la cabra hispánica, que les ha llevado con facilidad a una mejor altura y a compartir un pasto más nutricio y feraz. Por último, todos estos acontecimientos en el orbe de nuestra novela han puesto a prueba una resolutividad estética indiscutible. Tiempo y espacio se han acortado para este especial servicio. De hecho, aquélla no viene a ser otra cosa que la concreción de una ola convulsiva que nos ha llegado desde nuestra conciencia en estado de guerra civil.

Nos podemos preguntar si esta situación de nuestra novela se reforzará o se debilitará. Es posible que sólo estemos empezando, en la hora auroral de una gran tarea. Por ahora no poseemos sino estrellas gigantes o difusas, síntoma de una buena juventud, porque ya sabemos que las estrellas viejas son las enanas y más densas. Muchos obstáculos pueden presentarse a la novela española en su recorrido. Creemos que cuantos más obstáculos más pronto se conseguirá una mayor libertad de movimientos. En arte no sucede como con las ondas de agua, que se debilitan al hacer zozobrar la pequeña embarcación que encuentran en su camino. Aquella libertad se refuerza como la onda de luz al propagarse vehementemente por los espacios curvos y por un cielo tormentoso. La resistencia del alma inmortal del hombre no tiene fin y la historia nos demuestra hasta qué punto los novelistas de todo el mundo han sabido sufrir los climas más adversos y las tierras menos propicias. El dolor, la injusticia y el acosamiento fueron siempre su más poderosos estímulos. Como piedra de escándalo y siempre a contrapelo, recurso primero y último, pueril y dramático, de testimoniar nuestra libertad personal, este arte literario ha llegado hasta hoy. No le queda otro remedio que seguir siendo así, si no quiere perecer.

INDICE

LIBRE PLATICA CON GALDOS

LAS NOVELAS DE LA CONDESA DE PARDO BAZAN

REVISION DE LEOPOLDO ALAS, "CLARIN"

RAMON PEREZ DE AYALA

OTRA VEZ GABRIEL MIRO

RAMON GOMEZ DE LA SERNA

INTRODUCCION A LA NOVELA ACTUAL

I.—ESPAÑA Y EUROPA

II.—PRESENCIA DE LOS NOVELISTAS ESPAÑOLES

DEBATE FINAL OBLIGADO

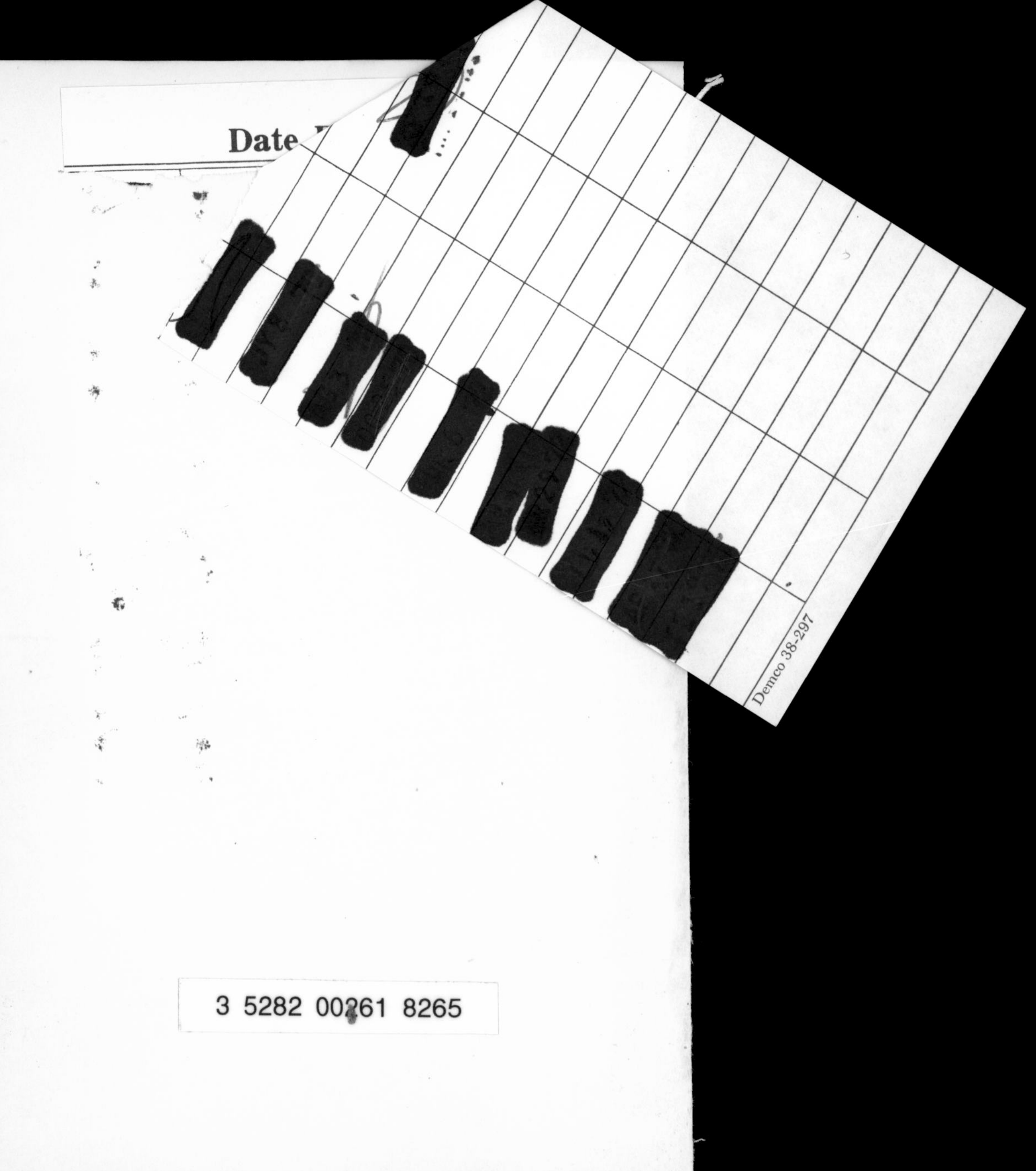
Date
Demco 38-297
3 5282 00261 8265